LE RYTHME DU MENSONGE

ROMAN POLICIER

Éditrice-conseil : Nathalie Ferraris
Conception de la couverture : Lyne Préfontaine
Infographiste : Chantal Landry
Révision : Sylvie Massariol
Correction : Caroline Hugny et Céline Vangheluwe
Photo de l'auteur : Julia Marois

DISTRIBUTEUR EXCLUSIF :

Pour le Canada et les États-Unis :
MESSAGERIES ADP inc.*
2315, rue de la Province
Longueuil, Québec J4G 1G4
Téléphone : 450-640-1237
Télécopieur : 450-674-6237
Internet : www.messageries-adp.com
* filiale du Groupe Sogides inc.,
    filiale de Québecor Média inc.

02-15

Charron Éditeur inc.
1055 boul. René-Lévesque Est, bureau 205
Montréal, Québec, H2L 4S5
Téléphone : 514-523-1182

Dépôt légal : 2015
Bibliothèque et Archives nationales du Québec

ISBN 978-2-924381-07-6

Gouvernement du Québec – Programme de crédit
d'impôt pour l'édition de livres – Gestion SODEC –
www.sodec.gouv.qc.ca

L'Éditeur bénéficie du soutien de la Société de
développement des entreprises culturelles du
Québec pour son programme d'édition.

Nous reconnaissons l'aide financière du gouvernement du Canada par l'entremise du Fonds du
livre du Canada pour nos activités d'édition.

SANDRA
MESSIH

LE
RYTHME
DU
MENSONGE

ROMAN POLICIER

RECTO
VERSO

Une société de Québecor Média

À Rose et Philippe

Prologue

Vendredi 16 décembre 2011

Concentrée, Elena ignora un instant la vibration de son portable, bien calé dans le fond de la poche arrière de son jean. Après quelques secondes, elle l'agrippa et lut rapidement le message que l'on venait de lui transmettre.

Surprise par l'identité de l'expéditeur, elle déposa la paperasse qu'elle avait en main et relut attentivement la phrase affichée à l'écran de son iPhone.

« Bonjour Elena, sais-tu où est David ? »

Jugeant trop délicat de répondre par texto, elle décida de lui téléphoner. Un mélange d'inquiétude et de frustration prit peu à peu place dans sa poitrine. Comment se faisait-il que son présumé conjoint fût recherché par son inséparable partenaire ? C'est avec cette question en tête qu'elle entendit Richard répondre.

— Brunet !

— Euh… Bonjour ! C'est Elena, dit-elle maladroitement.

— Bien le bonjour, mamzelle Perrot ! Alors, où se cache ton David ? Que lui as-tu fait durant vos vacances ?

— Eh bien, je dois t'avouer que je n'ai aucune idée d'où il se cache, lui annonça la jeune femme, visiblement mal à l'aise.

— Comment ça ? Vous ne vous lâchez pas d'une semelle !

Après un bref silence, elle répondit :

— Depuis notre retour de croisière, on ne se voit plus vraiment, dit-elle d'une voix à peine audible.

— Pas vrai... Je n'y crois pas, vous avez rompu ?

— Non, mais disons que j'ai décidé de faire une pause. Certaines choses se sont passées...

Assise à son bureau du poste de transbordement du Groupe Perrot, Elena regardait d'un air distrait la chargeuse sur roues pousser les déchets qui ne cessaient de s'accumuler dans l'aire de déchargement numéro deux.

Elle aurait préféré ne pas discuter de ces détails avec l'enquêteur Brunet, pourtant ami et collègue de David. Elena ne le connaissait pas beaucoup, et bien qu'il lui ait inspiré confiance dès leur première rencontre, elle jugeait leur relation trop récente pour lui parler de ses histoires de cœur.

— As-tu essayé de l'appeler chez lui ? reprit-elle.

— Ouais... Il ne s'est pas présenté ce matin, on le cherche. On se disait qu'il avait peut-être voulu dormir un peu plus, en raison du décalage horaire... Mais avec ce que tu viens de m'annoncer, et sachant à quel point tu comptes pour lui, je suis prêt à parier qu'il doit être encore chez lui, couché, déprimé et le cœur en miettes, conclut le policier. Je vais aller le voir.

10

— Hum... Je ne crois pas qu'il ait l'habitude d'agir ainsi. Il me semble que son travail passe avant tout, non ?

— Eh bien, il y a une seule chose qui est plus fort que tout, ma chère, et elle s'appelle Elena Perrot.

Embarrassée, la jeune femme décida qu'il était temps de conclure cette discussion.

Après avoir raccroché, elle essaya, sans résultat, de texter un message à David. Une partie d'elle-même était bien heureuse de savoir son homme anéanti par leur nouvelle situation conjugale. Et puisqu'il en était directement responsable, il pouvait bien s'apitoyer sur son sort !

Quelques minutes plus tard, Louise, son adjointe, lui fit signe que le représentant avec qui elle avait rendez-vous était arrivé. Essayant de ne plus penser à son policier, elle se leva, repositionna son chemisier et alla accueillir son visiteur.

L'homme, rougi par l'effort d'avoir monté les quelques marches de l'escalier menant au bureau, souffrait d'un important embonpoint et faisait preuve d'un goût vestimentaire plutôt douteux. Toutefois, la jeune femme fut réjouie de constater qu'il était ponctuel, ce qui était, tout compte fait, le plus important à ses yeux.

À 9 h 30 précises, elle lui serra la main avec assurance.

Une fois l'entretien terminé, et n'arrivant pas à entrer en contact avec Richard, Elena décida de se rendre chez David. Après en avoir glissé mot à son adjointe, elle jugea que cette brève absence ne devrait pas perturber les opérations au transbo. De toute façon, il était possible de la joindre en tout temps en cas de pépin.

Elle mit donc de côté son acharnement à vouloir responsabiliser son amant de la gravité de ses actes et sauta dans sa voiture, se doutant bien qu'elle se retrouverait probablement nez à nez avec lui sous peu. Elle s'était promis de ne pas le voir pendant quelque temps, mais elle jugea que cet engagement avec elle-même pouvait être rompu, étant donné les circonstances.

Lorsqu'elle tourna dans la rue Bossuet et aperçut l'immeuble de l'homme qu'elle aimait encore, son cœur se serra. Plusieurs voitures de police du SPVM, gyrophares allumés, se trouvaient devant le bâtiment.

La jeune femme sortit immédiatement de sa Focus et courut vers l'entrée de l'édifice. Au bas des marches, elle aperçut Richard qui se tenait dans l'embrasure de la porte du logement. Elle se dirigea vers lui, les nerfs à vif et au bord des larmes.

— Mais qu'est-ce qui se passe ? hurla-t-elle, presque hystérique, en constatant le nombre de policiers et de techniciens dans l'appartement.

— Eh bien, David n'est pas là, répondit Richard d'un air bizarrement calme et qui sonnait faux aux oreilles d'Elena.

— Ahh... soupira-t-elle, soulagée malgré tout de ne pas entendre le policier dire que son amoureux avait été retrouvé sans vie, rongé par les remords. Alors, pourquoi tout ce tapage ? dit-elle en désignant l'équipe technique.

— Elena, j'allais justement t'appeler... Vois-tu, nous avons intensifié nos recherches, car David n'est ni au gym ni chez ses parents. En fait, il n'est nulle part et... son cellulaire et même son arme sont ici, chez lui. Il ne part jamais sans eux, jamais.

— Merde... Mais il est où, bordel? répliqua la jeune femme, sentant la panique l'envahir de nouveau.

— Ce n'est pas tout, poursuivit Richard, après avoir dégluti bruyamment. On a trouvé des traces de bagarre...

— Quoi?...

La respiration d'Elena venait de s'arrêter; elle ne savait quoi penser.

— Et puis, nous avons trouvé du sang, ajouta le policier, hésitant.

Cette fois-ci, son cœur cessa de battre.

PREMIÈRE PARTIE

Chapitre 1
Fausses apparences

Trois mois plus tôt

Samedi 10 septembre 2011

Depuis la sortie de l'hôpital de sa bien-aimée, il y avait de cela quelques semaines, David se plaisait à la gâter : fleurs, massages, petits mots doux, chocolats fins, bref, tout pour lui faire plaisir. Et, surtout, pour lui faire oublier cette affreuse soirée de juillet, où elle avait été poignardée par l'inquiétant Andrew McRay. Bien que l'agresseur se révélât être le nouvel amoureux de la jeune sœur d'Elena, il était également l'un des plus récents tueurs en série que le pays ait connu.

Le policier était encore reconnaissant envers son collègue, l'agent Brunet, de lui avoir fourni le fameux indice lui permettant d'identifier l'homme qu'ils traquaient depuis des semaines.

Lorsque David avait reconnu McRay, il s'était immédiatement précipité à l'adresse qu'on lui avait fournie, sans même faire la demande d'un mandat l'autorisant à pénétrer sur les lieux. Arrivé au 10740, avenue Salk, il était intervenu juste à temps pour éviter l'assaut du troisième coup de poignard, qui aurait certainement été fatal à sa douce moitié.

Bien remise de son opération, Elena prenait du mieux de jour en jour. Cette belle brune, dans la jeune trentaine, était la femme la plus séduisante et aguerrie que le policier ait rencontrée dans sa vie. Dès leur première rencontre, il en était tombé follement amoureux.

Parcourant l'avenue du Parc, David savourait les rayons encore chauds qu'offrait le soleil de septembre. Il se dirigeait, sourire aux lèvres, vers Chocolats Andrée, la réputée et authentique chocolaterie qu'il aimait tant. Il avait garé sa voiture quelques rues plus loin, en raison du stationnement limité dans ce secteur du Mile End de Montréal, et devait donc marcher plusieurs minutes pour se rendre à la boutique, mais cela ne l'importunait aucunement.

En ce beau samedi, il avait l'intention de surprendre sa belle à son travail dans l'est de la ville, afin de lui offrir les petites douceurs qu'il était sur le point de lui acheter.

Tout en déambulant sur le trottoir peuplé, il observa deux jeunes femmes s'esclaffant à la terrasse d'un café après que l'une d'elles eut trébuché. En détournant le regard de cette scène amusante, il aperçut le profil d'un homme barbu qui sortait d'un commerce aux auvents bleus. Le policier ne prit pas la peine de vérifier de quel magasin il s'agissait. Il n'entendait plus les rires féminins ni le brouhaha de la circulation. Le temps sem-

18

blait s'être figé et l'air, raréfié. Un homme à la barbe grisonnante captait toute son attention.

Malgré le passage des années, David était convaincu que c'était lui. Cet homme caméléon ne pouvait le berner. Il avait du mal à croire que ce personnage insaisissable, légendaire, presque mythique, pût marcher d'un pas décidé à quelques mètres de lui, en pleine rue. L'enquêteur ne put s'empêcher de le suivre, dépassant sans s'en rendre compte la chocolaterie.

Cet homme, connu sous le nom de Rob Lussier, surnommé « le Phantom », était recherché par tous les corps policiers du Canada et des États-Unis. Habillé d'un pantalon beige et d'une simple chemise blanche, ce curieux personnage âgé de cinquante-cinq ans pouvait se vanter d'être le plus grand tireur à gages que l'Amérique ait connu. Au cours de sa carrière, il avait effectué des « contrats » pour différents mafieux et groupes de motards. Sa signature était reconnaissable : ses victimes étaient marquées d'une balle en pleine tête, près de l'arcade sourcilière, en plus d'une seconde, directement au cœur. Des meurtres bien planifiés, précis, et ne laissant aucune trace.

Dans les années 1980, la presse avait abondamment parlé du fantôme de Montréal et de New York, que tous qualifiaient de « tueur invisible ». Sa véritable identité demeurait un mystère, mais son existence ne pouvait qu'être réelle, en raison des nombreux témoignages concordants au sujet de ses divers crimes. Vers le tournant des années 2000, l'homme méticuleux avait commencé à utiliser de nouvelles méthodes, tout aussi efficaces. Ainsi, le tireur d'élite avait fait place à un meurtrier ingénieux, sans scrupules et prenant un malin plaisir à mettre en place de sordides stratagèmes afin de tuer ses victimes.

Depuis quelques années toutefois, il semblait obtenir moins de contrats provenant de groupes criminalisés. Selon plusieurs, un nouveau type de clientèle, plus fortunée et discrète, faisait appel à ses services. Dès lors, de grands financiers, des avocats ou des hommes d'affaires avaient commencé à tomber dans les pièges astucieux de Rob Lussier. De nombreuses morts inexplicables s'étaient produites : surdoses de drogue, chutes mortelles, empoisonnements soudains et autres décès pouvant être considérés comme accidentels. Bien que l'implication du célèbre tueur à gages dans ces meurtres ne fût jamais officiellement prouvée, de San Francisco jusqu'à Québec, en passant par l'État de New York, la rumeur voulant que le Phantom fût toujours actif ne se démentait pas.

Essayant de le suivre, David accéléra le pas, sentant l'adrénaline parcourir ses veines à mesure qu'il s'approchait de Lussier. Le policier dans la quarantaine avait un intérêt marqué pour cet obsédé du meurtre parfait, et ce, depuis son adolescence. Le choix de sa profession n'était d'ailleurs pas étranger à la fascination qu'il avait pour lui.

Soudain, à la rue Laurier, il le perdit de vue dans la foule. C'est ainsi que l'homme à barbe disparut aussi rapidement qu'il était apparu. Avait-il sauté dans un autobus ? dans un taxi ? L'enquêteur tourna sur lui-même, cherchant en vain la silhouette du tueur fantôme. Il s'était envolé, comme si David l'avait bêtement imaginé.

Sans même réfléchir une seconde, il rebroussa chemin et marcha à vive allure vers la boutique aux auvents bleus d'où avait surgi le barbu.

Il ne s'arrêta pas à la chocolaterie.

* * *

Assise à la table de la salle à manger, Elena sirotait un café en observant sa sœur Amélia. Elle avait pris l'habitude, depuis son accident, de venir la voir plusieurs fois par semaine, même durant ses heures de travail.

L'attaque qu'Elena avait subie avait modifié grandement la relation qu'elle entretenait avec son boulot, si omniprésent dans sa vie quelques semaines auparavant. Elle avait d'abord compris qu'elle n'était pas irremplaçable, même si elle était la directrice du poste de transbordement. Son équipe avait survécu à son absence et Patrick, son contremaître de confiance, avait fait un travail remarquable lors de sa convalescence. Mais Elena avait surtout réalisé que ses proches étaient ce qu'il y avait de plus précieux à ses yeux. Passer à deux doigts de mourir relativisait bien des choses, avait-elle constaté.

Ainsi, en ce samedi de septembre, elle n'hésita pas à prendre son heure de lunch afin de visiter sa petite sœur dévastée. Elena, qui avait été poignardée et kidnappée, avait rapidement repris sa vie en main, entourée de l'amour de David et de ses proches. Or, c'était tout le contraire pour Amélia.

La cadette Perrot ne s'en remettait tout simplement pas. Apprendre du jour au lendemain que l'homme de sa vie avait tenté de tuer sa sœur et que, par surcroît, il avait tué d'autres femmes par le passé, n'était pas une réalité facile à accepter.

Et son cas ne s'arrangeait pas avec le temps, contrairement aux souhaits de sa famille. Sept semaines s'étaient écoulées depuis qu'Amélia avait appris que son amoureux s'appelait en fait Andrew, et non Mark comme il le lui avait affirmé. La jeune femme fragile n'était plus que l'ombre d'elle-même. Ses cheveux, d'habitude si parfaitement entretenus, semblaient ternes et gras. Ses ongles, toujours si éclatants d'originalité, étaient complètement dénudés et rongés. La petite fleur immaculée de Béatrice Russo, sa mère, était fanée par les remords, la culpabilité, et par une peine d'amour sans précédent.

Même si elle appréciait la présence régulière et réconfortante de ses parents, la désespérée préférait de loin les visites surprises d'Elena.

— Imagine ! Te rendre compte que la personne que tu aimes par-dessus tout n'est que mensonges ! Que la vie parfaite que tu imaginais avec elle n'était qu'illusion et rêve ! C'est comme accepter l'inconcevable... Comment est-ce arrivé ? Pourquoi moi ?

Amélia n'avait pas pris une seule gorgée de son café et semblait retenir ses larmes. Même si elle consultait une psychologue, un mal profond prenait place peu à peu dans son âme. Elle poursuivit son discours, le même qu'elle répétait depuis des semaines.

— Je devrais être reconnaissante envers la vie d'avoir fait en sorte que tu sois encore parmi nous. Mais je me sens si coupable d'avoir introduit Mark dans la famille...

— Andrew, reprit rapidement sa sœur. Il s'appelait Andrew et il n'était pas le Mark que tu connaissais. Tu n'aurais pas pu le savoir, voyons !

Elena, elle, aurait pu le deviner.

Après avoir découvert en juin qu'elle possédait un don de chamane, sa vie avait pris un virage. Bien qu'elle ne le désirât pas au début, elle l'avait finalement accepté. Grâce aux encouragements de sa grand-tante Henriette ainsi qu'aux enseignements du vieux journal personnel de son ancêtre chamane, Aimée Perrot, Elena avait tenté d'apprivoiser tant bien que mal sa nouvelle faculté.

Grâce à ses transes qu'elle pouvait désormais contrôler, elle était en mesure de connaître certains faits avant les autres, d'entrevoir l'avenir et même de démystifier les secrets de tout un chacun. Mais elle avait fait des erreurs. Et son inexpérience avait fait en sorte qu'Andrew McRay s'était peu à peu immiscé au cœur de sa famille.

Depuis cette fameuse soirée de juillet où il l'avait attaquée, la jeune femme n'avait pas tenté d'entrer de nouveau en transe. Sa plume de hibou et son tambour, outils indispensables à la chamane qu'elle était devenue, étaient bien rangés dans le fond du tiroir de sa table de chevet.

Ainsi, malgré la fortune de la famille Perrot et la volonté exagérée de sa mère de faire de la vie d'Amélia une perfection absolue, la jeune femme au cœur brisé demeurait inconsolable. D'après Elena, quelque chose de plus profond et de complexe rongeait peu à peu sa sœur cadette.

Elena lui fit une longue caresse, qui se voulait la plus réconfortante possible, puis elle se dirigea vers la porte.

— Tu devrais sortir un peu ma belle, dit-elle en se retournant vers sa cadette. Va prendre quelques photos! Tu es une photographe hors pair, tu le sais? Accepte d'autres contrats, ça te changera les idées. Tu dois faire quelque chose de tes journées, Amélia. Tu m'inquiètes...

Après plus d'une heure passée en sa compagnie, elle quitta le chic condo de sa sœur.

Appuyée sur l'une des parois de l'ascenseur, Elena ferma les yeux et fit le vide, comme elle aimait le faire à l'occasion. Elle décida que, par amour pour sa sœur ainsi que pour satisfaire sa curiosité personnelle, il était désormais nécessaire d'entreprendre une petite transe sur la plus jeune des Perrot. Il y avait anguille sous roche, elle en était certaine.

* * *

Face au commerce, David s'arrêta quelques secondes. La boutique aux auvents bleus s'avérait être une agence de voyages. «Le Phantom planifiait-il des vacances?» se demanda le policier, qui avait pourtant de sérieux doutes à ce sujet. Ne pouvant attendre davantage, il décida d'entrer et de vérifier si ses soupçons étaient fondés.

L'odeur de l'encens lui picota les narines dès qu'il franchit la porte. Le local était tapissé d'affiches et de souvenirs de voyages africains. L'endroit était plutôt petit, mais décoré avec goût. Une dame à la chevelure volumineuse et bouclée le regarda d'un œil accueillant.

— Bonjour monsieur, comment puis-je vous aider ?

D'un signe de la main, elle l'invita à s'asseoir à son bureau, où se trouvaient deux chaises en bambou qui semblaient d'une autre époque.

— Bonjour. Je suis le sergent-détective Allard et j'aurais quelques questions à vous poser.

— Je vous écoute ! répondit-elle, curieuse de ce qu'il allait lui demander.

— L'homme barbu qui vient de sortir d'ici, il y a quelques minutes… Vous savez de qui je veux parler ?

— Monsieur Lemieux ? Absolument !

Ainsi, Rob Lussier avait encore adopté une autre identité. David n'en était pas surpris. Intrigué, il enchaîna avec une autre question.

— Pourriez-vous m'informer de la nature de sa visite à vos bureaux ? Prévoit-il des déplacements prochainement ?

— A-t-il des ennuis avec la police ?

— Euh, non. Pas du tout ! Simple surveillance, madame… Il s'agit d'un témoin important dans l'une de nos enquêtes, mentit-il à l'agente, qui semblait plus craintive soudainement.

— Eh bien, M. Lemieux ira en croisière de plongée sous-marine en décembre.

— Ah… Et il partira seul ?

— Oui. C'est assez fréquent, en fait. Il s'agit d'une croisière très spécialisée, qui n'accueille que seize passagers à bord. On y trouve souvent des couples ou des plongeurs solitaires.

— Je connais ce type de croisières… Et quelle est sa destination ?

— Une des plus belles que notre fournisseur offre : les îles Maldives. La plongée aura lieu dans l'océan Indien, un magnifique endroit.

— Wow ! C'est une destination prisée par les Québécois ?

— Oui et non. La qualité de la plongée y est reconnue, mais la clientèle est surtout d'origine américaine ou européenne. C'est rare d'y retrouver des Québécois. J'avoue que c'est la première fois que cela m'arrive.

— Quoi donc ? De vendre ce forfait ?

— Oui, de vendre ce forfait... et même deux forfaits identiques pour cette croisière.

— Ah bon !

— Les Tisseur iront également, je leur ai vendu leurs billets il y a de cela deux semaines. Un gentil couple dans la cinquantaine. De très bons clients, soit dit en passant.

David sut immédiatement qu'il ne s'agissait pas d'un hasard. D'ailleurs, selon lui, la présence du Phantom n'était jamais fortuite, où que ce soit. Son flair exceptionnel prit rapidement le dessus et il se surprit lui-même à poser la dernière question à laquelle il aurait pensé.

— Dites-moi, il reste de la place sur cette croisière ?

— Pour combien de personnes ? demanda la dame, le plus sérieusement du monde, tout en tapant sur son clavier.

Après hésitation, il répondit à voix basse, presque gêné :

— Pour deux personnes.

Elena avait trouvé David plutôt étrange au téléphone, mais elle ne s'en fit pas outre mesure. Elle avait en tête tout autre chose. De toute façon, elle irait à sa rencontre un peu plus tard en soirée et avait encore le temps de mettre son plan à exécution. Ils avaient prévu un repas en tête à tête au nouveau restaurant qui faisait sensation à Montréal, le Bouillon Bilk, sur le boulevard Saint-Laurent.

Après avoir pris sa douche, la jeune femme se rendit dans sa chambre et prit le vieux journal d'Aimée Perrot. Il était 18 h, elle avait encore une heure trente à sa disposition avant que son beau policier vienne la chercher. Cela lui laissait amplement le temps de se faire coquette pour son rendez-vous et d'effectuer une transe concernant sa sœur.

Assise sur le bord de son lit, elle feuilleta le recueil de son ancêtre et le contempla comme s'il s'agissait de la première fois. L'écriture fine, appliquée et assurée de la chamane ne laissait pas de doute sur son dévouement sans bornes au bien-être de ses proches. Celle que l'on appelait la Folle-à-Perrot avait consacré sa vie au chamanisme. Elle avait acquis, par ses propres moyens, une somme impressionnante de connaissances et avait pu ainsi sauver de nombreux malades, et même certaines vies.

Bien qu'elle eût beaucoup d'admiration pour sa défunte mentore, la jeune femme était persuadée de ne pas posséder cette même passion. Encore en apprentissage, elle s'avouait tout de même convaincue que cette étrange faculté qu'elle possédait pouvait lui apporter beaucoup de bien. Le cas touchant de son ancien voisin, Marc-Antoine, avait été éloquent. Toutefois, la responsabilité accablante qui accompagnait cette étrange aptitude était très difficile à gérer. Elle se trouvait même égoïste de se croire encore libre de son esprit et de son destin. Car si elle se fiait aux écrits du vieux journal de son ancêtre, un chaman devait consacrer son existence aux autres en leur apportant son aide, comme l'avait fait Aimée. Or, Elena aspirait à une vie normale et avait des ambitions tout autres. Elle jugeait ne pas être à la hauteur de ce don, qu'elle n'avait pas choisi.

N'ayant pas encore pris de décision formelle quant à son avenir en tant que chamane, Elena se laissait donc aller aux aléas de sa vie, déjà bien remplie. Ainsi, uniquement parce qu'elle le jugeait pertinent et nécessaire, elle sortit de son tiroir la plume de hibou, qu'elle glissa sous la bretelle de son soutien-gorge, et prit son tambour en peau de bison. Avec ces outils, typiquement iroquois, elle parvenait rapidement à entrer en transe, de préférence confortablement installée dans son lit.

La première fois qu'elle avait réussi cet exploit, Elena n'était encore qu'une gamine, et elle y était parvenue de façon tout à fait inconsciente lors de son sommeil. La fillette avait rêvé de la mort de son grand-père et avait d'abord pensé qu'il s'agissait d'un cauchemar. Or, c'était plutôt une prémonition. Du haut de ses neuf ans, elle n'avait pu réagir à temps et ainsi éviter la mort de son grand-père Léon, tué par un ours lors d'une expédition en forêt. Lorsque cette expérience prémonitoire peu commune s'était présentée de nouveau à l'adolescence, elle n'avait encore aucun contrôle sur ce genre de manifestation et ne comprenait pas ce qui lui arrivait. Elle ne put donc venir en aide à son ami Marco, qui se suicida à l'aube de ses dix-sept ans. Maintenant âgée de trente-trois ans, Elena contrôlait ses transes avec une aisance qui aurait certainement surpris son ancêtre.

La jeune femme en sous-vêtements se détendit, ferma les yeux et se mit à frapper doucement sur son tambour. Le rythme régulier l'enveloppa peu à peu et, en quelques secondes à peine, son esprit entreprit son voyage en pensant à Amélia.

Comme cela lui arrivait régulièrement, Elena vivait ses transes de l'intérieur. Bien souvent, elle n'était pas témoin d'une scène, mais elle la vivait directement dans le corps même d'une personne, dans ce cas-ci sa sœur. Ainsi, elle sentit sa peine et sa douleur lorsqu'elle pleurait, seule, couchée en boule dans son lit. Puis elle sentit la nausée lui prendre à la gorge et son corps meurtri se lever précipitamment pour se rendre à la salle de bains. Lorsqu'elle se mit à régurgiter tout ce qu'elle était en mesure de rejeter, Elena jugea qu'elle en avait assez vu.

Au sortir de la transe, son corps tremblait de tous ses membres et un froid hivernal semblait l'avoir assaillie. Ces habituels effets secondaires ne l'incommodaient plus comme avant. La jeune femme s'enroula machinalement dans sa couette et, par le fait même, fit tomber son chat Jeffrey qui dormait paisiblement au bout du lit. Mécontent, il sortit en trombe de la chambre, laissant seule sa maîtresse.

— Et merde! Amélia... dit-elle tout haut à elle-même, désemparée par la situation dans laquelle sa sœur se trouvait.

* * *

Lundi 12 septembre 2011

Elena ne savait comment s'y prendre. Elle devait discuter sérieusement avec sa sœur, mais la tâche était bien plus ardue qu'elle ne l'aurait cru. La veille, lors du brunch dominical des Perrot, Amélia s'était forcée à s'intégrer et toute la famille avait apprécié sa présence. Elena avait jugé que le moment pour entamer une conversation avec sa jeune sœur n'était pas propice. Elle devait être seule avec elle et, surtout, user de stratégie pour lui tirer les vers du nez.

En ce lundi matin, elle décida donc de partir tôt pour se rendre chez elle, retardant son arrivée au boulot. Munie de bagels et de cafés, elle se pointa chez Amélia à 7 h, sachant bien qu'elle l'arracherait du lit.

Les yeux encore bouffis, la femme de vingt-huit ans ouvrit la porte machinalement et laissa Elena entrer.

— Coucou sœurette ! On déjeune ensemble ? demanda cette dernière avec entrain.

En guise de réponse, Amélia tourna les talons et se précipita vers la salle de bains. Et c'est exactement ce que voulait l'apprentie chamane.

— Tu es malade ? Pas la gastro, j'espère ? l'interrogea-t-elle naïvement.

Car bien qu'elle eût percé le mystère entourant sa sœur, celle-ci ne connaissait pas ses facultés particulières. La pratique du chamanisme était un secret qu'elle essayait, tant bien que mal, de garder. Seule son amie Charlotte, sa grand-tante Henriette et son amoureux

30

David étaient au courant. Elle devait donc amener sa jeune sœur à se confesser.

— Non, je ne suis pas malade... T'inquiète, lui répondit la jeune femme, qui se brossait les dents pour enlever le goût infâme qui lui restait en bouche.

— Alors, pourquoi tu vomis comme ça ?

— Je ne sais pas...

Amélia cracha dans le lavabo ce qui restait de dentifrice et alla rejoindre sa sœur au salon. Elle repoussa d'une main le bagel au sésame que lui tendit Elena.

— Non merci, je n'ai pas faim.

— Mais voyons, c'est avec du fromage à la crème, tu adores ça !

En guise de réponse, elle se leva précipitamment et courut de nouveau aux toilettes. Après quelques minutes, elle revint vers sa sœur, un peu gênée.

— Amélia, qu'est-ce qui se passe ? lui demanda Elena, préoccupée. Est-ce ce que je crois ?

— Ouais... C'est ce que tu crois.

Après un bref silence, elle ajouta :

— Ça fait neuf semaines.

— Bordel... C'est vraiment la merde, ça ! Et tu te fais avorter quand ?

— Eh bien... on pensait le garder.

Elena n'était pas certaine d'avoir bien entendu. Elle sentit la colère monter en elle et, cette fois-ci, ne feignit pas sa surprise.

— Comment ça, « on » ?

Lorsque Amélia lui confia qu'elle rendait quelques fois visite au père de l'enfant à naître, l'aînée se leva d'un

31

bond et se mit à marcher de long en large dans l'aire ouverte du condo.

— Mais à quoi tu joues ? Tu es folle ou quoi ? Le gars est cinglé ! Il est en attente de son procès pour l'assassinat de trois femmes, en plus d'une tentative de meurtre sur ta propre sœur. Ta propre sœur ! Tu le réalises, n'est-ce pas ? Ce n'est pas un père, c'est une ordure qui va finir sa vie en tôle. Un monstre que l'on va enfermer !

— Arrête ! Il est malade, c'est tout. Mark est un homme bon, que j'aime encore, figure-toi ! Tout tourne toujours autour de toi, de ton agression, de ta blessure… Et moi, là-dedans ? Je suis blessée aussi, tu sauras ! Et je sais qu'une partie de lui est vraie. C'est mon Mark à moi. Et vous essayez de me l'enlever, d'éloigner le père de mon enfant ! Il va se faire soigner et il va guérir. Et revenir !

Elena écoutait sa sœur crier et cessa de bouger. Elle était ahurie et bouleversée d'entendre le discours de cette femme fragile. D'où sortait-elle ces fausses idées ? Dans quel monde vivait-elle ? Qu'avait bien pu lui dire ce fou de McRay pour qu'elle puisse prononcer de telles paroles insensées ? Elle voulait lui crier de revenir sur terre, d'ouvrir les yeux, de reprendre sa vie en main ! La vulnérabilité et la naïveté de sa cadette la rendaient hors d'elle. Amélia était encore plus naïve qu'elle ne le croyait.

Lorsqu'elle eut terminé son cri du cœur, la jeune femme s'assit sur le canapé et se mit à pleurer, les mains sur le visage. Elena la regarda ainsi quelques secondes et se tourna vers la fenêtre pour reprendre ses esprits. Et son calme. Elle devait trouver une façon de la raisonner.

Après quelques minutes de lourd silence, l'aînée se retourna et s'adressa d'une voix posée à la femme en pleurs devant elle.

— Amélia, il faut que tu réalises que Mark, comme tu te plais à l'appeler, est un mensonge, une illusion. C'est toi-même qui me l'as dit il y a quelques jours à peine. Et puis, quel genre de père sera-t-il pour ton enfant? Un père absent. C'est ce que tu veux? Élever seule un fils? Ou devoir dire à ta fille que son papa a découpé en petits morceaux trois femmes et qu'il va passer le reste de sa vie en prison? Tu as pensé à ça? Un homme qui a pris un couteau et poignardé de sang-froid ta sœur n'a pas le droit d'avoir de progéniture, surtout pas de la famille Perrot!

Doucement, la jeune femme leva la tête et regarda sa grande sœur, qui avait relevé son chandail pour lui montrer ses deux cicatrices, encore récentes. Elena s'approcha d'elle et, doucement, lui prit les mains.

— Chérie, tu sais que j'ai raison. Et je te promets de ne jamais révéler ton secret. On ne le dira à personne. Et je vais t'accompagner, si tu veux, à ton avortement. Il est encore temps. On va le faire ensemble.

Tout en pleurant de plus belle, Amélia acquiesça d'un signe de tête, sans dire un mot. Les deux sœurs restèrent blotties l'une contre l'autre durant de longues minutes.

* * *

David était assis à son bureau et regardait du coin de l'œil son acolyte, Richard, en pleine conversation animée au téléphone. Lorsque ce dernier raccrocha, il émit un immense soupir et leva les yeux au plafond.

— C'était la procureure, c'est ça? demanda le sergent-détective Allard.

— Bordel de merde, elle va me tuer!

L'agent Brunet avait hérité du dossier d'Andrew McRay et devait épauler la procureure Beaulieu dans la préparation du procès. Il devait approfondir chaque preuve et suivre les directives que la dame lui envoyait. Ayant plaidé non coupable, le présumé meurtrier devait subir un procès complexe dont la date était fixée en septembre 2012. Il leur restait encore douze mois afin de consolider les preuves contre l'homme enfermé au pénitencier de Sainte-Anne-des-Plaines.

Même si David avait dirigé l'enquête sur le meurtre de Lina Warren et épaulé les policiers d'Ottawa dans celle sur Christelle Rivard, deux des victimes de McRay, il n'était pas autorisé à poursuivre ses fonctions en raison de son implication personnelle dans le dossier. De plus, il allait probablement devoir témoigner, ainsi qu'Elena. Il ne pouvait donc pas travailler sur la préparation du procès. Au départ, il en était fort déçu. Mais lorsqu'il avait appris que la procureure de la Couronne serait l'opiniâtre Hélène Beaulieu, il en fut soulagé.

— Allez, viens Richard, je te paie un café, lui proposa le grand policier, par pitié pour son collègue.

* * *

Mercredi 14 septembre 2011

David attendait patiemment Elena en sirotant sa bière sur une terrasse de la rue Sainte-Catherine. Le petit restaurant était situé dans la partie piétonne de cette rue animée de Montréal et l'ambiance y était plutôt dynamique. Il était arrivé bien à l'avance, ne voulant pas faire attendre sa belle. Mais, surtout, il voulait se calmer et dissiper, avant son arrivée, la nervosité qui l'empoignait.

Cela faisait quelques jours seulement qu'il avait croisé le Phantom et tant de choses s'étaient bousculées depuis. D'abord, après avoir réservé impulsivement deux places sur cette croisière de plongée sous-marine, il avait dû élaborer un plan. Il devait s'organiser. Bien que le tout ait été irréfléchi et spontané au départ, une partie de lui-même était convaincue du bien-fondé de ses actes. Une autre facette de sa conscience pensait toutefois le contraire, ridiculisant son obsession de vouloir à tout prix coincer le plus important tueur à gages d'Amérique. Pour contrer ses réticences, il essayait de se convaincre que l'idée n'était pas de l'arrêter, mais plutôt de l'étudier. Et, évidemment, d'empêcher tout crime d'avoir lieu sur ce yacht, certainement auprès des Tisseur, l'autre couple québécois du voyage.

Son acharnement lui donna la force d'aborder secrètement son beau-père, afin de l'aider dans ses démarches. Une croisière à l'autre bout du monde n'était guère dans son budget, la valeur de son périple improvisé avoisinant les quinze mille dollars. Il était tout à fait disposé à payer la croisière à sa douce, ainsi que le séjour à l'hôtel avant l'embarquement, mais les billets d'avion étaient littéralement hors de prix. Nicolas Perrot n'hésita pas une seconde à financer le merveilleux projet de vacances de son gendre, qui allait faire le plus grand bonheur de sa fille, il en était convaincu.

David entra également en contact avec le médecin d'Elena, afin de vérifier si certaines contre-indications médicales pouvaient l'empêcher de plonger en mer en décembre, à la suite de son opération. Le rétablissement avancé de sa patiente ainsi que le temps de repos dépassant les quatre mois étaient suffisants pour convaincre le Dr Chamberland que sa patiente pouvait faire ce voyage.

Ayant la certitude que tout était en règle, et qu'il avait pensé à tous les détails possibles, David était enfin prêt à en faire l'annonce à sa compagne. Son plan inusité prenait forme et le ragaillardissait. Si quelqu'un devait mourir sur ce bateau, il l'en empêcherait. Et pour ce faire, il avait la meilleure arme qui soit: une chamane. Bien sûr, la principale intéressée ne le saurait qu'une fois en mer.

Après avoir passé quelques minutes à réfléchir, il la vit enfin s'approcher de la table. Il la contempla un instant en espérant de tout cœur qu'elle lui pardonnerait un jour de l'avoir embobinée de la sorte dans cette histoire. Au fond de lui, il ne le savait que trop bien: sa soif de succès pouvait lui coûter son couple.

David répondit au sourire d'Elena en lui faisant un petit clin d'œil coquin, rempli d'amour pour cette femme. Soudain, il regrettait amèrement son plan saugrenu.

* * *

Habillé d'un uniforme bleu et de sa ceinture d'outils, le Phantom descendit de sa camionnette garée dans la rue. Aujourd'hui, il était Réjean, un pseudo-technicien censé réparer de faux problèmes de câble.

Cela faisait au moins deux semaines que Pierre Arnaud aurait dû trouver la mort des suites d'une fulgurante crise cardiaque. Mais le tueur avait bien averti son client : il devrait peut-être attendre quelque temps avant que le contrat soit honoré. Alors, étant donné les circonstances, il s'était permis un délai supplémentaire.

Sa réputation enviable lui permettait de négocier tout ce qu'il désirait. Maintenant dans la cinquantaine, il voulait faire les choses différemment. Il aurait très bien pu entrer silencieusement dans la maison cossue des Arnaud et tirer une balle dans la tête et dans le cœur de sa victime, comme il le faisait à l'époque. Mais ce type de scénario ne lui plaisait plus. Son nouveau mode de stimulation consistait à s'introduire dans la vie des gens, à les étudier, à s'immiscer dans leur routine ainsi qu'à les analyser à un niveau plus humain. Et, surtout, à concocter un plan infaillible suggérant une mort accidentelle.

Il était pressenti pour ce type de projets par des personnes influentes qui désiraient éviter tous les questionnements et le tapage entourant un crime. Le tueur ne portait aucun jugement sur les motifs du meurtre ou sur le choix de la victime : on lui donnait un contrat, il l'exécutait. Point barre.

Pierre Arnaud vivait à Outremont, l'un des arrondissements les plus luxueux de Montréal, dans une maison si démesurément gigantesque pour lui et sa conjointe qu'il aurait pu y aménager une école.

Riche homme d'affaires dans la soixantaine, il travaillait présentement à de gros projets d'achats d'entreprises spécialisées. Sa multinationale gobait tout sur son passage et était sur le point de prendre une place indétrônable dans le marché nord-américain de l'innovation et de la fabrication de composants informatiques.

Cela ne plaisait pas du tout à ses compétiteurs, en particulier la société américaine AXAR qui investissait des sommes considérables dans le développement de nouvelles technologies et de nouveaux marchés en Amérique du Nord. Or, heureusement pour les dirigeants de cette société, Pierre Arnaud s'avérait être le seul maître à bord et actionnaire de sa propre entreprise. L'éliminer serait donc une solution facile et plutôt efficace, pensaient-ils.

Tout en marchant vers le manoir de style français, le technicien savait que le moment était venu. Mais aujourd'hui, il n'avait aucunement l'intention de tuer quiconque de sang-froid ni de réparer quoi que ce soit. En ce beau mercredi, il allait d'abord revoir Jocelyne, la tendre épouse de sa prochaine victime, pour ensuite mettre son plan à exécution.

Lors de sa première visite sur l'avenue Maplewood, il était censé réparer le système de télécommunications de la demeure (qu'il avait lui-même endommagé) et analyser l'intérieur du palace. Le lendemain, il y serait retourné discrètement afin d'injecter une dose létale de cyanure de potassium dans le dentifrice de l'homme d'affaires. L'utilisation de divers poisons comme nouvelle arme était pour lui une véritable révélation. Il s'agissait d'une source de divertissement inépuisable pour le tueur d'expérience.

Son plan initial avait cependant dû être ajusté en raison d'un élément qu'il n'avait pas prévu : Jocelyne.

Homme solitaire depuis toujours, le Phantom avait su programmer son corps et son esprit au détachement émotionnel, si nécessaire dans son métier peu orthodoxe. Il n'avait donc ni femme, ni enfant, ni aucun autre attachement, même matériel. Cela ne voulait pas dire pour autant qu'il ne jouissait pas, de temps à autre, des plaisirs charnels que pouvaient lui offrir certaines femmes. Il s'agissait principalement d'escortes, mais la vie lui était clémente et lui réservait quelquefois de belles rencontres, comme celle d'Outremont.

Femme dans la jeune soixantaine, Jocelyne était une véritable dame, en style et en beauté. Lorsqu'elle lui avait ouvert la porte deux semaines auparavant, il avait vu l'étincelle dans son regard, celle d'une lionne qui venait de trouver son prochain repas. Sa poitrine volumineuse, son regard enjôleur et ses courbes bien assumées la rendaient irrésistible. L'occasion étant trop belle, le tueur avait jugé qu'un petit délai à son plan ne ferait de mal à personne.

Absent, le pauvre Pierre n'avait aucun indice de la relation crue et ardente qu'entretenait sa femme avec ce parfait inconnu. Que cela soit dans la cuisine, le salon, la salle de lavage ou dans la chambre à coucher principale, tous les endroits semblaient parfaits pour leurs ébats sexuels. Au cours des deux dernières semaines, le tueur était devenu l'amant d'une femme qui en avait vu d'autres. Et il y prenait un malin plaisir.

Toutefois, aujourd'hui, le fictif Réjean devait annoncer à sa Jocelyne qu'il avait été muté en Ontario et qu'il ne viendrait plus.

Le jeu était terminé.

Ce jour-là, il n'eut pas besoin de sonner, la porte s'ouvrit d'elle-même à son arrivée. L'épouse infidèle l'accueillit dans une petite robe orangée tout en voile, qui épousait parfaitement son corps si invitant. Malgré son âge, elle rayonnait de jeunesse.

Son regard vivant et allumé l'invita à entrer. Dès que la porte fut refermée, elle le plaqua au mur avec une force remplie de désir. Tout en l'embrassant, il sentit sa poitrine contre lui et sa jambe s'enrouler contre son corps. Ce baiser d'accueil l'alluma immédiatement et sans attendre un instant, il répondit à son étreinte en la serrant davantage contre lui, afin qu'elle sente son sexe durcir. Elle défit sa braguette et se pencha doucement, tout en soutenant son regard, afin de lui faire comprendre qu'elle allait lui offrir une fellation qu'il n'était pas près d'oublier. Mais l'homme affamé la retint et la ramena à son niveau. Il avait une autre idée en tête: il voulait la prendre là, tout de suite, debout dans l'entrée. Il tassa d'un geste violent le bout de tissu qui freinait ses ardeurs et pénétra, sans préalable, le corps brûlant qu'il tenait fermement contre lui. Un cri d'extase retentit alors dans toute la maisonnée, dont l'écho amplifia la vigueur des ébats.

Ce qu'il aimait bien de Jocelyne, outre son goût prononcé pour le sexe, était sans contredit sa méticulosité. Il savait qu'après chacune de ses visites, elle effaçait toute trace de son passage. Les draps étaient changés et lavés immédiatement. La salle de bains, minutieusement nettoyée. Évidemment, ils avaient utilisé des préservatifs, mais le tueur faisait toujours attention de les ramener discrètement avec lui, dans un petit sac de plastique. Pour le Phantom, cette procédure était inévitable, car aucune trace ne devait suivre son passage. Aucune.

Une heure plus tard, et après une deuxième prise tout aussi intense dans la chambre principale, le faux technicien s'enferma dans la salle de bains adjacente, sous prétexte qu'il voulait se doucher. Après avoir mis en marche l'eau de la douche, il se retourna vers les effets personnels de sa prochaine victime.

La pièce était gigantesque, ornée d'une douche pouvant accueillir au moins quatre personnes. La luxueuse céramique grise, qui couvrait certains murs et le sol, luisait de propreté. L'éclairage aidait à créer une ambiance épurée et accueillante. Deux magnifiques meubles-lavabos, surplombés de miroirs d'une hauteur impressionnante, occupaient à eux seuls l'un des murs de la pièce. L'organisation de la pièce soulagea quelque peu le tueur, puisqu'il constata que Jocelyne utilisait son propre tube de dentifrice, bien rangé dans l'armoire du meuble-lavabo qui lui était réservé.

Délicatement, il prit la petite fiole en verre qu'il avait dissimulée dans sa ceinture d'outils. Après avoir mis des gants et un masque, il saisit la seringue de sa trousse et la remplit de poison mortel. Avec le calme et la précision d'un chirurgien, il introduisit le liquide dans le tube de dentifrice. La dose devait être suffisante pour provoquer une crise cardiaque immédiate. D'autant plus que la victime possédait des antécédents de maladies cardiovasculaires ; le Phantom s'était bien renseigné. Le tueur à gages était convaincu qu'aucune autopsie ne serait réalisée sur le corps. Selon ses hypothèses, Pierre Arnaud devait rencontrer la mort vers 11 h le soir même, moment de la journée où il se préparait à se mettre au lit.

Un sourire en coin, le pseudo-technicien ramassa ses affaires et prit finalement une douche rapide. Il était tout de même heureux d'avoir opté pour cette méthode dans ce meurtre.

Il y avait de cela quelques années, il aurait certainement tué Jocelyne également, probablement dans son sommeil. À l'époque, il « faisait le ménage » et tuait tous ceux qui se trouvaient sur son chemin. Mais pour la clientèle de classe qui retenait ses services actuellement, ce genre de tuerie n'était pas envisageable. Et la femme qui l'avait tant diverti ces derniers jours pourrait s'en sortir indemne, en plus de jouir d'une solide prime d'assurance-vie à la mort de son riche mari.

Satisfait, le Phantom alla mettre un terme à sa relation avec la sexagénaire, avec autant d'émotion que s'il achetait du lait au dépanneur du coin, et il partit d'un pas assuré.

À peine assis dans son véhicule, il se mit à réfléchir au prochain contrat qu'il devait honorer.

* * *

« Prendre des vacances, en voilà une drôle d'idée », pensa Elena, tout en conduisant rue Rachel en direction de chez elle. Le simple fait que David avait planifié ce projet à son intention la rendait particulièrement heureuse. Elle n'avait tout simplement pas pu refuser son offre, aussi spontanée et farfelue qu'elle lui semblât. De toute façon, il était vrai qu'elle devait prendre une pause, de préférence à l'extérieur du pays et loin des hôpitaux...

Tout en garant son véhicule dans l'allée de gravier derrière son condo, elle se souvint de la déception de son amoureux lorsqu'elle lui avait annoncé qu'elle n'avait pas l'intention de dormir chez lui ce soir-là. La jeune femme avait d'autres plans.

Plus tôt dans la journée, elle avait vu sa sœur, qui lui avait confirmé son rendez-vous pour l'avortement. Elena exerçait un suivi rigoureux des comportements d'Amélia, afin d'être certaine qu'elle ne retournerait pas visiter Andrew. Depuis lundi, elle avait pris la résolution d'effectuer quelques transes à son sujet, au minimum deux fois par semaine. Elle était contrainte de l'admettre, cet espionnage était nécessaire.

En sortant de sa voiture, elle regarda dans les environs. La ruelle était tranquille, la lune éclairait les cours arrière des bâtiments voisins. La quiétude des alentours s'était amplifiée depuis le départ de son jeune voisin, Marc-Antoine. Après la mort précoce de sa mère au courant de l'été, il était allé vivre chez ses grands-parents, à Laval. Ce n'est qu'après son départ qu'Elena avait constaté à quel point elle aimait bien, tout compte fait, croiser le gamin jouant au ballon ou avec ses figurines dans l'escalier métallique. Ce gamin lui manquait énormément, et elle ne cessait de penser à lui. Même s'ils échangeaient des courriels de temps à autre, son absence avait créé un vide qu'elle n'aurait pu soupçonner quelques mois auparavant.

Une fois chez elle et après avoir nourri son chat, elle se prépara une tisane à la sauge afin de faciliter sa prochaine transe. Tout en la buvant, elle alla dans sa chambre pour revêtir des vêtements plus confortables et mit une musique d'ambiance. Son iPhone regorgeait de tous les styles musicaux et ses listes de lecture étaient variées. Ce soir-là, ce fut la voix suave et langoureuse de la chanteuse du groupe Morcheeba qui résonna dans les haut-parleurs de son cinq-pièces.

Bien calée dans son fauteuil, Elena buvait à petites gorgées sa boisson chaude, dont elle n'appréciait pas beaucoup le goût. Mais elle s'était résignée à cette nécessité, suggérée par son ancêtre dans son vieux recueil. Elle avait déposé délicatement sur ses cuisses le journal d'Aimée Perrot, véritable bible de la nouvelle chamane qu'elle était devenue, et se préparait à en lire quelques pages.

Elle avait pourtant retardé à maintes reprises sa première lecture, il y avait quelques mois à peine, littéralement effrayée de ce qu'elle allait y découvrir. Malgré ses craintes, elle avait été enchantée par ce qu'elle avait lu et avait dévoré le journal, particulièrement la première section portant sur l'historique de la famille Perrot. Elle avait été surprise d'apprendre l'existence de toute une descendance de chamans, qui avait débuté par son ancêtre iroquoise, épouse du colon français Toussaint Perrot. Le simple fait de connaître le passage de tous ces gens avant elle lui donnait une pression supplémentaire.

Elena ne devait pas éteindre cette lignée. C'est pourquoi elle ne pouvait tout simplement pas tourner le dos à ses nouvelles facultés.

La belle brune se leva doucement, déposa le vieux journal sur la table basse du salon et alla à la cuisine laver sa tasse vide. Il était temps de passer à l'action.

En se dirigeant vers sa chambre, elle repensa à la promesse qu'elle avait faite à son amoureux. Afin de ne pas gâcher le plaisir de leurs vacances à venir, il lui avait demandé de n'effectuer aucune transe sur leur voyage. Cela avait semblé, a priori, bien compréhensible. Alors Elena avait acquiescé instantanément à sa requête.

« Et s'il voulait me demander en mariage?... » s'interrogea-t-elle, surprise de constater à quel point elle espérait ce dénouement, digne d'un conte de fées. Jamais elle n'aurait pensé en arriver aussi rapidement à ce point avec un homme, qu'elle fréquentait depuis à peine quelques mois. « C'est n'importe quoi... », se persuada-t-elle, chassant du même coup ces histoires de petites princesses, pourtant à l'antipode de sa personnalité.

D'un autre côté, elle réalisait l'improbable, mais pourtant bien réelle, situation conjugale dans laquelle baignait David : le fait d'avoir une conjointe chamane pouvait certainement lui causer certains ennuis...

— Va falloir qu'il apprenne à vivre avec cette réalité, n'est-ce pas, Jef ? demanda-t-elle à son chat, qui prit tout de même la peine d'arrêter momentanément sa toilette au son de sa voix.

Enfin prête pour sa transe, plume et tambour en main, elle s'installa dans son lit, comme à l'habitude. Et comme elle le faisait si bien depuis un certain temps, elle contrôla parfaitement ses attentes et put espionner sa sœur quelques minutes, ce qui lui suffit amplement pour se rassurer.

* * *

Mercredi 21 septembre 2011

Assis à son bureau du SPVM et sirotant un café, David décida de prendre quelques minutes afin de régler un détail important concernant leur périple à venir. Après de rapides recherches sur Internet, il fixa son choix sur l'école de plongée du CEPSUM et y inscrivit Elena. Sa compagne devait passer son premier niveau afin de pouvoir profiter suffisamment de la croisière. David possédait déjà sa certification Open Water Dive de la PADI, ce qui représente la base internationale nécessaire à toute plongée sous-marine dans le monde. Il profita tout de même de l'occasion pour s'inscrire à un cours de perfectionnement « Air enrichi », qui lui permettrait d'utiliser un mélange de gaz nitrox et d'oxygène lui offrant maints avantages une fois sous l'eau.

Le policier avait découvert la plongée sous-marine à l'aube de ses vingt ans et avait vite eu la piqûre. Bien que la majeure partie de ses escapades en mer aient été des excursions organisées lors de séjours dans les Caraïbes, il avait tout de même eu l'occasion de faire une croisière spécialisée aux îles Caïmans avec l'un de ses amis. Il avait tout simplement adoré l'expérience, notamment en raison de la franche camaraderie qui s'était vite installée avec les autres passagers ainsi que

46

de la qualité des plongées, puisque les sites visités étaient exclusifs au parcours du bateau. Les coraux étaient donc encore intacts.

La croisière qu'il avait vécue et celle qu'il offrait à sa conjointe étaient similaires. Aménagés avec soin, les yachts étaient suffisamment grands pour que les seize convives à bord puissent avoir tout l'espace nécessaire à leurs besoins, en plus de profiter de l'expérience de vie en mer, avec tous les soubresauts que cela pouvait occasionner.

Après avoir payé en ligne pour les cours dont ils avaient besoin, il constata qu'Elena devrait suivre ses classes assez rapidement, compte tenu de l'arrivée de l'automne et du temps plus frisquet.

La certification de premier niveau se divisait en deux phases : la session théorique (d'une durée de quatre à six semaines et qui comprenait des essais en piscine) ainsi que la session des cours en milieu naturel. La dernière séance se donnait donc à la mi-octobre, à la carrière de Kahnawake, au sud de Montréal. Par chance pour lui, le cours de perfectionnement qu'il comptait suivre n'était que théorique. C'est donc Elena seulement qui devait mettre les bouchées doubles afin de réussir sa certification dans les temps.

Un peu plus tôt cette semaine-là, David avait longuement discuté avec Elena à ce sujet et il avait réussi à la convaincre des plaisirs potentiels de ce sport et de la nécessité de profiter pleinement des services offerts sur la croisière. Elle lui avait promis de faire tout le nécessaire afin d'obtenir son accréditation, malgré certaines craintes.

— Tu verras, ma belle, lui avait-il dit tout en s'approchant d'elle. Nager sous l'eau, c'est magique. Tout est si calme! C'est une véritable communion avec la nature, avait-il ajouté en l'embrassant tendrement sur la joue, puis dans le creux de son cou.

Son odeur était enivrante, et tout en lui parlant, il s'était approché davantage, la caressant là où il le désirait.

En se remémorant cette scène, David afficha un petit sourire en coin et ferma les yeux, afin de se souvenir de tous ces petits détails qui rendaient leur relation si intense et authentique. Accoudé sur son bureau, il ne s'aperçut pas tout de suite de l'arrivée de son collègue Richard, qui vint déposer un dossier devant lui.

— Ça travaille fort, mon David! se moqua-t-il gentiment.

— Merde! Brunet, tu m'as fait peur! s'exclama le rêveur, quelque peu gêné de la situation.

— C'est bien la première fois que je te surprends en train de rêvasser! Alors, quand va-t-on prévoir un petit souper avec cette Elena qui te fait tant d'effet?

— On verra ça. C'est quoi, au juste? demanda-t-il en fixant le dossier sur son bureau.

— Nouvelle enquête sur une mort suspecte survenue à Outremont, une certaine Jocelyne Arnaud, âgée de soixante-deux ans.

* * *

Elena enfila ses bottes de travail et son dossard pour ensuite aller faire le tour du poste de transbordement.

Bien qu'elle eût une vue imprenable de son bureau sur le site, elle aimait bien se rendre sur place et vérifier le bon déroulement des opérations.

De la guérite, les camions à ordures entraient et se dirigeaient vers l'emplacement que Milène leur avait assigné. De là, les déchets étaient entreposés jusqu'à leur transbordement, souvent presque immédiat. Des pelles mécaniques et des chargeuses sur roues s'affairaient à la tâche, actionnées par les mains expertes de José Léon, de Marcel, de Gérard et de Nathan.

La voyant sur le site, Patrick, le contremaître, vint à sa rencontre. Il marchait d'un pas décidé lorsque sa radio se mit en marche.

— Milène à Pat.

— Patrick j'écoute, répondit-il instantanément, arrivé à la hauteur de sa supérieure.

— J'ai des doutes sur un arrivage. Mon détecteur radioactif s'est enclenché. Je t'envoie le camion pour que tu le vérifies.

— OK, Milène.

En regardant Elena, il lui dit, d'un ton résigné :

— Désolé, faut que j'y aille !

— Bah, ce n'est pas grave ! Tu viens manger avec moi, ce midi ?

— Oui, d'accord. J'irai vous rejoindre à votre bureau.

Elena le laissa partir et poursuivit sa tournée, toujours aussi exaspérée que son employé de confiance s'obstine à la vouvoyer. La directrice des opérations alla vérifier l'état des travaux de Denis et de son équipe, qui devaient repeindre certains conteneurs à déchets en piètre condition. Avec plus de cinq cents de ces boîtes

métalliques en circulation dans la grande région métropolitaine, le Groupe Perrot tenait à ce qu'ils soient toujours bien entretenus et impeccables.

— Bonjour Elena, je voulais justement te voir, dit
le préposé, couvert de peinture brune.

Il se dirigea vers un conteneur complètement dif-
forme, qui ne ressemblait en rien à ce qu'il était à l'origine.

— Pour l'amour du ciel, qu'est-il arrivé à celui-là ?
s'exclama-t-elle.

— Je ne sais pas, mais même un bon coup de peinture ne servira à rien, c'est certain.

— C'est notre camion qui a fait ça, ou quoi ?

— Aucune idée. D'habitude, nos chauffeurs font
attention, précisa Denis.

— Oui, c'est supposé être le cas. Mais c'est majeur
comme bris. Il y a certainement un camion ou quelque
chose de très gros qui a foncé tout droit sur ce conteneur. Franchement… Je devrais facturer la réparation au
client. Je dois en discuter avec le chauffeur qui l'a
ramené. C'est quel numéro ?

Après avoir pris le numéro en note, Elena laissa
ses employés terminer leur boulot. Elle se dirigea ensuite
vers le garage mécanique où travaillait le beau Vincent.
En entrant dans le garage, ce fut au tour de sa radio de
se mettre en marche.

— Louise à Elena.

— Elena j'écoute.

— Pourrais-tu venir au bureau ?

— J'arrive.

Avant de quitter les lieux, elle en profita pour jeter
un rapide coup d'œil aux registres d'entretien de la

machinerie et des camions. Quelques minutes plus tard, elle retourna à la réception du bâtiment administratif.

— M. Perrot a appelé. Il a convoqué une rencontre téléphonique d'urgence avec ton frère et toi à 11 h, lui annonça son adjointe.

— Ah bon, répondit-elle tout en enlevant ses bottes sales.

Elena prit le temps de se préparer une tisane à la camomille et s'installa à son bureau. Lorsque Louise lui transféra l'appel, elle était fin prête pour son rendez-vous téléphonique.

— Salut papa, tout va bien?

— Oui, ne t'en fais pas, je vais bien. Je voulais vous parler des nouvelles que j'ai reçues ce matin. Imaginez-vous donc que la compagnie D.R.C. Waste vient d'acheter Déchets Beauchamp et Environnement Labrecque.

— Quoi? Les deux d'un seul coup? s'exclama Bruno à l'autre bout du fil.

Le seul fils de Nicolas Perrot travaillait à L'Épiphanie, au lieu d'enfouissement sanitaire du Groupe Perrot, mais il faisait également partie de son conseil d'administration, tout comme sa sœur aînée.

Bien que la croissance et la prospérité aient toujours été au rendez-vous depuis sa création, il y a de cela près de cinquante ans, l'entreprise familiale se butait de plus en plus à un marché en pleine mutation. La transformation graduelle de ce secteur d'activité était due à plusieurs facteurs. D'abord, l'adoption de normes d'aménagement plus rigoureuses, jumelée à une prise de conscience de la population vis-à-vis des divers enjeux environnementaux, avait entraîné une modification des perceptions face à l'élimination des déchets. Elena constatait toujours avec étonnement que certaines personnes croyaient, encore aujourd'hui, que l'enfouissement des ordures signifiait simplement creuser un trou et le remplir. Cette idée était à des années-lumière des exigences techniques nécessaires à l'aménagement de ce type d'installation.

Également, l'application d'une taxe avait eu comme conséquence d'augmenter le coût requis pour chaque tonne enfouie. Cet accroissement obligatoire des tarifs avait eu un effet dissuasif concernant ce mode d'élimination, entraînant du coup l'amélioration des programmes de récupération en place.

À cela s'ajoutait l'adoption d'une nouvelle politique québécoise de gestion des matières résiduelles qui comprenait d'ambitieux objectifs, dont l'interdiction d'enfouir des matières organiques d'ici 2020. Les entreprises de gestion des déchets, dont le Groupe Perrot, devaient donc s'adapter aux changements à venir, notamment en raison d'une baisse des quantités de matières à recevoir à moyen et à long terme. Ce que tardait de faire le patriarche de la famille, malgré l'insistance de la relève.

Elena était enchantée du virage que tentait de prendre le gouvernement québécois, mais la jeune entrepreneure était exaspérée du retard que prenait sa propre compagnie dans cette nouvelle vague.

— Les transactions se sont réglées à une heure d'intervalle, répondit Nicolas à son fils. Du coup, D.R.C. Waste est devenu l'heureux propriétaire de cinq cents conteneurs de plus.

— En gros, ils viennent de prendre une grosse part du marché montréalais, ajouta la jeune femme.

La compétition était féroce dans ce domaine et seules quelques compagnies se partageaient le territoire de Montréal et des environs. Le Groupe Perrot possédait et gérait l'un des plus importants lieux d'enfouissement de la grande région métropolitaine ainsi que deux postes de transbordement. Il détenait également plusieurs centaines de conteneurs en location, destinés aux commerces et aux industries non desservies par la collecte municipale des ordures ménagères.

— Autre chose, les jeunes, reprit le paternel. Mon ami Michel m'a informé que FGL Canada était en plein développement à leur site de Vaudreuil. Ils visent la méthanisation des déchets.

— Veux-tu dire des matières organiques ou vraiment des déchets ? demanda Elena, sachant bien que leur père ne saurait répondre à cette question.

— Je ne sais pas trop, ils sont en démarchage, tenta-t-il.

Il y avait de cela deux ans, Elena avait supplié son père de l'accompagner en France et en Allemagne, afin de visiter plusieurs installations de méthanisation, technologie très répandue en Europe. Durant sa petite tournée technique, elle avait pu constater les avantages et les limites de ce type d'usine de traitement. Elle avait été très déçue que son père décline sa proposition.

— Alors, ça bouge ce matin, on dirait ! s'exclama Bruno. Et tu nous appelles pour quoi ? Pour nous dire que nous avions raison ? Qu'il serait temps d'agir de notre côté également ? ajouta-t-il, sur un ton légèrement insolent.

Nicolas prenait conscience de la tournure de cette discussion et percevait bien les sous-entendus de ses enfants. Il devait s'avouer qu'il aurait dû leur faire davantage confiance et, surtout, leur céder plus de place dans la prise de certaines décisions, notamment quant au développement de nouveaux marchés. Après une petite pause, il répondit à son fils :

— Oui et non. En fait, je voulais également vous informer que nous avons eu une offre d'achat. Très sérieuse et substantielle. Je vais vous envoyer les documents par courriel et nous en parlerons au prochain CA, demain soir.

Après un bref silence, Elena réussit à se remettre de sa surprise.

— Papa, as-tu l'intention de vendre le Groupe Perrot ?

Étant actionnaire majoritaire, Nicolas avait le pouvoir de prendre ce type de décisions. Mais sa position sur la question était tout autre.

— Pas du tout ! Nous allons leur tenir tête, à ces multinationales. Ce n'est pas vrai que toutes les entreprises québécoises vont se faire bouffer par des rapaces étrangers. Notre entreprise va rester à flot, elle va se diversifier et poursuivre sa croissance. Je ne lâcherai pas, les jeunes, certainement pas ! répondit le patriarche, sur un ton encourageant.

— Bon, eh bien, je crois qu'il n'est pas nécessaire d'ajouter ce point à l'ordre du jour, papa. Ta décision est prise et j'abonde dans le même sens. Et toi, Elena ?

— Il n'est pas question de vendre l'héritage familial ! lança-t-elle, déterminée.

Après avoir raccroché, la jeune directrice fixa le téléphone quelques secondes, puis saisit sa tasse, encore pleine. Elle n'avait pas pris une seule gorgée de sa tisane, maintenant tiède.

Bien qu'elle appréciât les défis que représentait le monde de la gestion des matières résiduelles, elle en avait tout de même un peu peur. Il s'agissait d'un milieu difficile, où la compétition pouvait être féroce et, quelquefois, inquiétante.

Elle ouvrit son classeur et prit un dossier qui n'avait pas vu la lumière du jour depuis un bon moment. Il s'agissait de son projet de développement du Groupe Perrot. Dynamique, d'envergure et avant-gardiste, un peu comme son auteure.

* * *

Claude Dallaire attendait impatiemment ses meilleurs agents en fixant la porte. Il détestait attendre. Le temps était gris dans la métropole, tout comme son humeur massacrante. En les voyant arriver, il prit rapidement la parole.

— Messieurs, nous avons tout un casse-tête à élucider ! s'exclama le lieutenant, à la seconde même où les deux enquêteurs franchissaient le seuil de son bureau. Alors voici : nous avons le décès d'une femme par crise cardiaque, Mme Jocelyne Arnaud, bredouilla-t-il en lisant sa feuille. Ah, mais son nom de jeune fille est Bachand. Bref, sa mort s'est produite dans de drôles de circonstances. Elle est morte dans sa salle de bains, une semaine après que son mari eut également succombé à une crise cardiaque au même endroit. Le coroner trouve ça louche, il a demandé une autopsie de la dame. Son mari, Pierre de son prénom, a déjà été incinéré.

— Et qu'est-ce qu'il y a de louche dans le fait que deux sexagénaires soient décédés d'une crise cardiaque dans leur salle de bains ? demanda David en feuilletant le dossier.

— Dans les deux cas, ils se brossaient les dents, répondit son supérieur le plus sérieusement du monde.

Interloqués, les deux agents levèrent simultanément la tête vers Dallaire. Celui-ci ajouta que le tube de dentifrice en question avait été envoyé au laboratoire de sciences judiciaires et de médecine légale pour y être analysé.

— Un empoisonnement au fluor ? questionna David.

— Sûrement pas, voyons ! Du fluor, il y en a dans toutes les pâtes dentifrices, rétorqua Richard. Il y en a même dans les systèmes de traitement de l'eau potable.

— Eh bien, tu sauras que le fluorure est très toxique et qu'il peut être mortel à certaines doses. Si les analyses du labo nous démontrent que la pâte en contenait un taux anormalement élevé… je crois qu'une certaine entreprise de fabrication de produits dentaires sera dans le pétrin, répondit spontanément David.

— Depuis quand tu t'y connais en agents toxiques ? lui demanda son collègue, tout en le dévisageant.

— L'empoisonnement au fluor cause des symptômes qui ressemblent à une gastroentérite, avec nausées, vomissements et crampes. Pas des crises cardiaques, précisa leur patron.

— Non mais, est-ce que c'est seulement moi qui suis innocent ou vous avez tous les deux un diplôme en toxicologie? lança l'agent Brunet, légèrement déboussolé par le discours de ses collègues.

Après cette brève discussion, les deux policiers prirent la direction de l'avenue Maplewood, à Outremont, afin de visiter les lieux où le couple avait trouvé la mort.

* * *

Ce soir-là, Elena arriva chez elle vers 18 h, avec son repas bien chaud qu'elle était impatiente de dévorer. Comme elle en avait souvent l'habitude, l'épicurienne adorait se présenter à l'improviste à son restaurant chinois préféré, Wing-Fa, et y commander une panoplie de petites saveurs pour égayer ses repas de semaine. En ce mercredi grisâtre de septembre, elle avait opté pour une entrée de petits raviolis à la sauce aux arachides et pour un plat de résistance fait de bœuf à l'orange et d'épinards croustillants.

Elle se dépêcha de déballer son petit trésor et s'installa pour manger. David était censé venir chez elle plus tard dans la soirée. Il enquêtait sur une nouvelle affaire et, en plus, il espérait pouvoir s'entraîner au centre sportif après le boulot, puisqu'il n'avait pu y aller le matin même.

D'habitude, ils se levaient tous les deux à 5 h 30, elle pour arriver au boulot une heure plus tard et lui, pour aller au centre de conditionnement physique, avant de se rendre aux bureaux du Service des crimes majeurs du SPVM pour 8 h 30.

Ce matin-là, lorsque le réveil avait sonné, aucun d'eux ne s'était levé. Ils s'étaient collés un moment, puis Elena avait serré davantage son homme.

— Bonjour, lui avait-elle soufflé à l'oreille.

Après quelques échanges de baisers, elle s'était couchée sur lui, tout en l'embrassant, et lui avait fait l'amour avec tendresse. Avec vingt minutes de retard, le policier s'était levé et avait sauté dans la douche, pressé par le temps. Mais à son grand plaisir, sa fougueuse partenaire était venue le rejoindre, et c'est alors qu'il avait décidé qu'il n'était absolument plus question d'aller retrouver son ami Alexandre pour s'entraîner.

Depuis que ses douleurs s'étaient dissipées, après l'attaque dont elle avait été victime en juillet, la jeune femme avait retrouvé sa soif inlassable de son bel enquêteur. Et elle comptait rattraper toutes les fois qu'elle avait dû renoncer à ces plaisirs.

Au bout du compte, c'est elle qui était arrivée en retard au transbo, alors que David avait pris le temps de savourer un café au restaurant du coin avant de se rendre au travail, calmement.

Perdue dans ses pensées, la jeune femme revint à elle et remarqua qu'elle avait déjà terminé son repas. Le doux souvenir de son réveil ce jour-là l'avait complètement absorbée et elle n'avait même pas pris la peine de déguster son souper. Déçue, elle se leva pour ranger son assiette lorsque le téléphone sonna.

— Bonjour, Sam! répondit-elle, en reconnaissant le numéro sur l'afficheur.

La jeune femme avait une relation bien particulière avec sa grand-tante Henriette, qu'elle appelait affectueusement Sam, comme le faisait le reste de sa famille. C'est elle qui avait vu la prochaine chamane Perrot en elle et qui lui avait confié le précieux journal d'Aimée, journal qu'elle avait conservé pendant plus de cinquante ans. Ensemble, elles avaient cheminé dans le parcours singulier d'Elena et la vieille dame avait tenté, avec le peu de moyens dont elle disposait, de la guider dans son développement.

Les deux parentes se côtoyaient régulièrement, mais, depuis l'arrivée de David dans la vie bien rangée de la jeune Perrot, leurs rendez-vous étaient plus distancés. Même si l'apprentie chamane ne révélait pas tous ses secrets à Henriette, Sam était à l'affût de tous ses petits tracas de femme. Elle téléphonait ce soir-là pour prendre des nouvelles d'Amélia. Après lui avoir fourni quelques mensonges, malheureusement nécessaires, Elena raccrocha et décida de prendre un bain avant l'arrivée de son amoureux.

Enveloppée d'une douce odeur de lait de chèvre et d'une mousse légère, elle se laissa bercer par la musique et ferma les yeux. Elle décida de faire le vide en focalisant son énergie et en respirant profondément. Elle aimait bien se ressourcer de la sorte.

Sans qu'elle s'en rende compte, elle entra en transe.

Quelques secondes plus tard, elle ouvrit les yeux, ressortit la tête de l'eau et respira un grand coup. Elle n'était pourtant aucunement paniquée, puisqu'elle avait eu parfaitement conscience que son corps s'enfonçait doucement dans cette eau parfumée. Elle n'avait donc pas dormi et ce qu'elle avait vu n'était ni un rêve ni un cauchemar.

Elena s'assit dans son bain et fixa les bulles flottant à la surface. Ce qu'elle venait de vivre ne s'était jamais produit auparavant. Cette transe avait été encore plus profonde et puissante que celles qu'elle vivait habituellement. Pourtant, elle n'avait pas bu sa tisane à la sauge, comme l'avait jugé si essentiel son ancêtre. Elle n'avait avec elle ni sa plume, ni son tambour, quoique la musique ambiante ait certainement contribué à l'atteinte du rythme facilitant l'entrée en transe. Que s'était-il donc passé ?

Pour le moment, elle ne le savait guère. La jeune femme se leva, s'enveloppa dans une serviette et sortit de la baignoire en tremblant. Les cheveux dégoulinants, le regard affolé, elle ne savait quoi faire. Ce qu'elle venait d'apprendre lui donnait des frissons dans le dos.

Au départ, elle crut avoir fait une transe au sujet de sa sœur, au cœur de ses préoccupations depuis plusieurs jours. Mais en examinant son reflet dans le miroir, elle constata qu'elle l'avait plutôt réalisée, involontairement, sur l'enfant que portait encore Amélia : un petit garçon intelligent, attentionné et aussi charismatique que ses parents. Un enfant menacé par un avortement imminent, dont elle était responsable. Un descendant des Perrot qui s'éteindrait par la faute d'Elena.

Réalisant la gravité de la situation, la jeune femme recouvrit son visage de ses mains, et se mit à hocher la tête de droite à gauche. Le petit être en devenir dans le ventre de sa sœur cadette n'était nul autre que le prochain chaman Perrot.

Il devait vivre.

Chapitre 2
Passage obligé

Vendredi 28 octobre 2011

Les deux sœurs étaient silencieuses, en route vers la maison familiale, rue Olivier à Pierrefonds. Au volant de sa Focus hybride, Elena roulait lentement sur la rue Saint-Denis après être allée chercher Amélia à son condo. Plus soudées que jamais, elles s'étaient promis d'annoncer ensemble la nouvelle à leurs parents. La conductrice ne prêtait pas attention aux alentours et fixait son regard au loin. La nervosité s'emparait rarement d'elle, mais, dernièrement, ses nerfs avaient été mis à vif plus d'une fois.

D'abord, en raison des cours de plongée sous-marine qu'elle avait dû suivre et qui avaient pris beaucoup de son temps. L'aspect technique de ce sport, qu'elle avait nettement sous-estimé, l'avait étonnée. Bien que David lui eût répété à maintes reprises que son ordinateur de plongée, qu'elle aurait en permanence au poignet, s'occuperait de toutes les vérifications nécessaires, elle devait tout de même apprendre la théorie afin d'obtenir sa certification. Elle fut très soulagée de réussir ses cours pratiques en milieu naturel et, finalement, de tenir entre ses doigts sa petite carte de plastique qui lui permettrait de profiter de sa croisière à venir. Elle avait détesté son expérience en piscine, et encore plus celle dans les eaux d'une ancienne carrière, à Kahnawake. L'air sec comprimé qu'elle avait dû respirer lui avait asséché la gorge et elle n'avait guère aimé la sensation du détendeur dans sa bouche. Mais Elena Perrot n'était pas du genre à baisser pavillon et elle avait pris son courage à deux mains afin de terminer sa formation avec succès.

À tout cela s'ajoutait l'histoire de la grossesse d'Amélia.

* * *

Lorsqu'elle s'était pointée chez sa sœur, le lendemain de sa découverte sur l'identité de son futur neveu, Elena avait senti la gêne mais surtout la nervosité l'envahir peu à peu. Après avoir persuadé sa sœur de se débarrasser de ce fœtus qu'elle considérait hier encore comme une véritable infamie, voilà qu'elle devait la convaincre du contraire.

— Tu sais, j'ai réfléchi longuement Amy et... elle avait pris une légère pause, cherchant ses mots. Je crois que ton enfant n'a pas besoin de connaître son père, ni les atrocités qu'il a commises. Tout ce dont il a besoin pour s'épanouir, c'est de l'amour. Et de l'amour, la famille Perrot en a à revendre.

En entendant ces phrases, la future mère avait levé la tête, soudainement très attentive à ce que disait sa grande sœur.

— J'étais bouleversée lorsque tu m'as annoncé que tu étais enceinte de… ce fou de McRay. Mais, avec le recul, je me rends compte que ce petit être, ce n'est pas lui qui le porte. C'est toi. Et tu es une femme extraordinaire, qui ne peut faire autrement que de se transformer en une maman qui l'est autant. Et je serai là pour t'aider. On va tellement l'aimer, cet enfant-là, qu'il n'aura pas d'autre choix que de devenir une personne exceptionnelle, comme sa mère.

Après avoir entendu ces paroles, la cadette avait mis quelques secondes avant de répondre.

— Mais… quelle mouche t'a piquée, toi ? Tu n'as pas cessé de me répéter que notre famille ne méritait pas le descendant de ce meurtrier. Et que fais-tu de tes appels incessants depuis quelque temps ? J'ai tellement hâte de me débarrasser de ce monstre que je porte… Te rends-tu compte ? Tu me l'as fait détester, Elena ! lui avait répondu la jeune femme, au bord des larmes.

— Eh bien, je me rends compte que c'est moi, le monstre. J'ai abusé de ta fragilité pour te convaincre que ton propre enfant devait disparaître. J'ai si honte, Amélia ! Dès le début, tu le savais. Tu avais l'intention de le garder, n'est-ce pas ?

— Mais tu m'as dit que c'était Mark qui m'avait convaincue de le garder, pas moi !

C'est alors que la sœur aînée avait pris les mains tremblantes de la jeune femme devant elle et l'avait invitée à s'asseoir.

— Maintenant Amélia, nous allons faire un exercice. Tu vas fermer les yeux et tu vas respirer profondément et lentement. Concentre-toi sur mes paroles et laisse-toi porter par tes sensations, tes émotions et tes perceptions. Seulement les tiennes, d'accord ?

— OK.

— Tu portes un petit bébé, qui grandit, jour après jour. Qui écoute ta voix, qui se laisse bercer par tes mouvements… Il est en parfaite symbiose avec ton corps. Et il t'aime de tout son cœur. Tu es la seule personne qu'il connaît et il a hâte de te voir. Dans quelques mois, tu pourras faire sa connaissance. Tu le sais déjà, il sera magnifique et mignon comme tout. Tu pourras le prendre dans le creux de tes bras et sentir sa bonne odeur de nourrisson. Il te fera des petits sourires, il te cherchera du regard lorsqu'il entendra ta voix. Tu seras le centre de son univers, Amy. Maintenant, réponds franchement à ma question : es-tu en mesure d'imaginer ce poupon dans tes bras ?

Ayant toujours les yeux fermés, Amélia avait acquiescé de la tête. Ses lèvres s'étaient crispées et avaient commencé à trembloter. Des larmes coulaient sur ses joues.

— Et que ressens-tu au fond de toi… de la haine, du dégoût en imaginant cette scène ?

La jeune femme avait ouvert lentement les yeux, rougis par le chagrin. Son corps tout entier s'était mis à trembler sous l'effet des sanglots. Tout en pleurant, elle avait hoché la tête de gauche à droite. Son désaccord avec les paroles de sa sœur avait pris de l'ampleur de seconde en seconde. Il lui avait été impossible de ressentir une parcelle d'aversion pour cet être si précieux. Comment pourrait-elle détester son enfant ? Elle avait réalisé à quel point elle avait hâte de le tenir dans ses bras. Pour la première fois, elle avait pris le temps de s'écouter.

En guise de reconnaissance, elle avait enlacé Elena dans ses bras et l'avait serrée très fort contre elle. D'une voix à peine audible, elle lui avait chuchoté un « merci » sincère.

Depuis cet intense moment, elles étaient devenues inséparables.

* * *

Après avoir tourné sur le boulevard Gouin, elles se regardèrent, déterminées. Aujourd'hui, en ce vendredi soir d'octobre, les sœurs Perrot étaient prêtes à annoncer la grossesse d'Amélia à leurs parents. Elles avaient attendu à la limite du raisonnable pour le faire, afin que la cadette reprenne des forces. De toute façon, le petit ventre rond de la future mère était de plus en plus apparent. Le temps était donc venu de mettre les choses au clair. Elles appréhendaient beaucoup les réactions de leurs parents, sachant bien qu'ils avaient développé une aversion absolue envers Andrew McRay. Même si celle-ci était tout à fait justifiée, elle n'aiderait certainement pas le cas des deux jeunes femmes.

— Alors, on y va, sœurette ? demanda l'aînée, en garant sa voiture dans l'entrée.

— Oui. C'est le moment !

Depuis qu'elle avait fait la paix avec l'arrivée de son fils, Amélia se sentait ragaillardie. Son goût de vivre avait pris le dessus et elle avait même cessé de penser à son Mark. Elle avait peu à peu fait le deuil de cet homme qu'elle avait tant aimé, et s'était même surprise à l'appeler Andrew lorsqu'elle parlait de lui avec Elena.

Marchant côte à côte dans l'allée, elles arrivèrent à la porte en même temps et sonnèrent. Elles entendirent le carillon résonner dans la maison avant que leur père vienne ouvrir.

— La porte était déverrouillée ! Allez, entrez, on gèle ! dit-il en les accueillant, heureux de les recevoir.

— Bonsoir, papa, lui répondit la plus âgée, avec un geste tendre.

Elena avait une relation privilégiée avec son père, qu'elle adorait. Un profond respect mutuel les unissait également, ce qui les aidait largement lorsqu'ils travaillaient ensemble.

C'était tout le contraire avec sa mère Béatrice, avec qui elle avait constamment des divergences d'opinion. Elle avait développé un malin plaisir à la contredire et à la provoquer, et ce, même des années après sa crise d'adolescence, une période qui n'avait pas été de tout repos.

Accoudées à l'îlot central de la vaste cuisine, les deux invitées écoutaient leurs parents raconter leur dernière escapade dans le Sud. Bien qu'elles aient grandi dans cette maison, les sœurs Perrot avaient du mal à reconnaître le foyer de leur enfance, en raison des nombreux travaux de rénovation qui l'avait transformé. Dès lors, elles se sentaient comme de simples convives, ayant un peu perdu leur attachement à la demeure.

Après un certain temps, Amélia se tourna vers sa sœur, l'implorant du regard de faire les premiers pas.

— Maman, papa... nous voulions vous voir ce soir parce que nous avons quelque chose à vous annoncer.

— Oui, poursuivit la cadette, prenant le relais. On voulait... en fait, je voulais vous annoncer que... Elle prit une profonde respiration et ajouta, avec appréhension : ... que je suis enceinte.

Béatrice fut la première à réagir, affichant instantanément un sourire à ses lèvres botoxées, ce qui ne surprit pas Elena, puisque tout ce que faisait sa petite sœur était depuis toujours immédiatement applaudi par leur mère. « Même une grossesse non planifiée », se dit-elle, quelque peu découragée.

— Mais... c'est merveilleux ! s'exclama Béatrice en prenant sa fille dans ses bras. Qui est le père ? lui demanda-t-elle, candidement.

— J'en suis à ma seizième semaine de grossesse, précisa Amélia, ignorant sa question. C'est un petit garçon, ajouta-t-elle en sortant les clichés de son échographie passée deux semaines plus tôt.

— Attends un peu... Tu es enceinte de quatre mois ? demanda son père en la fixant du regard.

— Oui, papa... lui répondit-elle en le regardant dans les yeux. Tu as tout compris.

— Regarde, Nicolas ! C'est un garçon, il n'y a pas de doute ! lui montra sa femme, en désignant une tache sur l'image en noir et blanc que lui avait remise sa fille.

— Non, mais tu ne comprends pas, Béa ! C'est ce McRay qui est le père ! lui expliqua son époux, d'un ton agacé.

La mère se retourna automatiquement vers Elena, en plissant les yeux. La colère montait en elle.

— C'est toi, n'est-ce pas? s'écria-t-elle, folle de rage. Tu l'as convaincue de le garder! l'accusa-t-elle, avec cet air méprisant que sa fille connaissait trop bien.

L'accusée ne répondit rien, toujours amusée par le comportement saugrenu de sa propre mère.

— Non, maman! intervint Amélia. C'est ma décision! Et… tu verras, tu vas adorer Marcus!

En entendant ce nom, les yeux de Béatrice rejoignirent ceux de la future mère. Fièrement, elle prit sa fille adorée dans ses bras. Le stratagème des deux sœurs, qui consistait à choisir le prénom de leur grand-père Russo pour le petit, fonctionnait à merveille. Pour l'un de leurs parents, du moins…

Nicolas les regardait sans rien dire, sachant bien qu'il n'était déjà plus question de débattre du sujet.

Tout en serrant sa mère contre elle, Amélia aperçut le clin d'œil que venait de lui faire sa complice.

* * *

Samedi 29 octobre 2011

Assise sur le lit de Charlotte, coupe de vin remplie à la main, Elena la regardait se maquiller, face au miroir de la salle de bains adjacente à la chambre. Son amie rebelle portait un accoutrement digne d'une *pin-up*: elle était vêtue d'un corsage noir à paillettes, orné d'une longue queue, de bas de nylon noirs quasi transparents, en plus de porter en accessoire des oreilles de chat dans sa chevelure.

Près de ce félin ultra-sexy se trouvaient des souliers à talons hauts qui donnaient le vertige juste à les

70

regarder. S'imaginant les avoir aux pieds, Elena hocha la tête machinalement.

— Tu as vraiment l'intention de porter ces échasses toute la soirée ? demanda-t-elle, avant de reprendre une gorgée de sauvignon blanc.

— Quoi ? Mes chaussures ne te plaisent pas ?

— Bordel, elles ont des talons d'au moins dix centimètres !

— Mes souliers doivent aller avec mon costume, non ?

— C'est vrai, tu as l'air d'une vraie chatte... en chaleur !

— Tu as tout compris ! À quoi bon aller dans des fêtes costumées, sinon ? Et ce soir, ma chère, je vais faire tourner les têtes !

— Et ton Christian ?

— Il va y être aussi. Nous avons, figure-toi, une relation très... libre, je dirais.

— Humm... Je ne crois pas trop à ça.

— Ma chère, c'est parce que tu as trouvé ton mec idéal ! Christian est bien, mais il est seulement de passage, tu piges ? Pour l'instant, il me satisfait au lit, c'est tout.

Les deux amies se voyaient peu, mais lorsqu'elles en avaient l'occasion, elles adoraient se retrouver pour papoter. Ce soir-là, Charlotte se préparait pour un *party* d'Halloween auquel Elena n'était pas invitée, ce qui la soulageait grandement. Elle n'avait jamais été une fille de bars, et encore moins de soirées costumées.

Vers 20 h, elles avaient pris une bouchée ensemble au salon et avaient longuement discuté de la grossesse d'Amélia. D'ailleurs, Elena était très heureuse de pouvoir enfin en parler à quelqu'un ; elle avait su tenir sa promesse et n'en avait glissé mot à quiconque, jusqu'à ce qu'elle et sa sœur conviennent du bon moment pour le faire.

— Et toi, ça ne te tente pas de « partir » une famille ?

— Pas vraiment. En fait, pas tout de suite. C'est encore trop tôt avec David.

— Mais, tu le sais que c'est le bon, non ?

— Ouais… répondit-elle, sourire en coin.

— Alors, pourquoi attendre ? Tu vas avoir trente-trois ans bientôt. Ah, attends, je sais… Tu n'es pas une personne impulsive et tu aimes réfléchir, analyser la situation sous tous les angles possibles… Je sais… se moqua son amie.

— Si tu me connais si bien, pourquoi me poser la question ? Et ce n'est pas le genre de décision qui se prend à la légère, figure-toi, répliqua Elena.

— C'est ça… Bon, as-tu hâte de partir en décembre ? lança-t-elle pour changer de sujet.

— Oui et non.

— Comment ça, non ?

— Je ne tiens plus en place à l'idée de partir seule avec David aux îles Maldives, dans un véritable paradis sur terre. Ça, c'est pour le « oui ».

— Et le « non » ?

— La plongée sous-marine…

— Ben voyons, tu t'en fais pour rien ! Faire de la plongée en piscine, où la pression est énorme, ou bien dans une vieille carrière, où l'eau est glaciale, ce n'est vraiment pas l'idéal ! C'est bien normal que ça ne te dise rien après ça ! Maintenant, pense à une mer bleue, parfaitement translucide, chaude et bourrée de poissons multicolores...

— Je sais, je sais. David me casse les oreilles depuis le début avec ce discours-là.

— Dans ce cas, écoute-le ! Tu sais qu'il a raison. Et, pour te rassurer, fais une transe en pensant à tes vacances, tu verras bien !

— J'ai promis de ne pas en faire.

— Tu n'es pas obligée de le dire, tu sais. Tu le fais juste pour toi. Mais à condition que tu m'en parles après ! précisa son amie, curieuse.

— Non, je vais respecter ma promesse. Avoir une blonde comme moi, ça ne doit pas être évident. Je le sens bien que ça le tracasse que je sois chamane.

— Il a peut-être des choses à cacher !

— Tout le monde a son jardin secret. David a un passé, un présent et un avenir. Et moi, en quelques minutes, je peux tout découvrir sur lui. Je me mets à sa place et je le comprends. Je crois que ça tuerait notre couple si je le trahissais.

— Tu dis ça parce que tu l'aimes et que tout va bien entre vous. Tu changeras bien vite d'avis si ça tourne au vinaigre...

Elena la regarda tout en méditant sur ses dernières paroles. Charlotte jeta un coup d'œil à l'heure affichée sur le micro-ondes de la cuisine et se leva d'un bond.

— Miaou ! C'est le moment de partir à la chasse ! Je dois te mettre à la porte, ma chère !

— Passe une belle soirée, Catwoman ! lui suggéra son amie, tout en mettant son manteau. Et n'oublie pas de sortir tes griffes !

— Bah… je n'aurai pas besoin de le faire. J'ai neuf vies, non ?

* * *

Mercredi 2 novembre 2011

David se tenait contre la porte de la salle de bains des Arnaud et examinait les techniciens en scènes de crime à l'œuvre. L'enquête était officiellement ouverte pour les meurtres de Jocelyne Bachand et de son mari Pierre Arnaud. Car il n'y avait plus de doute, quelqu'un avait prémédité la mort du couple.

Le rapport d'autopsie de la femme de soixante-deux ans était concluant : l'arrêt cardiaque qui l'avait assaillie avait été causé par une intoxication au cyanure de potassium. Or, ce sont les résultats du laboratoire qui furent les plus surprenants. En effet, des traces de ce poison mortel furent retrouvées dans le tube de dentifrice utilisé par les victimes, plus précisément près de l'ouverture. Les analyses du reste de la pâte ne révélèrent aucune trace de la substance toxique, suggérant ainsi un ajout intentionnel et non une erreur de la part de la compagnie de dentifrice. Une personne avait donc vraisemblablement pénétré dans leur domicile afin de mettre son plan à exécution, conclut le policier. Il était toutefois nécessaire de le prouver.

Un véritable branle-bas de combat se déroulait dans la maison cossue des victimes afin de trouver des traces d'intrusion. Perdu dans ses réflexions, David n'entendit pas Richard arriver.

— Salut, David ! En tout cas... C'est une méchante belle cabane qu'ils avaient ! s'exclama l'agent Brunet.

— Regarde... Il y a deux meubles dans la salle de bains.

— Bonjour à toi aussi, monsieur l'agent ! lui rétorqua son collègue.

— Ah oui, bonjour.

— C'était si difficile ? lui fit-il remarquer, avant de répondre à sa question. Eh bien oui, il y en a deux, un pour madame et l'autre pour monsieur, c'est classique !

Interloqué par leur conversation, Elliot, un des techniciens sur place, se leva et alla les rejoindre.

— En tout cas, il n'y avait pas de dentifrice dans le meuble de la dame. J'ai fouillé dans tous les tiroirs, les informa-t-il.

— Et quelqu'un peut me rappeler où les corps ont été retrouvés, au juste ? demanda l'agent Allard.

— Pour Mme Bachand, c'était devant son meuble, là-bas. Dans le cas du mari, les ambulanciers ont dit avoir retrouvé le corps près de la porte. On peut donc présumer que c'était ici, près de son lavabo, l'informa l'autre enquêteur.

— Donc, réfléchit tout haut David, nous avons deux morts à sept jours d'intervalle, et ils sont décédés dans cette pièce, mais pas tout à fait au même endroit... Et puis, nous n'avons aucune preuve que M. Arnaud a été intoxiqué aussi. Se pourrait-il qu'il ait fait une véritable crise cardiaque et que quelqu'un en voulait vraiment à son épouse ? Je pense tout haut... Richard, tu as trouvé quoi sur eux ?

— Des raisons pour éliminer le vieux, il y en avait. Pas beaucoup, mais tout de même. Où il y a de l'argent et du pouvoir, il y a toujours des motifs. Il était d'ailleurs sur le point de conclure une importante entente avec sa compagnie. Tout est tombé à l'eau avec sa mort. Dans le cas de sa femme, ce n'est pas si évident. Je n'ai rien trouvé de concluant. Elle semblait être une bien bonne personne qui s'impliquait dans sa communauté. Rien d'apparent, en tout cas.

Pendant leur discussion, une technicienne vint les rejoindre, poubelle en main.

— Regardez ça, messieurs, dit-elle en leur tendant la corbeille sous les yeux.

Elliot prit sa pince et retira un tube de dentifrice vide et enroulé sur lui-même.

— Tiens, tiens… On dirait que madame avait sa propre pâte dentifrice ! s'exclama David.

Un peu plus tard ce jour-là, les deux enquêteurs cassèrent la croûte au restaurant Mikado, sur la rue Laurier. Richard, dans la jeune cinquantaine et légèrement bedonnant, en était encore à ses premières expériences en matière de fine cuisine japonaise, mais il adorait ces moments de découverte. Son grand collègue, lui, était un maniaque de toutes les variétés inimaginables de sashimis et de makis depuis des années. Tout en dévorant leurs sushis, ils discutaient du déroulement de cette drôle d'affaire.

— On devrait avoir plus de cas dans le coin, c'est fou le choix de bons restos qu'il y a dans les environs ! remarqua l'agent Brunet.

David acquiesça en avalant tout rond un rouleau Kamikaze, après l'avoir trempé dans la sauce soya et la mayonnaise épicée qu'il avait demandée. Il manqua de s'étouffer en voyant son collègue essayer de manger son prochain morceau.

— Si tu n'es pas capable avec tes baguettes, prends tes doigts! Laisse tomber ton orgueil, voyons!

— Bah, faut bien que je me pratique!

Après quelques bouchées, il ajouta:

— Alors David, que penses-tu de ces meurtres? Vous avez une théorie infaillible, toi et ton flair hors pair?

— Eh oui, j'en ai une! J'attendais justement que tu me le demandes, le taquina-t-il. Et ce n'est pas une hypothèse, c'est ce qui s'est vraiment passé. Tu es prêt?

— Je suis suspendu à tes lèvres!

— Alors, selon moi, quelqu'un voulait la mort de Pierre Arnaud et s'est introduit chez lui afin d'injecter une dose létale de cyanure dans son tube de dentifrice. D'ailleurs, faudra rencontrer les gens de son bureau. C'est louche. Bref, le plan a fonctionné, et il est mort sur le coup, comme prévu. Une semaine plus tard, Jocelyne Bachand termine son propre dentifrice et jette le tube dans sa corbeille. Elle décide alors d'utiliser celui de son défunt mari, qui traîne toujours dans son tiroir. Elle le prend, retourne à son lavabo et boum! Elle fait une crise cardiaque en s'intoxiquant à son tour. Voilà!

— Aussi simple que ça?

— Je ne vois pas autre chose. C'est bête, non?

— En tout cas, ça se tient...

— C'est certain que ça se tient, car c'est ce qui est arrivé!

Richard était habitué au ton presque arrogant de son collègue, qui savait toujours tout sur tout. Le grand gaillard possédait un flair bien exceptionnel, dont plusieurs de ses proches collègues étaient jaloux. Mais l'agent Brunet ne s'en faisait plus outre mesure et il avait plutôt décidé d'utiliser cet aspect de son partenaire comme source de motivation. Et cela avait porté fruit lors de leur précédente enquête. Grâce à l'acharnement de David à vouloir le surpasser, ils avaient finalement pu procéder à l'arrestation de l'insaisissable Andrew McRay.

Après avoir goûté à un sushi particulièrement savoureux, Brunet ajouta :

— David... Ne trouves-tu pas que le tueur s'est donné beaucoup de mal pour arriver à ses fins ? Pourquoi toute cette mise en scène ?

Il prit une gorgée d'eau et poursuivit :

— Le tueur qui a fait ça était quelqu'un de minutieux, de patient et d'expérimenté. Et il a bien failli réussir son coup ! En supposant que sa première cible était effectivement M. Arnaud, eh bien, son meurtre a presque passé inaperçu ! Si ça n'avait été de l'accident qui a tué sa femme... On peut le dire, il était... presque parfait !

Lorsqu'il entendit la remarque de son collègue, David déposa ses baguettes et resta muet. Une sueur froide venait de lui traverser le dos et sa gorge devint soudainement sèche. Il ne connaissait qu'un seul homme capable d'un plan aussi bien orchestré.

Soudain, il comprit que cet assassinat méticuleux avait été accompli par nul autre que Rob « Phantom » Lussier. Pour la première fois depuis le début de sa carrière, il enquêtait sur le plus récent crime du maître des tueurs à gages. Il en était convaincu.

* * *

Vendredi 4 novembre 2011

Appuyé sur le rebord de l'immense fenêtre de son appartement, l'assassin des Arnaud regardait les piétons marcher d'un pas décidé dans la rue Notre-Dame. En cette soirée froide d'automne, il était contrarié par la mort de Jocelyne. Il était rare que ses plans ne se passent pas exactement comme prévu. Il avait mis son téléviseur en sourdine, après avoir vu un énième bulletin de nouvelles faire mention de l'enquête du SPVM en cours.

Dans les faits, il ne s'en faisait pas outre mesure que l'épouse de sa victime soit décédée, malgré les moments agréables qu'elle lui avait fait passer. Ce qui le préoccupait davantage reposait sur l'ouverture de l'enquête policière. Il en avait vu d'autres au fil des ans, mais chacune d'entre elles était potentiellement un risque. Et dans ce cas-ci, il devait l'admettre, il avait joué avec le feu.

Un simple poil pubien, tombé quelque part d'inattendu dans la salle de lavage ou dans la cuisine, pouvait causer problème. Même s'il avait été prudent, comme à l'habitude, et que Jocelyne semblait être une maniaque de la propreté, tout était possible. Avait-il déjà pris une tasse de café ? Ses empreintes pouvaient-elles être retracées quelque part dans la maison ? Il avait pourtant des réflexes infaillibles quant à la prudence de ses gestes.

L'homme se mit alors à ricaner, seul, et retourna à la cuisine. Les policiers pouvaient chercher aussi longtemps qu'ils le désiraient, même avec une empreinte, ils n'avaient rien sur lui. Ni même avec un segment de son ADN. Il n'était fiché nulle part.

Son logement était étrangement vide. Les planchers étaient de béton et les meubles, minimalistes. Un immense escalier métallique, qui menait à la mezzanine, surplombait le premier palier. Le Phantom ne s'installait jamais très longtemps au même endroit et il pouvait partir sur un coup de tête, laissant tout derrière lui. Pourtant, il aimait bien sa tanière des derniers mois. Très spacieuse et bien située, elle offrait une quiétude qu'il appréciait tout particulièrement. Avec la fortune dont il disposait, il pouvait se permettre tous les plaisirs, et cet appartement de luxe en était un.

Debout près du comptoir en granite, le solitaire entama son troisième hamburger d'affilée. Il mâcha lentement afin de contrôler son envie de vomir. Il se força à le manger, en plus de consommer une immense portion de frites et deux grosses boissons gazeuses. En pleine phase de mutation, comme il s'amusait à appeler ses périodes entre deux contrats, il se préparait pour son prochain coup. Son objectif était d'engraisser d'au moins quinze kilos afin de modifier sa morphologie. Véritable caméléon, il pouvait se métamorphoser complètement d'un contrat à l'autre.

Pour son nouveau look, il avait dû faire quelques achats: pantalons de coton amples, t-shirts extra-larges, sandales de toile. Après s'être complètement rasé la barbe pour son personnage de Réjean-le-technicien, il décida de se faire pousser la moustache. Le moment venu, il modifierait sa chevelure afin qu'elle soit très courte. D'ici quelques semaines, il serait Bertrand Lemieux, un passionné de la photographie sous-marine.

L'homme organisé avait créé une fiche détaillée pour tous ses rôles. Il y notait les détails de la personnalité de chacun d'entre eux, de leur tempérament ainsi que certains éléments de leur physionomie. Deux semaines avant son départ, il entrerait complètement dans son personnage afin de faire symbiose avec lui. C'est seulement à partir de ce moment précis, lorsque Bertrand aurait pris toute la place, qu'il détruirait sa fiche-mémoire.

Il ne laissait jamais aucune trace.

* * *

Dimanche 13 novembre 2011

Le grand jour approchait et les amoureux se préparaient intensivement en vue de leur départ imminent. Arrivée à l'appartement de David, Elena déposa tous ses paquets sur le canapé et s'écroula de fatigue.

— Ouf! J'avais oublié à quel point je déteste magasiner, soupira la jeune femme.

Après une brève pause, elle ouvrit un sac afin d'en contempler le contenu.

— Je suis fière de mon choix! dit-elle en examinant son superbe bikini fleuri.

— Ah, les femmes... constata le policier, presque découragé. Tu viens de t'acheter un ordinateur de plongée tout neuf et une combinaison thermique, et tout ce qui t'intéresse, c'est ce maillot !

— Eh oui ! Car figure-toi que mon habit de plongée est franchement laid. Même mon masque est moche.

— Voyons ! Tu as acheté les plus beaux ! Et tu as vu tes palmes ? Elles sont magnifiques ! Elena, compte-toi chanceuse, tu n'as acheté que le meilleur du meilleur. Tu es maintenant vraiment bien équipée, c'est moi qui te le dis.

— Oui, je sais, avoua-t-elle, consciente des moyens financiers dont elle disposait.

— Allez ma chérie, je te prépare un bon petit repas ! Tu veux un verre de vin blanc en attendant ?

David était un vrai cordon-bleu et Elena avait grand plaisir à le regarder s'affairer en cuisine. Avec une douce musique d'ambiance et un bon chardonnay, rien ne pouvait ternir ce doux spectacle à ses yeux.

— J'ai si hâte de partir, David, de ne plus penser au transbo, à l'avenir de la compagnie, au bébé de ma sœur…

— Tu vas vraiment arriver à décrocher ? lui demanda son amoureux, perplexe.

— Oh que oui ! Je vais laisser tous mes soucis à Montréal, c'est certain. Là-bas, je vais dormir, me relaxer, lire un bon bouquin, profiter de toi… lui dit-elle avec un sourire en coin. Ce sera merveilleux !

Elle se leva et déposa son verre sur le comptoir de la cuisine. L'odeur de la sauce à l'orange était enivrante et la jeune femme avait bien hâte de goûter aux magrets de canard que préparait son chef personnel.

— Et toi, tu vas réussir à ne plus penser à tes enquêtes ? lui demanda-t-elle.

— Bah, ça devrait bien ! En tout cas, celle des Arnaud... Nous avons surtout de sérieux soupçons, mais aucune preuve de qui voulait leur mort...

— C'est décevant.

— On veut toujours trouver un coupable, mais il faut être patient. Dans ce cas-ci, il semble y en avoir deux : celui qui les a tués, et celui qui a commandé leur mort. Nous en sommes presque certains. Mais en ce moment, on n'a rien. Alors, oui, c'est frustrant, mais ça fait partie du métier. Il faut que je compose avec ça régulièrement. Tu me passes la fleur de sel ?

Elena lui donna le petit pot et, du même coup, passa doucement sa main dans son dos. Elle le laissa ensuite seul quelques minutes, le temps de dresser la table dans la salle à manger. Elle choisit la nappe noire, qu'elle affectionnait tout particulièrement, et y déposa deux chandeliers. Une fois les serviettes de table pliées à la perfection et les couverts montés, elle contempla son travail avec un sourire de satisfaction.

Voulant se rendre à la salle de bains avant d'entamer son repas, elle passa devant le bureau de David, dont la porte était entrouverte. C'était la première fois qu'elle pouvait se permettre d'y jeter un coup d'œil, puisque la porte était habituellement fermée. Elle s'y arrêta un bref instant et y constata un désordre absolu.

Elle remarqua plusieurs boîtes de carton ouvertes sur le plancher ainsi que des coupures de journaux, dont plusieurs décolorées par le temps, collées sur les murs. Des notes étaient griffonnées partout, sur des feuilles, sur des étiquettes autocollantes et même directement sur le mur. Elle n'avait jamais vu un tel fouillis dans le condo, par ailleurs impeccable, de son conjoint. Après avoir observé cet étrange chaos, elle décida finalement de poursuivre sa route vers les toilettes, sans se poser trop de questions. «Après tout, un enquêteur pouvait bien trimballer un peu de boulot à son domicile», se convainquit-elle.

* * *

Dimanche 27 novembre 2011

En pleine réflexion, Elena était assise par terre dans sa chambre, entre ses valises, et tenait dans ses mains la plume de hibou que son ancêtre lui avait suggéré d'utiliser lors de ses transes. Sa douceur et sa beauté la subjuguaient chaque fois.

Son avion décollait dans quatre jours et ses bagages étaient presque terminés. Elle avait réglé tous les détails au poste de transbordement et elle avait convenu que ce serait Patrick, son contremaître, qui la remplacerait. Elle avait fait venir Vladimir du site de Pierrefonds pour remplacer Patrick dans ses tâches courantes. La directrice savait qu'elle pouvait leur faire confiance, les deux hommes ayant clairement démontré leur débrouillardise lors de sa convalescence. Elle pouvait donc partir la tête tranquille.

Son sac de plongée était rempli et fermé, il ne restait que sa valise à boucler. Arrivant dans la pièce, son chat Jeffrey n'hésita pas un instant et alla se coucher sur ses vêtements parfaitement pliés.

— Descends de là, vieux matou ! Tu vas mettre du poil partout ! lui dit-elle en le poussant doucement du revers de la main.

Contrarié, il sortit de la pièce, l'abandonnant à ses rêveries.

La voyageuse déposa finalement la plume dans son tiroir, sur son tambour en peau de bison. Elle prit également le vieux journal de son ancêtre et le rangea dans sa table de chevet. Elle avait décidé de ne pas apporter ces accessoires, qu'elle avait jugés si indispensables à la pratique du chamanisme. Elle referma le meuble et resta songeuse un moment.

Elle n'avait pas fait de transe depuis son étrange aventure dans le bain du mois dernier. La jeune femme avait longuement réfléchi à ce qui s'était passé et en avait conclu qu'elle avait peut-être atteint un autre niveau que celui d'Aimée. Se pouvait-il que ses facultés soient supérieures à celles de son aïeule ? Elle se mit alors à soulever un doute sur la définition même que sa mentore avait développé du chamanisme. «Et si c'était autre chose…» se dit-elle.

Un élément était toutefois certain : elle n'était plus embêtée par des transes involontaires nocturnes, généralement annonciatrices de bien mauvaises nouvelles pour sa propre personne. Sa dernière expérience de la sorte lui avait fait vivre son agression au couteau et elle en avait souffert des journées entières, avant de comprendre l'étendue de sa vision : ces transes fortuites annonçaient la mort imminente d'elle-même ou de personnes qui comptaient à ses yeux.

Elena avait été tentée à maintes reprises d'effectuer une transe sur son prochain voyage, mais elle avait réussi chaque fois à se retenir. Si elle devait mourir dans un écrasement d'avion ou perdue en mer, elle l'aurait su. Les grands esprits l'auraient informée, comme ils l'avaient fait pour la mort de son grand-père ou de son ami. Mais à ces pensées, une question lui vint en tête : « Et s'il n'y avait pas de grands esprits ? »

Découragée par toutes ces questions sans réponse, elle se leva enfin, les jambes ankylosées. Elle ferma ensuite sa valise afin d'en protéger le contenu de son chat, et alla chercher la cage de son colocataire.

— Allez, viens Jef, c'est l'heure d'aller chez ta nouvelle colocataire. Charlotte nous attend ! annonça-t-elle à son bel angora turc.

* * *

Marie-Josée Ouellet et Simon Tisseur roulaient paisiblement à bord de leur camionnette, vers l'aéroport international Pierre-Elliott-Trudeau, à Dorval. Leur bateau ne quittant le port de Malé, la capitale des Maldives, que le 4 décembre, le couple avait décidé de se rendre à Londres au passage afin d'y passer quelques jours. Ces vacances à l'autre bout du monde arrivaient à point nommé pour eux, puisqu'ils vivaient de durs moments ces derniers temps.

Depuis la découverte d'informations compromettantes sur son employeur, l'entrepreneur de cinquante-deux ans ne savait plus que penser. La compagnie de construction pour laquelle il travaillait depuis trois ans semblait baigner dans des histoires de pots-de-vin qui le dépassaient largement.

Simon adorait travailler sur un chantier. C'était un homme organisé, calme et respecté. Il avait su tenir à l'écart toute embûche majeure avec les syndicats et il faisait toujours le nécessaire pour respecter les échéanciers des projets qu'il supervisait. Il avait commencé sa carrière dans le milieu de la construction résidentielle, mais, depuis dix ans, il travaillait principalement sur de gros projets commerciaux.

Son arrivée chez son employeur actuel l'avait grandement motivé, puisqu'il pouvait jouir de meilleures conditions de travail ainsi que de plus importantes responsabilités dans les projets auxquels il était assigné. Généralement, le brave homme ne posait pas de questions et était une personne de peu de mots. Mais lorsqu'il avait remarqué que la qualité des matériaux avait diminué sur ses chantiers, il avait décidé d'aller en discuter avec ses patrons.

— Pourquoi avoir changé soudainement de fournisseurs ? leur avait-il demandé.

Leurs réponses n'avaient guère été convaincantes. Mais il avait reçu la consigne, très claire, de poursuivre les travaux avec les nouveaux matériaux commandés, et ce, sans poser de questions.

Puis avaient commencé les problèmes d'intimidation et de vandalisme sur son chantier principal à Laval. La présence de graffitis, de vols, de bris de toutes sortes ainsi que l'apparition de menaces et de commentaires intimidants émis directement par de purs inconnus, faisaient maintenant partie de son quotidien. Finalement, après quatre semaines de stress intense, un incendie criminel avait dévasté l'édifice où il travaillait depuis plus de neuf semaines. L'entrepreneur n'en pouvait tout simplement plus.

La goutte qui avait fait déborder le vase n'avait pas été la mise en cendres de ses travaux, mais plutôt sa rencontre fortuite avec son supérieur, Jacques de La Buissonnière, dans un restaurant huppé de Montréal.

Pour leur anniversaire de mariage, Simon Tisseur avait emmené son épouse au Beaver Club, restaurant vedette de l'hôtel Reine-Elizabeth. Il ne s'attendait pas à y rencontrer le président de sa compagnie, qui dégustait un repas bien arrosé avec deux hauts fonctionnaires municipaux de Laval. Bien que les trois hommes aient été isolés dans un coin de la salle, l'entrepreneur n'avait eu aucune difficulté à les reconnaître. Avec la paperasse sur la table et le ton plutôt animé de leur rencontre, il se doutait bien que les méthodes de négociation de son patron étaient louches, surtout à cette heure avancée de la soirée.

— Tu devrais aller les saluer, lui avait dit sa femme. Ce n'est pas tous les jours que l'on rencontre son *boss* dans un resto.

— Si tu veux mon avis, Marie, je crois qu'il ne souhaite surtout pas nous dire bonjour.

Après une certaine hésitation et devant le malaise grandissant qui l'affligeait, il avait ajouté :

— On devrait s'en aller, je n'aime pas cette situation.

C'est lorsqu'il s'était levé que l'homme bedonnant l'avait reconnu, du fond de la salle. Son sourire avait disparu aussitôt. En remarquant que son patron l'avait aperçu et, surtout, qu'il avait soudainement changé d'attitude, l'entrepreneur avait senti son corps se raidir. Par politesse, il lui avait adressé un hochement de tête et s'était penché à nouveau vers sa femme. La réaction spontanée et menaçante de son patron l'avait convaincu qu'il n'aurait jamais dû être témoin de cette scène.

— On part... tout de suite, avait-il ordonné à Marie-Josée.

Le serveur, qui arrivait avec leurs coupes de champagne, les avait regardés s'éloigner avec étonnement. Il avait pris le billet de cinquante dollars sur la table et était retourné à la cuisine, satisfait du généreux pourboire qu'il venait de faire sans trop d'efforts.

Depuis cet échange de regards lourds de suspicion, les deux hommes s'étaient évités le plus possible. Simon avait essayé de faire comme s'il n'avait rien vu et avait tenté, tant bien que mal, de reprendre les travaux arrêtés trois semaines plus tôt en raison de l'incendie. Étrangement, le chantier avançait rondement et les problèmes de vandalisme, qu'il avait pourtant endurés des jours durant, avaient disparu avec la renaissance de l'édifice.

Le matin du 15 août 2011, l'entrepreneur avait été appelé aux bureaux du siège social afin de s'entretenir avec son supérieur. Lorsque Simon était arrivé sur place, son patron n'était pas passé par quatre chemins pour lui transmettre ses consignes.

— Je ne sais pas ce que vous croyez avoir vu le mois dernier... Mais permettez-moi de vous rafraîchir la mémoire comme il se doit: vous n'avez rien vu. Je me suis bien fait comprendre? Suis-je bien clair? Vous n'avez rien vu du tout.

— Oui, absolument, avait spontanément répondu Simon, très nerveux.

Mais il n'avait pas compris l'urgence soudaine de la situation, après toutes ces semaines.

Quelques jours après cette rencontre menaçante, deux agents de l'Unité permanente anticorruption, l'UPAC, s'étaient pointés à Laval, à son chantier. Ils avaient tout un tas de questions à lui poser. Il avait décidé de ne rien leur dire et ils avaient dû rebrousser chemin, sous le regard curieux des ouvriers.

Toutefois, après quelques jours à se morfondre, l'entrepreneur avait décidé de libérer sa conscience et avait finalement pris contact avec les enquêteurs. Voyant l'état de son conjoint se détériorer à vue d'œil, Marie-Josée l'avait convaincu de la nécessité de prendre des vacances dès le début de la saison hivernale. Il avait immédiatement opiné.

Il ne se doutait pas un seul instant qu'il était surveillé de près, peu importe s'il se trouvait à l'autre bout de la planète ou pas.

Après avoir garé leur véhicule, les Tisseur prirent leurs valises et se dirigèrent vers les comptoirs de leur compagnie aérienne. Ils étaient soulagés de pouvoir partir quelques semaines, car leurs soucis étaient loin d'être terminés.

En effet, M. de La Buissonnière avait été arrêté en septembre, à la suite de la perquisition aux bureaux de l'entreprise en construction par les agents de l'UPAC. Avec plusieurs preuves documentées, mais, surtout, la solide déposition de Simon sur son expérience troublante de travail des derniers mois, le propriétaire fautif avait de quoi s'inquiéter.

Le témoin était donc appelé à se rendre en cour d'ici quelques mois et, du même coup, à se trouver un nouvel emploi.

Chapitre 3
Le piège

Jeudi 1er décembre 2011

Malgré l'épuisement dû à plus de vingt heures de vol, dont une escale à Los Angeles, Elena était plus fébrile que jamais. Enfin arrivés à la ville de Malé, David et elle furent assaillis par une chaleur suffocante, qui les surprit tous les deux.

Après seulement quelques minutes de marche à l'extérieur de l'aéroport, David constata qu'il était déjà totalement dépaysé par cet endroit si singulier, où chaque hôtel se situait généralement sur une île distincte. La majorité du transport se faisait par mer, et c'est de cette façon que les amoureux se rendirent au Sheraton Maldives.

Pays entouré d'eau, les Maldives regroupent près de mille deux cents îles réparties sur un territoire de près de trois cents kilomètres carrés. Situé entre l'Inde et le Sri Lanka, ce lieu paradisiaque compte environ trois cent mille habitants. Elena et David se sentirent tout de suite fascinés par ce peuple particulier, majoritairement de religion musulmane, au teint foncé et dialoguant dans une langue unique à cet archipel, le divehi.

Sous le soleil cuisant, Elena prit la main de son complice, le sourire aux lèvres, alors qu'ils voguaient sur une magnifique eau bleue. Ils virent en chemin de multiples atolls, certains accueillant seulement une ou deux maisons. Ils croisèrent aussi des yachts gigantesques dont le luxe contrastait outrageusement avec les embarcations modestes des Maldiviens. Les touristes de partout dans le monde, et probablement parmi les mieux nantis, semblaient littéralement prendre d'assaut ce petit pays aux allures d'eldorado. C'était du moins ce qu'en déduisait la jeune femme.

Moins de vingt minutes plus tard, ils accostèrent sur un petit quai et furent accueillis comme des rois. Deux jeunes femmes leur offrirent des boissons colorées, des débarbouillettes humides et un collier de fleurs.

— Wow, mais c'est fantastique ici ! s'exclama la belle brune.

Elena et David avaient prévu rester deux journées à l'hôtel, question de se rétablir du décalage horaire. Un homme au teint particulièrement basané les guida jusqu'à leur chambre. Ils marchèrent un moment sur un trottoir de bois pour finalement aboutir sur un pont. C'est alors qu'Elena aperçut une série de petites maisons sur pilotis, surplombant la mer translucide.

— C'est quoi ça ? Nous avons une chambre sur la mer ?

— Oui, ma chère dame ! lui répondit David, heureux de la voir si excitée.

— Mais c'est génial ! s'exclama-t-elle en sautant de joie.

Soudain, son habituel sérieux s'envola et elle se sentit comme une gamine devant le monde qui s'offrait à elle. Elle jeta un coup d'œil vers les eaux peu profondes qui entouraient les villas et aperçut plusieurs poissons. Elle remarqua une créature longiforme qu'elle n'avait jamais vue auparavant. Ses mouvements étaient gracieux et lents.

— Qu'est-ce que c'est ? demanda-t-elle à David.

— On dirait un…

— *Squid. It's a squid*, précisa leur guide, qui avait deviné la question.

— Ben ça alors, un vrai calmar !

Leur chambre était spacieuse, confortable et d'un luxe à couper le souffle. Un petit hall donnait à gauche sur la chambre, tandis qu'au fond se trouvait la magnifique salle de bains moderne. Devant le lit s'ouvraient de grands panneaux de bois, offrant une vue panoramique sur la mer infinie. Chaque construction était munie d'une immense véranda privée et d'un escalier donnant accès à l'océan.

Une fois laissés à eux-mêmes, ils constatèrent qu'un silence irréel régnait autour d'eux, ainsi qu'une quiétude qui manquait tant à Elena dans sa vie quotidienne.

Suffoquant sous la chaleur et l'humidité accablante, ils décidèrent d'enfiler leurs maillots et de se rafraîchir dans ces eaux à perte de vue. Ils en profitèrent pour mettre leurs masques et leurs tubas afin de découvrir leur nouvel environnement. À peine la tête sous l'eau, ils constatèrent qu'ils étaient en présence d'une faune marine riche, à seulement quelques mètres de leur chambre. Ils aperçurent une pieuvre, cachée sous une roche, des poissons-lions, absolument magnifiques avec leurs longues nageoires rayées, ainsi que plusieurs poissons-perroquets multicolores.

— Incroyable! Elena, as-tu vu ça? C'est évident que nous ne sommes pas dans les Caraïbes!

Après avoir relevé son masque sur son front, il lui demanda:

— Alors, as-tu hâte de plonger?

— Maintenant que j'ai vu ça, mets-en! lui répondit-elle, enjouée.

* * *

Durant leur séjour, ils se reposèrent, mangèrent et firent l'amour à maintes reprises. Ils essayèrent tant bien que mal de reprendre leurs forces, afin d'être au sommet de leur forme pour leur périple à venir. Car David avait bien averti la néophyte:

— Tu verras, c'est absolument éreintant de plonger! Tu vas t'endormir partout sur le yacht, crois-moi!

L'île du Sheraton n'était pas immense, mais elle était parfaitement aménagée, permettant à chaque vacancier de jouir d'une certaine intimité. Les quelques restaurants, dispersés sur le site, offraient des menus à la hauteur des attentes gastronomiques d'Elena. Au cours de l'après-midi, le couple aimait bien déambuler sur la petite plage privée de l'hôtel, où le sable blanc contrastait avec le bleu azur de la mer. En raison de la chaleur cuisante, peu de touristes s'y aventuraient. Pour contrer ces conditions extrêmes, les amoureux passaient le plus clair de leur temps à l'ombre ou dans les eaux calmes, protégées par la barrière de corail. La jeune femme adorait partager son espace de relaxation avec la panoplie de poissons tropicaux qui gravitaient autour d'elle et qui semblaient tout droit sortis d'un aquarium.

Toutefois, les nuits n'étaient pas aussi salutaires que les tourtereaux l'avaient espéré. Ils découvrirent, dès le premier lever de la lune, que les chambres sur pilotis pouvaient présenter quelques vices cachés…

— David, tu dors ?

— Non, j'en suis incapable.

— C'est la fin du monde dehors, on dirait ! Une tempête était annoncée ?

— Je ne sais pas… Je vais aller chercher nos maillots dehors, ils vont être trempés.

— Avec tout ce vent, nous n'en avons peut-être plus ! dit-elle en le regardant ouvrir la porte.

Enroulée dans les couvertures, elle songea également qu'il fallait baisser la climatisation, car elle était frigorifiée. Recroquevillée sur elle-même, elle n'espérait que le retour de son chaud colosse. Lorsqu'il revint dans la chambre, il avait le sourire aux lèvres.

— Quoi ? lui demanda-t-elle.

— Le ciel étoilé est magnifique ! Et nos maillots sont toujours là, et secs en plus !

Elle se leva d'un bond pour vérifier ses dires. Le bruit assourdissant de ce qu'elle croyait provenir d'une effroyable tempête n'était en fait que celui des vagues sous leur chambre, contre les poutres de bois soutenant leur nid douillet.

— Ça alors! Et comment fait-on pour dormir avec tout ce vacarme?

— Peut-être que l'on n'est pas obligés de dormir… lui suggéra son compagnon presque nu, l'air coquin.

Leur séjour passa beaucoup plus rapidement qu'ils ne l'avaient prévu. Le couple n'était pas pressé de quitter les lieux, se doutant bien que la suite des choses ne serait pas aussi magnifique.

Quelques heures avant leur départ pour le port de Malé, ils succombèrent une dernière fois à leur passion enflammée et se précipitèrent sur le grand lit défait. David prit Elena dans ses bras avec une aisance déconcertante et enleva rapidement sa robe soleil. Son excitation atteint un autre niveau lorsqu'il remarqua qu'elle ne portait pas de sous-vêtements.

Un peu plus tard, essoufflé par leurs vigoureux ébats, il releva la tête et regarda sa douce longuement dans les yeux. Couché nu sur elle, il affichait un sourire de satisfaction qu'elle partageait totalement.

— Mademoiselle Perrot, je vous aime… lui avoua-t-il, en l'embrassant passionnément.

Au moment où la jeune femme allait lui répondre, la sonnerie du téléphone retentit dans la pièce et les fit sursauter. Il était temps pour eux de quitter le Sheraton, leur taxi bateau étant arrivé.

— Oups, on est en retard, rigola-t-elle en voyant son amoureux se diriger à la course vers la véranda, puis sauter nu dans l'océan.

Elle alla le rejoindre aussitôt afin de se rafraîchir également.

— Pas mal plus efficace qu'une douche, non ? lui demanda-t-il.

— Bah... c'est relatif. La prochaine fois, nous aurons un goût salé ! lui répondit-elle, tout en remontant déjà les marches de l'escalier métallique. Allez viens, on part en croisière ! cria-t-elle.

Une fois sur le petit yacht qui faisait office de taxi, David se rapprocha de sa belle brune afin de lui parler d'un élément important. Car il ne devait pas perdre de vue son projet secret et la première étape débutait à l'instant, avant leur embarquement sur l'*Ocean Cruiser*.

— Chérie, je dois te parler d'une chose importante.

— Je t'écoute, lui répondit-elle, tout sourire, en s'approchant de lui pour bien l'entendre malgré le vent du large.

— J'aimerais que tu ne mentionnes pas que je suis un policier sur le bateau.

— Ah, et pourquoi donc ?

— Il va y avoir quatorze inconnus sur place et on ne sait rien d'eux... Avoir un policier à bord peut, peut-être, créer des tensions ou mettre des gens mal à l'aise. On ne connaît pas l'histoire de chacun, tu sais...

— Bon d'accord, je peux comprendre. Et tu es quoi, dans ce cas ? Plombier ?

— Non, mauvaise idée. Si un problème survenait dans la tuyauterie et que l'on me demandait de l'aide, je ne saurais pas le réparer... J'aurais l'air d'un fou ! En fait, j'ai pensé que je pourrais être propriétaire d'un centre de conditionnement physique. Les gyms, je connais ça.

— OK, vendu. Je vais jouer le jeu.

— Et appelle-moi Dave.

— Bon, c'est quoi ça encore ? Ton nom n'est pas correct ?

— C'est plus international, non ?

— D'accord, Dave le collectionneur de fonte. Mais tu sauras que David est un nom bilingue.

Du haut de son un mètre quatre-vingt-treize, il se pencha pour embrasser sa douce dans le cou, heureux de constater qu'il ne devrait pas avoir trop de difficultés à préserver son identité.

Regardant au loin, il sentit soudain une certaine nervosité s'installer peu à peu. Ce qu'il attendait depuis des semaines était sur le point de se produire : il allait côtoyer Rob Lussier, sa fascination des vingt-cinq dernières années.

Du coin de l'œil, David observa Elena, qui ne se doutait encore de rien. D'ici peu, il allait gâcher ses vacances. Il le savait trop bien… Il réalisa également qu'il n'était pas trop tard pour changer d'idée. Il pouvait rebrousser chemin et annuler son projet à tout moment. «Pourquoi ne pas passer de simples vacances ?» se disait-il.

Mais la vie des Tisseur en dépendait, et son instinct de policier prit immédiatement le dessus. «Il n'est pas question qu'une mort survienne sur ce bateau», se répétait-il sans cesse, à mesure que le port de Malé prenait de l'ampleur dans son champ de vision.

* * *

Samedi 3 décembre 2011

Bertrand Lemieux était arrivé à sa cabine et avait fait la rencontre de Donald, son cochambreur. L'homme à la queue de cheval était un Américain plutôt sympathique, qui n'en était pas à sa première croisière de plongée sous-marine. Les autres passagers allaient arriver sporadiquement tout au long de la soirée, jusqu'à la première rencontre de groupe qui avait lieu le soir même, vers 21 h.

Le Québécois se forçait à discuter gaiement avec son nouveau compagnon. Étant les deux seuls passagers voyageant seuls, ils s'entendirent pour devenir partenaires de plongée, puisqu'il était strictement interdit de plonger seul en mer. Chaque passager devait donc former un tandem.

Tandis que son nouvel acolyte lui racontait son dernier périple aux îles Galápagos, le Phantom défaisait minutieusement sa valise. Ses « outils de travail » étaient discrètement dissimulés dans sa trousse de toilette, qu'il plaça dans la petite armoire qui lui était réservée. Il entendit ensuite d'autres voix dans le corridor et il se demanda si sa prochaine victime venait d'arriver.

L'*Ocean Cruiser* était un yacht luxueux de près de trente-cinq mètres de long. Il comprenait une vaste salle à manger, où les passagers pouvaient partager les repas tous ensemble, à une même grande table. Plus loin se trouvaient un immense salon, avec télévision à écran plat, une bibliothèque et un bar. Ce dernier était rarement utilisé, puisqu'il était strictement interdit de plonger après avoir consommé de l'alcool, ne serait-ce qu'un seul verre.

Huit spacieuses cabines pour les voyageurs se situaient au premier pont, à l'écart de celles de l'équipage et de la salle mécanique. En marchant dans le long corridor, Bertrand regardait discrètement dans les chambres avoisinantes. Il fit un sourire à une dame, qui semblait être accompagnée de son époux. Il monta ensuite les étroites marches de l'escalier métallique pour se hisser sur le pont principal. Le capitaine Thierry, un Français à la tignasse frisée, s'y trouvait et accueillait deux hommes au fort accent britannique qui venaient de monter à bord.

— *Hi, I'm Bert*, dit Bertrand en allant à leur rencontre.

Immédiatement, les nouveaux arrivants se présentèrent, enthousiastes, avant de se diriger vers leur cabine. Bertrand fit ainsi la connaissance de George et Justin, père et fils venus de Londres.

Après cette rencontre, il décida de se rendre sur le pont supérieur, où Bruce attendait les passagers avec un cocktail de bienvenue. Ce grand homme chauve travaillait sur le yacht depuis cinq ans et adorait sa vie en mer. Responsable du service aux chambres, son rôle était de traiter les passagers aux petits oignons.

Désirant rester seul un moment, Bertrand se dirigea vers la poupe du bateau. Des chaises longues y étaient entassées près d'un jacuzzi, que l'on avait recouvert en vue de la nuit en mer à venir. Selon lui, la première nuit était toujours la plus pénible, c'est pourquoi il avait apporté ses médicaments contre la nausée.

Accoudé sur le rebord, il regardait attentivement le port et les embarcations environnantes. Perdu dans ses pensées, il vit au loin deux couples s'avancer vers l'*Ocean Cruiser*. Le premier était composé d'un grand homme costaud accompagné d'une belle brune aux cheveux longs. Ils semblaient très amoureux. Non loin d'eux marchait un second duo, plus âgé, et c'est à ce moment précis qu'il reconnut la silhouette de sa prochaine victime.

* * *

Elena n'arrivait pas à dormir. La houle lui donnait un haut-le-cœur tenace, mais, surtout, une crise de panique semblait s'être installée sournoisement. Le noir absolu qui régnait dans leur cabine la perturbait. Elle ne se croyait pas claustrophobe, mais elle n'avait jamais connu ce type de situation auparavant. N'ayant aucun point de repère, elle remarqua soudainement que son rythme respiratoire s'accélérait et qu'un malaise général l'envahissait peu à peu. N'en pouvant plus, elle décida de sortir de cet environnement qui lui paraissait oppressant.

Dès qu'elle ouvrit la porte, elle émit un profond soupir de soulagement. Les lumières du corridor la guidèrent jusqu'à l'escalier, qu'elle gravit avec empressement. Habillée d'un coton ouaté et d'un pantalon ample, elle monta jusqu'au pont supérieur, où l'air frais et venteux de la mer la réconforta. Le bateau avait enfin jeté l'ancre, après plusieurs heures de déplacement, et la vue du ciel étoilé était magistrale.

Elle s'approcha de la proue et prit place sur une banquette revêtue de cuir blanc. Elle se sentit immédiatement mieux et revigorée. Il était 2 h du matin et sa conscience lui martelait le crâne de dormir un peu. Tout à coup, elle remarqua qu'elle n'était pas seule. La silhouette s'approcha d'elle.

— C'est beau, hein ?

L'insomniaque reconnut immédiatement Marie-Josée, l'une des passagères québécoises. Elle avait eu la chance de discuter amplement avec elle lors de la réunion de groupe et était bien heureuse de l'avoir rencontrée.

Déjà, les quelques personnes qu'elle avait abordées semblaient fort sympathiques, à commencer par Simon, l'époux de sa nouvelle amie. Il y avait aussi Bertrand, le petit grassouillet bien comique, et Donald, le grand Californien. Elle avait également bien aimé Tom et Jacky, qui venaient de Toronto. Elle n'avait pas eu la chance de discuter avec tous les autres, mais elle avait été bien surprise de constater le nombre impressionnant de Canadiens à bord, surtout qu'elle avait entendu dire que ce type de croisière était habituellement prisé par les Américains et les Européens. Même le capitaine était surpris de la situation et il s'était réjoui à l'idée de pouvoir renouer avec sa langue maternelle durant quelques jours, en compagnie des Québécois présents.

— En effet, c'est absolument magnifique, lui répondit Elena, pendant que sa nouvelle complice prenait place à ses côtés sur la banquette.

— Alors, tu n'arrives pas à dormir, Elena ?

— Non... Je crois que je suis un peu claustro-phobe dans ma chambre. Je manque d'air! Et toi?

— Oh, c'est autre chose, figure-toi. Disons que ces vacances seront très salutaires à Simon et à moi. On avait vraiment besoin de partir loin de nos tracas...

— Je vois... C'est si grave?

— Une histoire au boulot de mon mari. Rien de rose à vivre.

— J'espère que tu ne penseras pas à ça durant toute la croisière!

— Oh non! Je voulais simplement voir la nuit en bateau, au moins une fois. Car je ne la reverrai plus de la semaine. J'ai apporté mes amis pour m'aider à dormir, lui dit-elle, tout en lui montrant un paquet de cachets qu'elle avait dans son pantalon de pyjama.

— Des somnifères?

— Pas le choix... Sinon je ne dors pas. Je t'en donne si tu veux. Tu auras besoin de dormir, sinon tu ne seras pas capable de plonger plusieurs fois par jour.

— Oui, c'est ce qu'il paraît. Et toi, tu plonges combien de fois dans une journée?

— Je n'ai jamais dépassé quatre plongées. Ça m'épuise trop.

— C'est si exigeant?

— Tu n'as pas idée. Ma chère, ton voyage va se résumer à trois choses : manger, dormir et plonger.

Lorsqu'elle fut de nouveau seule, Elena décida de demeurer sur le pont supérieur pour le restant de cette première nuit. Elle accepta volontiers l'offre de Marie-Josée et prit quelques pilules en provision, pour les nuits à venir. « Il faut bien que je trouve une façon de refaire le plein d'énergie », se dit-elle, tout en enviant David, qui dormait d'un sommeil profond lorsqu'elle avait quitté leur cabine quelques minutes plus tôt.

Lorsque les premiers rayons du soleil firent leur apparition, elle retourna auprès de son amant, qui sommeillait encore à poings fermés.

* * *

Dimanche 4 décembre 2011

Exceptionnellement, les passagers avaient la possibilité de faire la grasse matinée, ce jour-là. La première plongée aurait lieu vers 10 h 30, au lieu de l'heure habituelle qui avoisinait les 7 h 30. Le petit-déjeuner préparé par le chef Maheesh, d'origine sri-lankaise, fut copieux et apprécié de tous.

Elena put enfin faire la connaissance de tous les autres voyageurs. Elle ajouta à sa liste Barbara et Paul, âgés respectivement de cinquante-sept et soixante-quatre ans. Ils étaient Américains, plus précisément d'Hawaï. D'ailleurs, elle aurait pu le deviner. Ces personnes étaient si bronzées qu'elles en étaient ratatinées à l'extrême.

— Ils ne doivent pas être au courant que la crème solaire existe ! rigola David, sachant bien que les deux retraités ne comprendraient pas un traître mot de ce qu'il venait de dire à voix haute.

Elena discuta un moment également avec le Londonien George, qui emmenait son fils pour la première fois en croisière de plongée sous-marine. Elle remarqua rapidement que le jeune homme, qui était la copie conforme de son père, s'entendait bien avec son policier clandestin. D'ailleurs, la mascarade de son conjoint fonctionnait à merveille. Il semblait très à l'aise dans son rôle de propriétaire de centre de conditionnement physique.

Finalement, il y avait Sally et Steven, deux Américains du Tennessee, habillés de vêtements trop grands et chaussés d'espadrilles blanches. Elena rigolait de les voir siphonner leurs immenses Cocas à l'heure du petit-déjeuner, en plus d'utiliser à outrance la sauce tabasco dans leurs œufs brouillés.

Vers 8 h 30, la belle Perrot voulut aller dormir un peu, afin de limiter les dégâts potentiels que pouvait avoir causés sa courte nuit. David se retrouva donc seul et décida de se mettre au travail.

Il discuta d'abord avec Simon Tisseur, dont il voulait se rapprocher le plus possible. Il se percevait comme son garde du corps personnel et espérait arriver à comprendre les raisons qui pouvaient pousser les clients du Phantom à vouloir sa mort. Les deux hommes s'entendaient plutôt bien. Le policier découvrit en son compagnon une personne bonne et honnête, qui ne méritait certainement pas de décéder dans les prochains jours.

L'enquêteur en profita également pour jeter un œil sur Bertrand, qui se mêlait admirablement bien aux autres passagers. Lorsque David le vit pour la première fois, il eut peine à réaliser qu'il s'agissait bel et bien de Rob Lussier. Le tueur était totalement transformé et méconnaissable. Malgré la haine qu'il ressentait envers lui, il ne pouvait qu'éprouver une certaine admiration devant le phénomène qu'était cet individu. Son professionnalisme exemplaire lui fit même oublier à quelques reprises les intentions malveillantes que cachait ce sympathique bonhomme à moustache.

Plus tard dans la matinée, tous les passagers étaient réunis sur le dhoni, un second bateau de dix mètres, servant exclusivement à la plongée sous-marine. Ce yacht était complémentaire à l'*Ocean Cruiser* et permettait d'atteindre une grande diversité de sites de plongée, tout en limitant les déplacements du bateau principal. Le maître plongeur se nommait Boulaheeshni, mais tout le personnel l'appelait John.

— *It's simple for everyone, no*[1]? disait-il à la blague, conscient que son pseudonyme ne ressemblait en rien à son véritable nom.

Son travail consistait à préparer les nageurs aux différents sites de plongée ainsi qu'aux conditions de la mer. Elena écoutait attentivement les consignes, complètement pétrifiée à l'idée d'enfiler sa combinaison thermique et de se jeter à l'eau. John leur expliqua que le premier emplacement choisi pour la journée était aisément accessible et peu profond, afin de permettre à chacun de se mettre en confiance et de vérifier le bon fonctionnement de son équipement.

— Tu vois chérie, ce sera facile. Il n'y aura pas de courant et la visibilité sera excellente. Ce sera parfait pour une première fois.

---

1. C'est plus simple ainsi, non ?

Puis le propriétaire du bateau et capitaine, Thierry, sauta à bord du dhoni, sa caméra à la main, et prit la parole avec un anglais assuré quoique soutenu d'un accent évident.

— *My friends, this week, I will dive sometimes with you. And with this camera, I will make a great movie of your stay on the* Ocean Cruiser. *So when you see me, don't forget to smile*[2] *!*

John reprit ensuite la parole et invita tous les plongeurs à se préparer. Il les avertit que l'embarcation allait partir en direction du site dans vingt minutes.

Pendant que tout le monde s'affairait à sa tâche, le caméraman s'approcha doucement d'Elena pour lui adresser quelques mots.

— Alors, comment ça va ? Un peu nerveuse ?

— Oui, je dois l'avouer !

— Puisque c'est la première plongée pour tous, je ne filmerai pas. Et puisque John devra s'assurer que tous les plongeurs sont en règle, il ne pourra t'assister en permanence. Je te suggère donc de rester près de moi pour cette fois-ci. Avec ton copain, bien sûr. Je crois que ça pourrait te rassurer, ce serait une bonne façon de briser la glace.

— Vous feriez ça ?

— Je suis maître plongeur aussi, tu sais. Alors, ça fait partie de mon boulot, lui répondit-il tout en se levant.

---

2. Mes amis, cette semaine, je vais plonger quelquefois avec vous et, grâce à cette caméra, je vais pouvoir produire un superbe film de votre passage sur l'*Ocean Cruiser*. Alors, quand vous me verrez, n'oubliez pas de sourire !

Soulagée, elle sourit à Thierry et poursuivit sa préparation.

* * *

Après le dîner, Elena décida de s'allonger sur une chaise longue sur le pont supérieur, avec un livre en main. À peine eut-elle déposé sa tête sur le dossier qu'elle sentit le sommeil l'envahir instantanément.

— Et puis ? Satisfaite ?

David venait d'arriver près d'elle et la fit sursauter. Mais elle était tout de même très heureuse de sa présence et se tourna vers lui.

— Eh bien, je dois t'avouer que oui… je le suis !

— Et tes oreilles, elles te font encore mal ?

— Non, ça va. La douleur était présente juste à la descente.

Cette première expérience s'était plutôt bien déroulée pour la jeune femme, outre les petits problèmes d'équilibrage au niveau des oreilles. Puisque la pression augmentait lors de la descente, elle devait la compenser en équilibrant ses tympans. Une simple compression des narines, en avalant, suffisait pour y parvenir. Mais étant débutante, Elena eut de la difficulté à stabiliser la pression et ses oreilles l'avaient fait souffrir.

David avait réussi à descendre assez rapidement, mais la novice avait préféré rester avec Thierry, afin d'atteindre le fond à son rythme. Le Français lui avait expliqué par la suite que chaque personne avait une sensibilité différente à ce niveau et que plus elle plongerait, plus la compensation serait facile et moins douloureuse.

Une fois arrivée à douze mètres de profondeur, elle avait ajusté l'air de sa veste et trouvé rapidement sa stabilité. Elle avait planté ses genoux dans le sable blanc et fait un tour d'horizon. Sa plus grande surprise avait été la quiétude des lieux. Une sérénité absolue l'avait enveloppée rapidement. Jamais elle n'aurait pu imaginer une telle sensation. Elle avait aussitôt oublié que sa vie dépendait d'une bouteille d'acier installée à sa veste et cessé de penser à l'air sec qu'elle respirait bruyamment par la bouche. Rien n'avait plus d'importance devant une telle beauté de la nature. Elle, qui appréciait faire le vide dans sa tête de temps à autre, ne pouvait espérer meilleur compromis. Dans les profondeurs de l'océan, il lui était impossible de vivre autre chose que le moment présent.

Elena avait alors senti une main prendre la sienne et reconnu David, malgré son accoutrement. De son autre main, il lui avait fait un signe et elle s'était immédiatement souvenu de sa signification. Elle avait donc levé la sienne et joint son pouce et son index pour former un rond, tout en levant ses trois autres doigts. Elle avait refait le même signe à Thierry, qui arrivait non loin de là. «Oui, s'était-elle dit, tout est OK.»

Derrière ses lunettes de soleil, Elena referma doucement les yeux, la tête toujours dirigée vers David. Il s'approcha d'elle et lui souffla quelques mots à l'oreille.

— Je dois te parler... On peut se rejoindre dans la cabine?

111

— Parle-moi ici, veux-tu ? Je suis trop bien au soleil.

— Non, c'est important.

La jeune femme ouvrit les yeux tout en levant la tête et elle regarda aux alentours. À l'autre bout du pont se trouvaient Tom et Jacky. Non seulement étaient-ils trop loin pour entendre quoi que ce soit, mais ils ne parlaient pas un seul mot de français.

— Il n'y a pas un chat, David !

Il ne répondit rien et la fixa du regard, tout en formant un petit rictus avec sa bouche. C'est alors qu'Elena comprit qu'il s'agissait de quelque chose de suffisamment sérieux pour que son amant appréhende sa réaction. Il ne voulait pas aller dans la cabine pour que les autres n'entendent pas, mais plutôt parce qu'il était certain que sa douce allait carrément péter les plombs.

Sans dire un mot, elle se leva, prit sa serviette et son bouquin, puis descendit au pont inférieur.

Une fois dans la cabine, elle sentit l'angoisse de son conjoint envahir le peu d'espace disponible. Elle enfila une robe soleil par-dessus son bikini et s'assit sur le lit.

— David Allard, que se passe-t-il, bon sang ?

Debout devant elle, il réalisa qu'il aurait soudainement préféré se jeter par le hublot de leur chambre au lieu de devoir l'affronter. Il garda le silence quelque temps, incapable de trouver les bons mots.

Pourtant, cette fameuse scène, il l'avait imaginée des milliers de fois depuis qu'il avait réservé leurs places dans cette croisière sur l'avenue du Parc à Montréal. Finalement, il se lança.

— Elena... Je voudrais d'abord te dire que je t'aime de tout mon cœur. Et j'espère que ton amour pour moi sera assez fort pour me pardonner.

— Tu me fais peur là...

Du coup, elle se leva, mais il lui prit les bras et la supplia du regard de rester assise, avant de poursuivre.

— J'ai besoin de toi, ma chérie. J'ai besoin de ton aide.

— Accouche, David ! s'impatienta la jeune femme.

— J'y arrive. Ce n'est pas facile, figure-toi ! lui répondit-il, énervé par son impatience.

Après une seconde pause, qu'Elena jugea interminable, il enchaîna.

— J'ai l'intime conviction que quelque chose de très grave va se produire sur ce bateau. Et je suis certain qu'ensemble, nous pouvons intervenir pour empêcher le malheur de frapper. Vois-tu... je crois qu'il va y avoir un meurtre.

— Un quoi ?

— En septembre. Quand j'ai su que Rob Lussier serait de cette croisière...

— Attends. Tu dis quoi, là ? C'est qui, ce gars-là ?

— C'est, selon moi, le plus grand tueur à gages de l'ère moderne. Et sa prochaine victime est ici, avec nous.

— Je suis très fatiguée et j'essaye de rester très calme, David. Mais je suis à deux doigts de te sauter à la gorge. Explique-toi, c'est qui ?

— Rob Lussier, c'est Bertrand. Tu comprends ? Bertrand, c'est le tueur. Il est dangereux, efficace et expérimenté. Ça fait des années que je le traque. Il va passer à l'acte bientôt, et je dois l'en empêcher. Il va tuer Simon

Tisseur, pour ses histoires avec son patron. Il t'en a parlé ? On doit l'aider. C'est un bon gars et il faut qu'on le sauve. Voilà.

Estomaquée par ce qu'elle venait d'entendre, Elena se leva et se dirigea vers le hublot. Elle regarda l'horizon bleu qui s'étendait à perte de vue. Elle espérait que cette vision la calmerait un peu mais, au contraire, ses idées s'éclaircirent davantage et une colère sans précédent l'envahit. Après une minute d'un lourd silence, elle se retourna, le regard menaçant.

— Donc, nous ne sommes pas ici pour prendre des vacances, mais pour sauver la vie de Simon, c'est ça ?

— En gros, oui.

— Merde, David ! Tu as tout gâché ! C'étaient jusqu'à présent les plus belles vacances de ma vie et là…

— On peut tout de même profiter de notre croisière, Elena, dit-il, coupant court à ses récriminations.

— Arrête de dire des conneries, veux-tu ? Et, avoue-le, toute cette mascarade, c'est en fait parce que tu as besoin d'une chamane pour t'aider à arrêter un meurtrier.

— Je ne peux pas vraiment l'arrêter, mais disons que je peux amasser des preuves contre lui, son ADN, des empreintes, des informations… Je peux l'étudier davantage et, surtout, l'empêcher de commettre un meurtre.

— Ce ne sont que des suppositions, tu n'as aucune preuve de ce que tu avances !

— Tu sais très bien que mon flair est infaillible.

— Tu devrais avoir honte, David, et arrête de me parler sur ce ton mielleux. Je m'en fiche de ton prétendu instinct. Merde... Ce sont nos vacances que tu viens de foutre en l'air ! Mes vacances, en fait ! Que mon père a payées en plus, je ne le sais que trop bien... Je ne suis pas stupide !

— Tu sauras qu'il n'a payé que les billets d'avion !

— Tu n'es qu'un sale profiteur ! Tu as embobiné ma famille dans ton plan merdique. Et tu me dis ça avec ton petit air de monsieur-je-sais-tout. Et si ton tueur prenait simplement des vacances ? Tu y as pensé ?

— C'est impossible que ce soit le cas, répondit le coupable, tout à coup intimidé par la démone qui criait devant lui.

— Attends un peu...

Soudain, son regard devint encore plus agressif et, joues rougies par la colère, elle poursuivit sur sa lancée.

— Tu as osé m'emmener sur un rafiot en compagnie du supposément plus grand tueur de notre époque ! David, à quoi as-tu pensé ?

Elena était droite devant lui et son regard venait de le transpercer de mille projectiles. David savait qu'elle avait tout à fait raison. Son obsession avait carrément mis en danger la femme qu'il aimait le plus au monde. Le policier ne dit rien, sentant les larmes lui monter aux yeux. Il porta ses deux mains à son visage, réalisant la stupidité de son geste.

— Je ne peux pas croire qu'en trois mois de réflexion, tu n'avais pas saisi l'étendue de ton ambition. Nous sommes peut-être tous en danger !

Elena se dirigea vers la porte, avec la ferme intention de le laisser à ses pensées. Elle s'arrêta brusquement, et se retourna vers lui.

— C'est pour ça que tu ne voulais pas que je fasse de transe sur notre voyage ? Et c'est pour cela que tu ne voulais pas que l'on sache que tu es policier ? Merde, David, tu es un profiteur et une belle ordure ! Et, surtout, le roi du mensonge !

— Elena ! J'ai été idiot, pardonne-moi...

En guise de réponse, elle se retourna et partit à la recherche d'un coin tranquille. Elle n'irait pas à la plongée de 13 h 30. Elle avait trop de choses en tête.

Cela faisait plus de cinq mois qu'elle côtoyait David et elle se rendait compte qu'elle ne le connaissait peut-être pas vraiment, finalement. Elle se mit alors à se poser une panoplie de questions sur lui : comment une personne, qui se dit amoureuse, peut-elle embobiner de la sorte sa conjointe, et ce, pour ses propres fins ? Son ego était-il si démesuré ? Ou était-il aveuglément fasciné par ce tueur dont elle n'avait jamais entendu parler ? Peut-être que le policier qu'il était ne voulait que bien faire lorsqu'il avait découvert qu'une personne innocente allait être éliminée ?

Malgré sa colère, elle dut reconnaître que la stratégie de David n'avait pas été bête. Certes, elle avait été facilement piégée par son subterfuge. Au fond d'elle-même, elle n'avait pas d'autres choix que de l'aider, et il ne le savait que trop bien. La chamane en elle n'accepterait jamais de laisser mourir Simon simplement pour se venger de son stupide copain.

Elle entendit la cloche annonçant la prochaine plongée. Elle fut réjouie à l'idée que les passagers allaient quitter l'*Ocean Cruiser* pour le dhoni. Se sachant seule sur le pont supérieur, elle regarda au large et sentit les larmes couler sur ses joues. Les précieux jours qu'elle avait passés à Malé avec David avaient été si intenses et sincères ! Ils semblaient maintenant bien loin. Elle l'aimait follement, mais détestait l'idée que son amoureux soit policier et qu'il la perçoive comme un outil d'enquête. Il lui avait délibérément menti, à plusieurs reprises, et cela lui brisait le cœur.

Elena resta debout un long moment, en pleurant seule. Finalement, elle décida de redescendre à la cabine, où le fautif se trouvait encore. Lui non plus ne s'était pas senti capable de plonger dans ces circonstances.

En ouvrant la porte, elle fut surprise de le retrouver au même endroit que lorsqu'elle l'avait quitté. Assis sur le lit, il la regarda d'un air coupable. Elle referma la porte et resta debout devant lui.

— J'aime bien Simon, et tu me connais trop bien pour savoir que je ne laisserai pas ce Bertrand le tuer. Je suis prête à t'aider, mais il faut que tu saches que je n'ai aucun de mes instruments avec moi. Ni sauge, ni plume, ni tambour. Je vais devoir pousser mes limites. Mais je te promets d'essayer.

— Elena, tu es la femme la plus extraordinaire que je connaisse !

— Je n'ai pas terminé.

Après une pause, et sentant le policier devenir particulièrement nerveux, elle poursuivit enfin.

— Ce que tu as fait est inacceptable, David. C'est immoral. Et je ne pourrai pas te pardonner. Je n'ai jamais été aussi humiliée de toute ma vie. Me faire utiliser de la sorte est une insulte pour moi. J'ai pleuré toutes les larmes de mon corps sur le pont tout à l'heure.

Jamais aucun homme ne m'avait autant blessée que toi. Je croyais que tu m'aimais…

— Mais je t'aime tellement! lança l'homme, honteux.

— Laisse-moi parler. Je croyais que tu m'aimais assez pour mettre de côté ta vanité démesurée et ton égoïsme.

— Elena, c'est mon sens du devoir qui a pris le dessus, rien d'autre. Je veux simplement bien faire en sauvant la vie d'un innocent.

— Arrête ça! Tu veux que je te donne une médaille pour ton altruisme? dit-elle avec sarcasme.

Le policier ne sut quoi répondre et préféra se taire afin de ne pas empirer la situation. Finalement, elle enchaîna:

— On va jouer la comédie du couple heureux toute la semaine. Mais je t'avertis, ton nouveau lit se trouve sur le pont supérieur. Et à notre retour, je vais rentrer chez moi sagement pour réfléchir. Dans la réalité de notre vie, pas ici. Je te rappellerai lorsque je le désirerai. Et ce n'est pas une proposition.

— Oh, Elena… Je m'en veux tellement. C'est comme si j'avais été complètement aveuglé et là, je réalise vraiment la gravité de mon geste… Je me sens tellement stupide. Tu ne mérites pas ça, ma douce. Et si tu veux prendre une pause à notre retour, eh bien, j'accepte toutes tes conditions, répondit David, tristement impuissant. Mais je veux que tu saches que je t'aime vraiment et que je ne m'excuserai jamais assez de ma bêtise. J'espère que tu me pardonneras…

— On verra. Mais d'abord, on va essayer de passer de belles vacances, même dans ces circonstances.

Toutefois, ce ne sera pas rose à notre retour, je te préviens…

La jeune femme s'assit à ses côtés et demeura un moment sans prendre la parole. Plusieurs pensées traversèrent son esprit et pendant de longues minutes, elle vécut toute une gamme d'émotions, de la colère jusqu'à la déception, en passant par la crainte et l'impuissance.

Puis vinrent la curiosité et une soudaine préoccupation quant à son rôle à jouer dans ce projet inattendu. Elle essaya de contrer ses ardeurs, ne voulant en aucun cas paraître en faveur du stratagème de David.

Côte à côte, leurs épaules se touchèrent enfin et ils restèrent ainsi pendant de longues minutes. Après un moment, Elena leva la tête avec détermination.

— Bon, le temps presse, enquêteur Allard ! C'est quoi le plan pour sauver Simon Tisseur ? lui demanda-t-elle, avec un brin d'excitation qu'elle ne put dissimuler.

Chapitre 4
La mascarade

Dimanche 4 décembre 2011

David regarda sa montre : dans moins de soixante-quinze minutes, les préparatifs en vue de la troisième plongée de la journée allaient débuter. Elena était assise sur le lit, attendant qu'il prenne la parole. Le remords l'affligeait, mais il prenait sa mission très au sérieux. Son couple allait donc jouer la comédie, mener son enquête, travailler ensemble malgré tout... Pour le meilleur et pour le pire.

— On ne pourra pas manquer la prochaine plongée, sinon ils vont se poser des questions, dit-il.

— Oui, c'est clair. Faudra y aller.

— Bon, selon moi, ce qui est le plus logique pour le moment, c'est que tu réalises une transe au sujet de Simon Tisseur. Qu'en dis-tu ?

— Ça semble évident, effectivement... Mais je ne te garantis rien. Je n'en ai jamais fait ailleurs que chez moi, et encore moins devant une autre personne. Et je n'ai pas...

— Oui, je sais, tu n'as pas tes instruments, coupa-t-il.

Sans ajouter un mot, elle s'allongea dans son lit et ferma les yeux. Avait-elle mangé de l'ail et des oignons au cours de la journée ou la veille ? Ces deux ingrédients nuisaient grandement au contrôle de ses transes. La cuisine du chef sri-lankais était complexe et elle n'y avait pas porté attention. Peu importe, elle décida tout de même de tenter le coup.

— Il me faut du rythme, de la musique pourrait suffire.

David sortit son téléphone intelligent de sa poche et choisit une chanson avec un tempo soutenu et régulier.

— Du She Wants Revenge, ça te convient ?

— Mais je m'en fous !

La cadence régulière de la musique l'apaisa sur le moment et elle tenta de faire le vide. Elle prit une profonde inspiration et se focalisa sur son corps, sur la circulation sanguine dans ses pieds, sur le tissu de sa robe qui glissait sur ses cuisses, sur la tension de l'attache de son bikini à son cou... Cet exercice l'aida à focaliser son énergie dans son corps et à libérer son esprit, afin de se concentrer totalement. Rapidement, elle fut en paix et se sentit reposée. Elle se mit alors à penser à Simon ; elle imagina son visage, son sourire...

David la regardait attentivement, du coin de la cabine. Elle était magnifique dans sa robe légère, étendue tel un ange sur leur lit. Il attendait patiemment qu'elle termine sa transe. Après quelques minutes, il se déplaça et alla regarder dehors. C'est alors qu'il entendit un son inattendu qui le fit sursauter. Il se tourna vers

Elena, intrigué. En s'approchant davantage, il entendit son souffle régulier, puis, soudain, un second ronflement.

— Mais... elle s'est endormie ! dit-il tout haut, le sourire aux lèvres.

Il prit son bras et, doucement, tenta de la réveiller. Après quelques secondes, elle ouvrit les yeux et rejoignit son regard.

— Quoi ? dit-elle, confuse.

— Tu t'es assoupie, ma chérie.

Après un bref moment de réflexion, elle prit la parole.

— Oups ! Ça n'a pas fonctionné, on dirait, constata-t-elle.

Elle s'assit sur le drap gris et regarda le policier dans les yeux, un peu gênée.

— Excuse-moi, je n'ai pas vraiment dormi la nuit dernière.

— Je trouvais ça long, justement...

— Une transe est très rapide, tu ne devrais pas attendre. On parle de quelques secondes à deux ou trois minutes tout au plus. Souvent moins que ça. J'ai dormi combien de temps ?

— Environ dix minutes.

Elle se mit à sourire, imaginant son colosse l'attendant patiemment sans rien faire durant son somme.

— Je vais essayer une seconde fois, dit-elle en restant en position assise, tout en joignant ses pieds vers elle. Je vais tenter une nouvelle position. Et puis, s'il te plaît, arrête la musique. Essayons le tangage du bateau pour la cadence.

Elle se concentra de nouveau sur la future victime et fit le vide. Elle resta de longues minutes à canaliser son énergie, essayant tant bien que mal d'entrer en transe. Il s'agissait d'une tout autre approche pour elle et plusieurs questions s'amorçaient constamment dans sa tête. Elle dut faire un effort supplémentaire pour les contenir.

Lorsqu'elle ouvrit les yeux, elle sut que cela avait fonctionné. Elle ne savait pas exactement comment, mais ses démarches avaient porté leurs fruits. En tremblant, elle enroula la couverture autour d'elle et se tourna vers David.

— Mais tu trembles, Elena! Qu'est-ce qui se passe? Tu vas bien? demanda-t-il, inquiet.

— C'eeessst nooorrmaal, bredouilla-t-elle en lui faisant signe d'attendre une minute.

Après cette pause, elle reprit enfin la parole. Elle articula lentement chaque mot afin de contrôler ses quelques tremblements résiduels.

— Je n'ai pas l'habitude de parler immédiatement à ma sortie de transe.

— J'avoue que je ne m'attendais pas à ce que ce soit si intense! Alors, tu as vu quoi?

Comme Elena allait répondre, ils entendirent les autres passagers dans le corridor, se préparant pour la collation de l'après-midi en vue de la prochaine plongée. Le couple se regarda et décida de rester quelques minutes de plus dans la chambre.

— Écoute, ce fut bref comme vision. Mais je sais que Simon était très stressé au Québec. Son histoire dans le milieu de la construction tient la route. Il a été appelé à témoigner contre son patron.

— Comment ça ?

— Il a été arrêté par la police, je crois. Je l'ai vu en cour, devant un juge et tout le tralala, en train de se faire interroger.

— D'accord. Mais il faudrait que tu réalises une transe au sujet de Simon sur le bateau pour voir comment Bertrand va le piéger.

— David, je ne crois pas que ce soit nécessaire… Je l'ai vu témoigner en cour et monter les marches du palais de justice de Montréal…

— Et alors ?

— Il y avait au moins vingt ou trente centimètres de neige au sol lors de ma vision. Beaucoup plus qu'à notre départ ! Lorsque nous sommes partis, la première neige de novembre avait déjà fondu. Donc, son témoignage est prévu après notre croisière.

— Oh merde… lâcha le policier, en baissant les épaules. Alors Simon Tisseur n'est pas notre victime, comprit-il.

* * *

Assise dans le dhoni, Elena avait revêtu sa combinaison thermique, ses palmes et sa veste de plongée. Lorsque le bateau diminua sa vitesse, près de sa destination, les plongeurs se préparèrent à sauter à l'eau.

Malgré la confiance qu'elle avait rapidement acquise lors de sa précédente plongée, Elena était terrorisée face à sa plongée imminente. Finalement, le moment venu, elle prit son courage à deux mains et s'assit sur le bord du yacht. Tout en tenant son masque et son détendeur, elle se laissa basculer vers l'arrière, motivée par sa soudaine montée d'adrénaline.

Une fois à l'eau, elle vida l'air de sa veste et entreprit sa descente. Ses oreilles lui faisant encore mal, elle se permit de prendre son temps afin de diminuer la douleur. Le courant était minime et la visibilité, excellente. Bien qu'elle n'eût plus le cœur à effectuer cette plongée, elle finit par oublier tous ses soucis, une fois immergée.

David la regarda descendre jusqu'à lui, à une profondeur d'environ dix-sept mètres. Il avait ciblé un récif corallien particulièrement coloré et était impatient d'y jeter un coup d'œil. Une fois la débutante arrivée à son niveau, ils nagèrent lentement vers le rocher, qui semblait regorger de vie.

John leur avait dit de rester très attentifs à certaines espèces de poissons et de créatures marines potentiellement présentes sur ce site. Pour l'occasion, le policier avait donc apporté son appareil photo numérique, qu'il avait installé dans un boîtier de plastique étanche, spécialement conçu pour ce type d'usage.

Même s'il nageait toujours en tandem, le couple n'était pas tenu de rester constamment côte à côte. Une certaine distance entre les plongeurs était tolérée, dans la mesure où ils étaient suffisamment proches pour communiquer par signaux et, surtout, pour intervenir en cas d'urgence. Chaque plongeur avait un deuxième détendeur, appelé *octopus*, lié à sa bouteille d'oxygène; il pouvait secourir un autre plongeur qui aurait un problème avec le sien. Il était primordial d'avoir ce type d'outil en cas d'urgence.

Évidemment, une ascension rapide à la surface de l'eau était à proscrire, en raison de la présence d'azote soluble accumulé dans le sang due à l'accentuation de la pression environnante. Lors d'une remontée précipitée, l'azote pouvait prendre soudainement une forme gazeuse et occasionner de graves lésions au plongeur. En remontant lentement et en faisant des paliers de décompression à certains niveaux, l'azote ainsi dissous en profondeur pouvait redevenir gazeux plus graduellement pour ensuite être libéré naturellement par les voies respiratoires, sans risque de complications.

Toutes les connaissances techniques liées à la plongée sous-marine avaient étourdi Elena lors de ses cours, à l'automne. Heureusement, son ordinateur de plongée pouvait la guider dans sa vitesse de remontée ainsi que dans l'estimation du temps requis pour ses paliers de décompression, selon les circonstances de la plongée qu'elle venait de faire.

Maintenant en confiance et démontrant un grand calme pour une néophyte, la jeune femme se promenait allègrement autour du coloré rocher, non loin de son compagnon. Elle vit de multiples poissons jaune et bleu, mais ce qu'elle préféra, c'étaient ces espèces cachées dans les anémones. Les petits poissons-clowns, orangé et blanc, la captivèrent durant de longues minutes.

Elle avait pris l'habitude de vérifier fréquemment son niveau d'oxygène afin de ne pas être prise au dépourvu. Sa consommation était beaucoup plus rapide que celle de David, qui utilisait un mélange d'air enrichi depuis son récent cours. En plus de consommer moins d'oxygène, il avait remarqué qu'il se sentait moins fatigué après sa première plongée.

Elena entendit un bruit métallique, qui suscita immédiatement son intérêt. En levant les yeux, elle chercha du regard David, qui se situait à quelques mètres d'elle. Il utilisait le petit dispositif qu'il avait installé sur sa bouteille d'acier afin d'attirer son attention.

Il lui fit de grands signes pour qu'elle vienne le rejoindre. Quelques coups de palmes lui suffirent pour se rendre jusqu'à lui. Une fois à sa hauteur, il lui montra ce qui semblait être une roche grise banale, jusqu'à ce qu'elle remarque deux petits yeux globuleux. Il s'agissait d'un poisson-scorpion, très difficile à trouver dans les profondeurs de l'océan. Cette espèce sédentaire était un incontournable pour tout amateur de plongée sous-marine, selon les dires du maître plongeur.

Elena le contempla quelques secondes, puis elle aperçut à sa droite deux petites formes coniques, d'à peine quelques centimètres de hauteur, qui avançaient lentement. D'un rouge éclatant, elles ressemblaient à de petits sapins de Noël. Délicatement, elle approcha son doigt des drôles de créatures, qui se rétractèrent aussitôt. Un ver plat blanc et noir se dévoila alors, rampant sur le rocher. Elle décida de retirer sa main et, peu à peu, les deux panaches spiralés refirent surface sur le dos de l'animal, jusqu'à ce que son petit corps filiforme soit camouflé à nouveau par ses arborescences. C'était un spirobranche arbre de Noël. Tout sourire, la jeune femme se tourna vers son partenaire avec des yeux émerveillés. Elle aperçut du coin de l'œil un plongeur qui approchait, également alerté par l'appel de David.

128

Bertrand vint à leur rencontre afin de voir le poisson-scorpion si bien camouflé et dont avait vivement parlé John durant la réunion préparatoire sur le dhoni. Les trois plongeurs regardèrent les richesses de ce rocher, lorsqu'ils remarquèrent deux autres vers colorés non loin de là, sur le récif.

Elena en oublia presque la présence du tueur. Du coup, il était Bertrand à nouveau, complètement ébloui par les merveilles que pouvait offrir leur escapade.

De nulle part, Thierry arriva à leur hauteur avec sa caméra. Après quelques minutes de vidéo, il proposa à David de prendre une photographie d'eux, ce qu'il ne put refuser. « Génial ! Mon premier souvenir sous l'eau sera avec le plus grand tueur à gages de notre époque », se dit Elena en saluant le Français qui pensait bien faire.

Peu de temps après, Donald vint rejoindre son partenaire de plongée, habillé d'un bermuda et d'un t-shirt. Jugeant l'eau suffisamment chaude, le Californien préférait plonger sans combinaison. Après quelques minutes à rôder dans les parages, ils partirent explorer d'autres horizons, laissant le couple québécois seul.

Après quarante minutes de plongée, Elena dut se contraindre à retourner au dhoni. Puisque David jouissait encore de plusieurs minutes d'oxygène, John proposa à la belle brune de remonter avec elle, ce qu'elle accepta immédiatement. Afin de ne pas rester seul, le policier alla rejoindre le capitaine de l'*Ocean Cruiser*, qui pourchassait encore ses passagers à l'aide de sa caméra.

Lors de sa remontée, la plongeuse gardait un œil attentif sur le cadran de son ordinateur, qu'elle avait au poignet. Lorsqu'elle arriva à cinq mètres de la surface, un signal sonore lui indiqua qu'elle devait faire son palier de décompression. Finalement, elle détacha son regard de son écran et regarda John, qui était assis en indien, la tête à l'envers, en parfait équilibre. En le voyant ainsi, elle s'esclaffa de rire, ce qui n'était pas nécessairement une bonne idée avec un détendeur dans la bouche, constata-t-elle rapidement.

Lorsque John se redressa, Elena remarqua qu'il tenait un sac rempli d'une variété d'objets dont la nature lui était inconnue. Elle désigna la poche en toile et fit signe qu'elle se demandait de quoi il s'agissait. Aussitôt, le jeune Maldivien entreprit de l'ouvrir. Elle examina ce qu'il contenait – des boîtes de conserve métalliques, des bouteilles de verre ainsi qu'une panoplie de déchets –, puis son regard revint interroger celui de John. Le maître plongeur fit signe qu'il lui expliquerait à la surface, lorsque le temps de décompression serait écoulé.

Une fois sur le bateau, ils purent discuter de vive voix. C'est alors qu'Elena apprit qu'une quantité impressionnante de déchets jonchaient les fonds marins avoisinant le pays. Le jeune homme essayait de faire sa part et d'en amasser à chacune de ses plongées. Éberluée par la situation, Elena n'avait même pas remarqué ce détail qui, pourtant, aurait dû lui sauter aux yeux.

— *Tourists don't look at that. They want to see fishes, so they see fishes, not trash*[3], lui fit remarquer le Maldivien.

---

3. Les touristes ne portent pas attention à ça. Ils veulent voir des poissons, alors ils ne voient que des poissons, pas des déchets.

De retour sur le yacht principal, David et Elena retournèrent à leur cabine afin de préparer leur plan pour la suite de leur enquête.

Elena constata que sa plongée lui avait fait le plus grand bien, même si la fatigue devenait de plus en plus difficile à gérer. Au moins, cela lui changeait complètement les idées et lui donnait même l'illusion d'être véritablement en vacances.

— Il faut s'habiller rapidement et remonter pour le repas du soir, lui fit-elle remarquer.

David avait déjà commencé à se dévêtir, bien à l'aise devant elle. Flambant nu, il entama la conversation alors qu'il sautait dans la douche, laissant la porte de la salle de bains ouverte. La jeune femme n'était pas certaine d'avoir bien saisi les premières paroles de l'homme musclé qu'elle contemplait. Malgré sa colère contre lui, elle était attirée par ce corps si invitant. Elle dut fermer les yeux et contrôler ses ardeurs, qui la poussaient à se jeter sur lui.

— Elena, tu m'écoutes ?

Elle opina de la tête et en profita pour préparer ses vêtements pour le repas de groupe qui s'organisait. Le policier sortit de la cage de verre et enroula une serviette autour de sa taille.

— Il faut être attentif, il faut s'intéresser aux gens, leur poser des questions. Je vais m'attarder au cas de Bertrand. S'il perd un cheveu, je le ramasse ! Je vais collectionner tout ce qui peut contenir son ADN, tu verras !

— Ça ne nous avancera pas beaucoup, si tu veux mon avis… Le plus efficace, c'est de faire des transes.

— Dans toute enquête, il y a de la recherche. Ce repas est une occasion parfaite pour approfondir nos connaissances sur les passagers. Tu verras, on finira par découvrir le pot aux roses. Tu pourras faire une transe ce soir. Là, faut y aller ! dit-il tout en enfilant son t-shirt.

— Je n'aime pas l'idée de côtoyer un tueur, ajouta Elena, inquiète.

— Tu l'as pourtant déjà fait par le passé, lui répondit-il, en faisant allusion à Andrew McRay, qu'elle avait d'abord connu comme son beau-frère.

— La différence, David, c'est que je ne savais pas qu'il en était un !

— Oui, je sais bien… Alors, fais comme s'il n'était pas là. Va jaser avec les autres, Jacky, George, Barbara, il y en a tant !

— Et Thierry…

— Lâche-le, pour l'amour du ciel, tu es toujours après lui !

— Humm, tu es jaloux ? lui demanda-t-elle, satisfaite de sa vive réaction. C'est vrai qu'il a un je-ne-sais-quoi de très sexy, ajouta-t-elle d'un air coquin.

Avant qu'il ne puisse répondre, elle referma la porte de la salle de bains et sauta dans la douche, somme toute flattée de l'attitude de son compagnon.

* * *

Fièrement, le capitaine apporta l'immense rôti sur la table, suivi de ses acolytes. Il était heureux du déroulement de cette première journée en mer avec ses nouveaux passagers. La chimie semblait opérer entre eux, avait-il constaté. En tant que chef des troupes, il détestait lorsque des clans se formaient ou que de mauvaises langues prenaient trop de place.

— *So, how was your first day? We had incredibles diving conditions, no*[4]*?* demanda le grand Français, ce qui ne manqua pas de lancer une dynamique discussion au sein du groupe.

Elena ne prit pas la parole tout de suite, laissant la place aux autres. Elle but quelques gorgées de vin, luxe qu'elle se permit sachant bien qu'elle n'avait plus la force de plonger de nouveau, cette journée-là.

Une autre escapade était prévue en pleine nuit, étant donné la clémence des eaux. Bien qu'on lui ait répété que la beauté et la richesse de la faune marine nocturne étaient à couper le souffle, le simple fait d'aller en mer dans les profondeurs obscures, éclairée par la lueur d'une torche, ne l'enchantait guère. Pour le moment, du moins.

Cette première journée avait été très riche en émotions pour la jeune femme. Elle n'aurait jamais pu imaginer qu'en quelques heures, elle pût vivre des expériences aussi magnifiques et rencontrer des personnes aussi extraordinaires, tout en mettant l'avenir de son couple sur la sellette, et ce, de façon presque simultanée. L'illusion de ses vacances parfaites, qui avaient pourtant si bien débuté à Malé, s'était envolée rapidement.

---

4. Alors, comment s'est passée votre première journée ? N'avons-nous pas eu d'incroyables conditions de plongée ?

Le repas était excellent et elle se força de montrer qu'elle passait une agréable soirée. Sally parlait vivement de son aventure avec un barracuda, qu'elle avait vécue lors d'une précédente plongée. Malgré son énergie et sa tendance à vouloir prendre toute la place, l'Américaine avait trouvé le moyen de terminer la première son assiette, pourtant remplie à ras bord.

Elena mangea en silence, en souriant ici et là, au gré des conversations. Elle devait jouer le rôle de la conjointe amoureuse et enjouée de ce voyage, mais elle se donna une note lamentable pour cet essai. David, lui, riait constamment et semblait passer un bon moment. Il lançait coup sur coup des blagues aux Londoniens, qui s'esclaffaient sans arrêt. De temps à autre, il passait son bras autour des épaules de sa douce, pour lui donner un baiser dans le cou ou lui souffler un mot doux à l'oreille.

Cette aisance qu'il avait pour jouer la comédie la déconcerta.

Un peu plus tard en soirée, David s'installa au salon avec Bertrand et Donald, sous le regard inquiet d'Elena. Les trois regardaient sur un portable les photos que le Californien avait prises au cours de la journée. D'ailleurs, tous les passagers trimbalaient leur ordinateur et s'échangeaient des clichés. Seule Marie-Josée était à l'écart et lisait un bouquin oublié sur une table. La chamane vint s'asseoir à ses côtés, sur le canapé. Elles échangèrent un sourire sincère et discutèrent poliment de tout et de rien. Après quelques minutes, Elena prit un livre à son tour et se mit à le feuilleter.

De son emplacement, elle percevait clairement le trio qui ne cessait de s'émerveiller à la vue des photographies défilant à l'écran. Leurs discussions paraissaient sincères et spontanées. David semblait parfaitement à l'aise et rigolait joyeusement avec son meurtrier suspect. Finalement, le policier clandestin se leva et se dirigea vers les toilettes. Quant à Donald, il alla au bar se chercher une eau pétillante, puisqu'il planifiait faire la plongée de nuit. Si bien que le tueur se retrouva seul quelques instants. Aussitôt, Elena remarqua un subtil changement dans son regard ainsi que dans sa posture. Il fit un tour d'horizon des autres passagers, comme s'il cherchait quelqu'un. Son regard croisa celui d'Elena, qui se figea encore plus. Elle aurait dû lui sourire, le saluer candidement de la main, mais elle n'en fit rien. Puis, le sourire de l'homme réapparut et il reprit sa posture décontractée. Son cochambreur revint vers lui, une bouteille de Perrier à la main.

« Il sait », se dit la jeune femme, qui sentit une sueur froide lui couler dans le dos.

* * *

De retour à la cabine, Elena mit son pyjama nerveusement. Lorsque David termina de se brosser les dents, il vint la rejoindre, mais avant qu'il n'émette un son, elle prit la parole.

— Il sait.

— Quoi?

— Il sait qui nous sommes, qui tu es ! C'est un professionnel, non ? Il a certainement fait ses devoirs

135

avant de monter sur ce bateau. Il a mené sa propre enquête sur chacun des passagers. Il sait que tu joues la comédie.

— Mais comment peux-tu prétendre ça ? Tu as fait une transe sur lui ?

— Non, pas encore. Mais je le sais, c'est tout. Je le sens. Tu sauras que mon flair est aussi fiable que le tien.

— Pourtant, je croyais que Simon était la victime… Alors, il n'est pas si infaillible.

— C'est vrai. Dans ce cas, mon instinct est assurément supérieur au tien !

— Elena, je crois que tu dois travailler sur le cas de Bertrand au plus vite.

— J'y compte bien. Faisons-le tout de suite.

Elle s'assit confortablement sur le lit et tenta péniblement de faire le vide. N'y arrivant pas, elle ouvrit les yeux, perturbée.

— Alors, ça a marché ?

— Non, je n'ai même pas réussi la première étape, qui consiste à me calmer.

— Respire par le nez et essaye encore !

— En fait, tu sais ce qui me préoccupe le plus ?

— Que nous vivions au quotidien avec un tueur.

— Non. C'est toi.

— Ah bon ? Je me suis déjà excusé, Elena, et je sais que je vais payer la note de retour au Québec, alors passons à autre chose, veux-tu ? lui dit David, d'un ton dépité.

— En fait, ce qui me tracasse le plus, c'est cette facilité avec laquelle tu joues la comédie, à être carrément quelqu'un d'autre. Toute cette mascarade m'a complètement figée tout à l'heure, mais toi, ouf! Tu étais si à l'aise! Si naturel!

— C'est nécessaire dans mon travail d'enquêteur, c'est normal, tu ne trouves pas?

— À un certain niveau, peut-être. Mais là… C'est comme si tu acceptais cette pluie de faussetés. Comme si elle faisait partie de toi. Tu te l'appropries et tu t'amuses avec ça. Tu as une aisance surprenante à modeler ton comportement, à être simplement quelqu'un d'autre, et ça me déconcerte.

Que pouvait-il bien répondre à cela? Une seule chose lui vint en tête.

— Je suis vrai avec toi, chérie.

— Faux. Le mensonge s'est infiltré dans notre relation le jour où tu m'as proposé de prendre ces vacances.

Elena le regarda un instant sans rien dire. Il prit son oreiller et mit ses sandales avant de se diriger vers la porte. Tel qu'il l'avait promis, il allait dormir sur le pont supérieur. Même si les aiguilles de sa montre ne dépassaient pas encore 22 h, il était crevé. Et une longue journée les attendait le lendemain.

— Attends, dit-elle, avant qu'il ne sorte.

Les épaules affaissées, le visage triste, il se retourna lentement au son de sa voix. Elle était si belle avec sa petite camisole de nuit mauve et son chignon.

— Il faut que j'essaie d'entrer en transe au sujet de Bertrand.

— Tu as l'air épuisé, Elena. Et nous avons une plongée demain matin à 7 h 30.

— Oui, je sais. Mais je veux tout de même essayer. Reste avec moi encore quelques instants.

Elle ferma les yeux à nouveau et se sentit beaucoup plus calme que durant l'essai précédent. Toujours assise sur le lit, elle tenta de se concentrer. Puis elle sentit son corps devenir lourd et en parfaite harmonie avec son environnement. Elle orienta ses efforts vers sa cible, mais les images se bousculèrent dans son esprit.

Impuissant devant les efforts de sa belle, David déposa l'oreiller sur le lit et observa la chamane à l'œuvre. Il vit alors sa tête se pencher lentement vers l'avant et il comprit immédiatement que quelque chose ne se passait pas comme prévu. Calmement, il déposa sa main derrière la nuque de la jeune femme et, doucement, il la fit basculer vers l'arrière, en position couchée. Elle n'offrit aucune résistance. Il prit ensuite la couverture et la borda affectueusement.

Il la regarda dormir, admiratif devant un tel spectacle, un tel abandon. Il ne put s'empêcher de l'embrasser sur le front puis, voyant qu'elle dormait à poings fermés, il se permit un baiser sur ses lèvres. Après avoir replacé une mèche de ses longs cheveux bruns, il se leva et, d'un air résigné, quitta la cabine après avoir éteint les lumières.

Vers 23 h, couverte de sueur et cherchant son air, Elena se réveilla soudainement. Elle se leva et ouvrit les rideaux afin d'apercevoir le clair de lune. Cette drôle de claustrophobie la surprenait. En se retournant, elle remarqua l'absence de David. Elle était déçue mais, d'un autre côté, satisfaite qu'il ait tenu promesse.

Péniblement, elle se dirigea vers la salle de bains et prit un somnifère que Marie-Josée lui avait donné. Après avoir bu un grand verre d'eau, elle retourna se coucher, espérant que le médicament ferait effet rapidement.

* * *

Installé dans son lit, faisant semblant de lire, il écoutait la respiration régulière et bruyante de l'Américain couché près de lui. Le Phantom avait besoin de peu de sommeil pour être fonctionnel, ce qui était un atout considérable dans son domaine.

Pour le moment, tout se passait selon son plan, malgré quelques éléments qui pouvaient, éventuellement, devenir préoccupants. La présence de tous ces Québécois et, surtout, de ce policier et de sa copine, l'énervait de plus en plus. « Pourquoi le policier se fait-il passer pour un propriétaire de gym ? » se demandait-il.

Rob Lussier avait eu un mauvais pressentiment en croisant le regard de la jolie brune plus tôt dans la soirée. Ne voyant pas comment les choses pouvaient mal tourner, il décida de garder le cap et de poursuivre son objectif, comme prévu.

Après un certain temps, convaincu que son co-chambreur dormait profondément, il se leva et prit sa trousse de toilette. Une fois dans la salle de bains, il en vérifia le contenu et régla quelques préparatifs. Il avait un plan à respecter et un horaire à considérer. Lorsqu'il eut terminé son travail, il laissa volontairement sa trousse sur le bord du petit lavabo.

Assis sur le couvercle de la toilette, il ferma les yeux pour être seul avec lui-même. Il n'avait pas envie de sortir sur le pont ni de s'installer au grand salon. Son propre personnage commençait à lui taper sérieusement sur les nerfs. Il voulait faire une pause de Bertrand.

* * *

Lundi 5 décembre 2011

Lorsque Elena se réveilla, David était déjà dans la chambre, affairé à s'habiller.

— Bonjour, ma chérie!

— Salut toi... Alors, as-tu bien dormi?

— Oui. Mais j'aimerais mieux dormir sur un lit d'araignées à tes côtés plutôt que de retourner là-haut.

— Hum...

Ils sortirent ensemble de leur chambre quelques minutes plus tard, afin de grignoter quelques fruits et de prendre un café. John invita ensuite les plongeurs à se regrouper pour la rencontre préparatoire du matin, sur le dhoni. Les plongées matinales se faisaient avant le petit-déjeuner, mais le chef mettait à la disposition des passagers des muffins, des fruits, des jus, etc.

Tous les plongeurs étaient au rendez-vous et écoutaient attentivement les consignes du maître plongeur. Lorsqu'il eut terminé son exposé, John leur alloua un certain temps pour enfiler leur combinaison et se préparer. Détendue, Elena ne se doutait pas qu'il s'agissait de sa dernière plongée dans cette croisière.

Enfin prête à sauter à l'eau, Elena vit Thierry s'approcher d'elle. Attentionné, il lui rappela certaines consignes que John leur avait mentionnées.

— Alors, tu as bien compris ? Tu dois équilibrer rapidement lors de ta descente. La météo a bien changé cette nuit et la visibilité est très mauvaise ce matin.

— Oui, je dois me rendre au fond rapido-presto.

— Exact. David, reste avec elle, ne vous perdez pas.

— Bien compris.

— Elena, reprit le capitaine, il y aura aussi du courant.

— Hum, acquiesça-t-elle.

— Ce ne sera pas facile. John va plonger aussi, il sera dans les parages.

— D'accord, merci. Ça me rassure.

— Tu es à l'aise dans cette situation ? Tu veux quand même y aller ?

— Oui, Thierry, je veux essayer.

La jeune femme ne savait aucunement ce que voulait dire, concrètement, une plongée avec courant et peu de visibilité. Elle pouvait se l'imaginer, mais, dans les faits, elle n'en avait jamais fait l'expérience. Si elle l'avait su, elle ne se serait pas montrée aussi enthousiaste.

Quelques minutes plus tard, elle sauta à l'eau, suivie de David. John allait les rejoindre sous peu. Rapidement, elle vida l'air de sa veste et entreprit sa descente.

Et, immédiatement, elle comprit.

Autour d'elle, le bleu de la mer avait disparu. Tout était d'un beige monochrome. Des millions de particules flottaient en suspension dans l'eau, comme si l'océan s'était transformé en une immense soupe que l'on venait de brasser. David se trouvait près d'elle, concentré sur sa propre immersion.

Sous la force du courant, elle devait nager pour avancer et rester à ses côtés. Elle cherchait du regard un point de repère, et n'en apercevait aucun. La débutante ne voyait ni le fond de l'océan ni les autres plongeurs. Elle se pinçait le nez constamment, essayant de lutter contre la douleur qui martelait ses tympans. Au fond d'elle-même, sa conscience la suppliait de quitter cet environnement inhospitalier. Son regard se concentrait sur les palmes bleues de David, tout juste devant elle. Soudain, elles disparurent.

Malgré son mal, Elena donna un effort supplémentaire afin de rejoindre son compagnon, mais elle ne le vit pas. Elle se mit à nager de plus en plus vite, se disant que son partenaire devait être tout près. « La visibilité est d'à peine cinq mètres, il ne doit pas être très loin », se dit-elle pour s'encourager. Ne l'apercevant pas, elle décida de se retourner afin d'apercevoir John. Aucune trace de lui.

Peu à peu, elle sentit la panique l'envahir. Elle ne pouvait même plus distinguer le fond de la surface. Elle était perdue dans un nuage de particules, où elle n'apercevait aucune trace de mouvements humains à la ronde. La seule chose dont elle était certaine, c'était la vitesse à laquelle elle dérivait. Le courant l'amenait vers le large, de toute évidence, là où elle ne devait pas être. Elle regarda son ordinateur au poignet: l'écran affichait vingt mètres de profondeur. Elle fit plusieurs tours sur elle-même, espérant apercevoir quelqu'un, mais ne vit personne.

Elena était seule. Perdue dans les profondeurs de l'océan Indien. Plus elle attendait, plus elle s'éloignait, poussée par la force de la mer. Elle essaya de rester calme, mais n'y parvint pas. Une partie d'elle-même était horrifiée à l'idée de faire un face-à-face avec un requin ou une autre créature immense. Elle décida de fermer les yeux afin de réfléchir quelques secondes. Malgré son inexpérience, elle savait que la seule chose logique à faire consistait à remonter à la surface. Ce qu'elle entreprit sur-le-champ.

Peu de temps après, son ordinateur de plongée se mit à sonner. Elle devait faire un palier de décompression. La simple idée de rester cinq minutes de plus dans cette mer brune la terrifia au plus haut point. Et si elle dérivait si loin que le dhoni ne pourrait plus la retrouver ?

Finalement, au bout d'un moment, la jeune femme put enfin revoir le ciel gris. Les vagues étaient importantes et la houle lui donna immédiatement la nausée. Elle remplit sa veste d'air afin d'assurer une bonne flottaison, puis, ne voyant le yacht nulle part, elle entreprit de gonfler son tube de signalisation. D'une hauteur de près de trois mètres, ce gadget orangé avait pour mission de la rendre la plus visible possible. Elle prit ensuite son sifflet et, avec toute la détermination dont elle pouvait faire preuve, elle appela au secours. Les seules fois où elle arrêta de siffler furent lorsqu'elle dut vomir, incommodée par un mal de cœur puissant, occasionné par des vagues tenaces de près de deux mètres.

Après quelques minutes, elle aperçut enfin le dhoni au loin. Il faisait à peine trois centimètres. N'en pouvant plus, Elena se mit à pleurer. Elle était seule et la panique avait pris de plus en plus de place. Elle utilisa tout son courage et toute sa persévérance pour continuer à siffler et à agiter son tube fluorescent.

Après un moment qui lui parut interminable, elle eut l'impression que le bateau approchait. L'équipage l'avait-elle vue? Se dirigeait-il vers elle? Elle aperçut finalement un puissant reflet dirigé en sa direction. Un miroir. L'équipage lui envoyait un signal. Les moteurs en marche, le bateau prenait de la vitesse.

Soulagée, elle se remit à sangloter... avant de régurgiter à nouveau.

Lorsqu'ils montèrent Elena à bord, elle tremblait de tout son corps. Deux mains bienveillantes lui enlevèrent sa veste et sa lourde bouteille d'acier. Elle finit par s'asseoir et vit Thierry, qui l'enveloppa d'une serviette.

— Elena, tout va bien, tout va bien, dit-il pour tenter de la rassurer.

En guise de réponse, elle se blottit contre lui, sans même prendre le temps d'enlever son masque et son tuba. Elle venait de vivre l'une des expériences les plus terrifiantes de sa vie.

Subitement, elle releva la tête.

— David! Il est seul!

— Lorsque l'on perd son partenaire, que reste-t-il à faire?

— On remonte.

— Exactement. C'est ce que tu as fait. Et c'est ce qu'il va faire.

Quelques minutes plus tard, le dhoni se remit en marche. Un autre plongeur avait refait surface.

— Ça va Elena ? cria David, dès qu'il mit un pied dans le bateau.

Elle se leva aussitôt et alla le retrouver. Il la prit dans ses bras un long moment, soulagé qu'elle soit saine et sauve.

* * *

Couchée dans son lit, habillée d'un short sport et d'un t-shirt, Elena se remettait lentement de ses émotions. Confortablement installée, les jambes et les bras écartés en forme d'étoile, elle fixait distraitement le plafond. Aucune pensée ne lui venait en tête. Toute son énergie s'attardait à fixer le petit globe de verre éclairant la pièce.

Après avoir cogné à la porte, David entra.

— On sert le petit-déjeuner, ma chérie. Un gros repas de bûcheron. Ça te fera du bien.

Sans lui répondre, elle se leva, guidée par son estomac vide.

Assise au bout de la table, près de la Torontoise Jacky, Elena dégustait son omelette, silencieusement. En face d'elle, David discutait avec Paul.

Bien malgré lui, le policier fut contrarié de voir Thierry s'installer au côté de sa copine.

— Alors Elena, tu t'en sors ?

— Oui, merci.

— Je voulais vous présenter mes excuses. À toi aussi, Dave.

— Et pourquoi ? demanda-t-il, intrigué.

— Je n'aurais pas dû te laisser plonger, dit-il, en portant toute son attention vers la belle brune. Les conditions étaient exécrables. J'espère ne pas avoir gâché ton goût pour la plongée sous-marine...

— Eh bien, je peux t'assurer que je ne ferai pas la prochaine.

— On va essayer de changer d'emplacement. Mais la mer est agitée et ça brasse beaucoup le fond. Je te fais signe si c'est plus calme, sinon je te conseille de lire un bon bouquin pour le reste de la journée !

— Merci, Thierry.

— Bon appétit mes amis, dit-il, tout en se levant.

Après une minute d'un drôle de silence, Jacky prit la parole, d'un ton faussement insulté.

— *It's not fair ! You have an exclusive relationship with our captain. You, Frenchies*[5] *!*

Cette remarque fit rire Elena, et elle en ressentit un grand bien. Amusée, elle entreprit de discuter avec sa compatriote canadienne, qu'elle ne connaissait pas encore beaucoup. Elle apprit que la femme de trente-neuf ans n'avait pas d'enfants, mais deux bergers allemands, qu'elle s'empressa de lui montrer en photo. Son mariage avec Tom était récent et ils semblaient filer le parfait bonheur. La petite femme, bien en chair, occupait un poste en comptabilité dans une compagnie d'assurances. Sa vie bien rangée semblait se dérouler sans heurts.

Les deux femmes passèrent un bon moment ensemble, sous le regard amusé de David, qui écoutait le très bronzé Paul énumérer les avantages de vivre à

---

5. C'est injuste ! Vous avez une relation exclusive avec notre capitaine. Maudits Français !

Hawaï. Le policier apprit qu'il était à la retraite et qu'il passait son temps libre à s'occuper de son club de pétanque. Son intérêt pour le vieil homme diminua rapidement, à mesure que ce dernier lui dévoilait les détails de sa vie peu stimulante. Les risques qu'il soit la victime du Phantom étaient plutôt minces, voire nuls, jugeait-il.

Après leur copieux repas, les deux nouvelles comparses décidèrent de monter sur le pont supérieur afin de poursuivre leur conversation. Jacky avait entamé un monologue vraiment captivant sur son séjour d'un an au Maroc, lors de son précédent mariage. Elena était fascinée par son récit et ne se rendit pas compte de la présence des autres personnes sur le pont.

— *Hi Bert!* s'exclama l'Ontarienne lorsqu'elles arrivèrent près de Bertrand.

Elena perdit immédiatement son sourire. Sa nouvelle amie discuta quelques instants avec l'homme au double visage et, finalement, reporta son attention vers elle.

Sans même avoir souri à l'homme assis sur une chaise longue, la jeune femme suivit Jacky vers l'extrémité du pont. Le jacuzzi était ouvert et très invitant. Elles se départirent de leurs vêtements et plongèrent dans l'eau chaude. Tout le monde à bord avait adopté une règle non écrite : toujours garder un maillot sec sur soi. Les deux femmes durent reconnaître que cette consigne valait son pesant d'or en ce lundi matin.

Une fois bien installée, la petite blonde reprit son exposé, tandis qu'Elena regardait du coin de l'œil le présumé tueur, qui lisait un roman de Patrick Senécal,

Hell.com. « Typique », pensa la jeune femme. L'homme dans la cinquantaine était vêtu d'un short bleu azur et ne portait pas de chandail. Il avait un banal chapeau de toile sur la tête, ce qui lui donnait un air bonasse. « Quel drôle de bonhomme, avec sa moustache fournie et sa montre de Mickey Mouse ! Peu importe qui il est, peut-être prend-il de simples vacances comme tout le monde. Pourquoi pas ? » se dit-elle.

Après avoir discuté quelques instants de plus, les deux femmes décidèrent de sortir de l'eau, n'en pouvant plus de toute cette chaleur et de cette humidité, déjà très présente dans l'air. Alors qu'elles se séchaient, Bertrand se leva et rangea ses affaires. C'est à ce moment-là qu'Elena remarqua une cicatrice très particulière sur la nuque de l'homme grassouillet. Puis, elle en vit une seconde sur son épaule. En le fixant davantage, elle constata à quel point il était littéralement balafré sur plusieurs parties de son corps. Se sentant observé, il remit sa petite chemise à fleurs et quitta le pont.

— *Did you dive last night? I heard it was great*[6] !
demanda Jacky à sa nouvelle amie.

— *No, I didn't. I don't think I'm ready for night diving*[7].

— *The same goes for me. I do not dive at night... Although Tom keeps repeating me how magnificent it is*[8].

* * *

---

6. As-tu plongé la nuit dernière ? J'ai entendu dire que cela avait été super !
7. Non. Je ne pense pas que je suis prête pour la plongée de nuit.
8. C'est la même chose pour moi. Je ne plonge pas la nuit... Bien que Tom ne cesse de me répéter à quel point c'est magnifique.

Les passagers commençaient à se préparer pour la seconde plongée, qui approchait. Elena en profita pour retourner à sa cabine. Lorsqu'elle croisa David, elle l'invita du regard à la suivre, ce qu'il fit sans attendre.

Une fois seuls, ils firent le point.

— Alors, cette Jacky?

La jeune femme réalisa tout à coup que son entretien avec la Torontoise avait été perçu par son policier comme étant stratégique et planifié. Ce n'était aucunement le cas. Avec ses aventures cauchemardesques de la matinée, Elena avait complètement oublié le plan dont ils avaient convenu ensemble. D'ailleurs, n'était-ce pas tout à fait normal, compte tenu des circonstances?

— Ah, oui… Eh bien, je ne vois rien de louche chez elle. Mais nous n'avons pas discuté de Tom, répondit-elle, pour sembler n'avoir rien oublié de leur stratégie d'enquête.

— Et on peut tout de suite biffer Paul de notre liste. Bien qu'il ait été avocat, il est à la retraite depuis de nombreuses années. Et sa femme était infirmière en chef, aussi retraitée. Rien qui n'attire la mort.

— Ah! on ne sait jamais! On ne peut tout simplement pas trouver des prétextes pour tuer une personne en seulement quelques minutes de discussion, voyons. C'est impossible.

— Mais on peut entrevoir une possibilité.

— La meilleure façon de procéder est que je réalise une transe au sujet de Bertrand.

— Tu vas refaire un essai durant la prochaine plongée?

— Tu vas y aller?

— Je vais plonger avec Justin, son père est trop fatigué.

— OK. Et puis… désolée pour hier soir. Je ne pensais pas m'endormir. Merci de m'avoir bordée.

En guise de réponse, il s'approcha d'elle et prit son visage entre ses grandes mains. Ne voulant pas la contrarier, il baisa son front, appréciant chaque seconde de ce rapprochement.

— Bonne chance avec ta transe, lui dit-il, avant de sortir de la chambre pour rejoindre son nouveau partenaire de plongée.

Chapitre 5
La sirène de la mort

Lundi 5 décembre 2011

Bertrand semblait concentré, attentif. Il était penché sur sa trousse de toilette et mesurait avec précision une certaine quantité de liquide. Il travaillait de façon calme et minutieuse, comme à son habitude.

Dans la bouteille réutilisable qu'il avait apportée avec lui, il injecta le redoutable poison parfaitement inodore et incolore. Une fois sa tâche accomplie, il rangea ses précieux outils de travail dans son petit sac de cuir brun et se leva. En sortant de sa cabine, il remonta au niveau supérieur et chercha du regard une personne bien précise sur le pont. La voyant, il s'en approcha.

— *Hey Donald, here's your bottle of water[9].*
— *Thanks Bert!*

Elena ouvrit les yeux rapidement, réalisant ce qu'elle venait de voir. Sa transe avait été nette et très révélatrice.

---

9. Hé Donald, voici ta bouteille d'eau.

Malgré ses tremblements, elle prit son roman qui traînait sur le lit et inscrivit ce qu'elle avait vu sur l'une des pages vierges, à défaut d'avoir un carnet de notes sous la main.

Une bouteille d'eau. Un poison. Une trousse en cuir brun. Et Donald.

— Bordel! David avait raison, se dit-elle.

Il allait donc y avoir un meurtre. Et la victime serait ce sympathique Californien à la queue de cheval.

La chamane était étonnée de la facilité avec laquelle elle avait atteint son état de transe, assise dans son lit, sans ses accessoires. «Qu'est-ce qui m'arrive?» se demanda-t-elle, confuse. Lorsque la fatigue ne prenait pas le dessus, elle excellait. Elle décida donc de recommencer son exercice afin de s'attarder à d'autres détails.

Elle avait déjà entrepris par le passé de faire des transes à répétition, tout comme son ancêtre Aimée Perrot. C'est par le recueil de sa mentore qu'elle avait été initiée à cette pratique. Il y avait de cela quelques mois à peine, elle ne pensait pas qu'une telle chose était possible, encore moins qu'elle en était capable. Mais, finalement, elle avait appris à mener de véritables petites enquêtes sur ses visions afin de mieux les comprendre. En se concentrant suffisamment, elle pouvait détecter durant sa transe des indices lui permettant d'intervenir dans la réalité, si cela s'avérait nécessaire. Cette faculté était très utile, et elle comptait en profiter une fois de plus.

Elena devait donc entrer de nouveau en transe et découvrir quand Bertrand exécuterait ses plans. Elle se leva et alla prendre un verre d'eau. Elle s'aperçut qu'elle n'avait déjà plus froid et qu'elle tremblait à peine. Encouragée, elle sauta sur le lit et reprit sa nouvelle position, qui semblait bien efficace.

Le tangage du bateau, régulier et apaisant, faisait un travail tout à fait convenable pour l'aider à faire le vide. D'habitude, lorsqu'elle devait entrer en transe à répétition, elle demandait une faveur aux grands esprits, si importants et si omniprésents aux yeux de son ancêtre. Mais Elena avait dorénavant la certitude qu'elle n'avait qu'à se parler à elle-même pour y parvenir. Tout n'était qu'une question de volonté. La chamane devait avoir développé une capacité particulière à recevoir et à capter certaines ondes ou énergies, lui permettant d'atteindre d'autres niveaux de conscience. Elle se percevait de plus en plus comme une immense antenne réceptrice, capable de canaliser les forces qui l'entouraient et qui définissaient le passé, le présent et le futur. Autre chose dont elle était certaine : elle n'y comprenait strictement rien. Toutes ces nouvelles hypothèses en soulevaient tellement d'autres !

Au plus profond de son âme, la jeune femme était convaincue que les grands esprits n'étaient qu'un mythe amérindien, une croyance de son ancêtre à laquelle elle s'était pliée. Elle savait pertinemment qu'elle allait devoir réaliser quelques recherches sur ses étranges capacités à son retour au Québec.

Stimulée par ses récentes réussites, elle ferma les yeux et se parla à elle-même afin d'orienter sa transe, selon sa propre volonté.

Comme elle l'avait prévu, elle se retrouva dans la cabine de Bertrand. Toujours attachée au tueur, elle tenta de se détacher du corps de l'homme à moustache afin de réaliser un tour d'horizon de la pièce. Mais elle n'y parvint pas. Elle vit toutefois que l'épais rideau était ouvert et que le ciel était encore bleu. Il faisait donc jour. Elle tenta de trouver un autre indice temporel dans la chambre, mais n'en aperçut aucun.

L'éclairage était insuffisant dans la salle de bains où était assis le tueur pour qu'elle puisse lire avec exactitude l'heure sur sa montre de Disney. Elle devina qu'il était 17 h. Mais était-ce plutôt 18 h ? Elle n'était certaine de rien, car son angle d'observation n'était pas idéal et la faible lumière dans la pièce ne l'aidait pas.

Puis Bertrand se leva et se dirigea vers Donald, qui était au salon.

Cet essai avait été plutôt bref et peu concluant, mais Elena prit tout de même note de tout ce qu'elle avait vu. Avant le retour de David, elle espérait produire un rapport complet de sa transe. Elle décida donc de poursuivre ses efforts afin de percevoir d'autres éléments plus superficiels, mais qui pourraient s'avérer très utiles. Elle recommença donc l'exercice et nota cette fois-ci l'habillement de Bertrand : couleur du short et du chandail, type de sandales, accessoires... Elle fit de même pour Donald, qu'elle ne perçut que quelques secondes, soit au moment où son cochambreur lui donnait sa bouteille. Puis, juste avant de revenir à la réalité, elle vit un détail qu'elle jugea déterminant.

Malgré la nouvelle vague de froid qui la fit tressaillir, elle prit son stylo et inscrivit ce qu'elle avait remarqué.

N'en pouvant plus d'être enfermée, Elena décida d'aller se promener un peu. À peine sortie de sa chambre, elle tomba nez à nez avec Bruce, qui nettoyait les cabines. Il lui sourit chaleureusement tout en poursuivant ses tâches. Elle passa devant la chambre de Bertrand. Elle voulut y entrer afin d'approfondir ses recherches, en espérant que la porte serait déverrouillée, mais la présence de l'homme chauve, muni de son aspirateur mobile, l'incommodait sérieusement. Les plongeurs reviendraient dans moins de quarante minutes mais, en raison des circonstances peu favorables à ce plan de fouille improvisé, Elena décida de le laisser tomber et de se rendre sur le pont supérieur. En passant près de la cuisine, elle se permit de humer l'odeur alléchante du repas qui se préparait. Elle salua au passage certains membres de l'équipage et se dirigea vers l'escalier.

Sur le pont, George était allongé sur l'une des banquettes en cuir blanc, assoupi. Le vieil homme avait l'air d'un gamin, heureux dans son sommeil. Inspirée par le Londonien, elle décida de l'imiter. Elle prit une serviette de plage et s'allongea sur une chaise longue, à l'ombre. Elle s'endormit peu de temps après.

À l'arrivée des plongeurs, les deux dormeurs se réveillèrent simultanément. Ils se regardèrent un instant, amusés par la situation. Les cheveux hirsutes, le sexagénaire fit un rapide clin d'œil à Elena et descendit rejoindre son fils. La jeune femme se leva, emballée de revoir son policier. Elle avait tant de choses à lui révéler ! Légèrement surprise par son excitation, elle laissa sa serviette de plage au sol et courut le rejoindre.

La voyant descendre du pont supérieur, les yeux remplis d'étincelles, David ne put s'empêcher de sourire. Non pas parce qu'il était convaincu que sa transe avait été concluante, mais plutôt parce qu'il la trouvait tout simplement resplendissante dans ses petits shorts de coton blanc et son chandail ample turquoise qui laissait une de ses épaules à nu.

Ils marchèrent côte à côte dans le long corridor du premier pont. Une fois dans la chambre, ils se retournèrent l'un vers l'autre et s'exclamèrent simultanément.

— Et puis!?

Éclatant de rire, David répondit avant elle.

— La plongée a été correcte. Mais on en reparlera au dîner. Toi, comment ç'a été?

— J'ai plein de choses à te dire! lança Elena en incitant David à s'asseoir.

Après que la chamane lui eut dévoilé ses observations dans les moindres détails, David resta assis sur le lit, les genoux relevés vers son menton. Il se mit à réfléchir à voix haute.

— Donc, c'est Donald...

— Oui. Et, à la toute fin de ma troisième transe, j'ai remarqué un élément: il avait les cheveux mouillés. Pas humide, vraiment trempés.

— Ah oui?

— Puisque Don a les cheveux longs, c'était très apparent.

— Alors, le meurtre aura lieu après une plongée...

Sans crier gare, David se leva d'un bond.

156

— Elena! C'est peut-être en train de se passer en ce moment même !

— Non. Bertrand n'a pas son maillot rouge. Dans ma transe, il n'était pas habillé comme il l'est actuellement.

Soulagé, David s'affaissa dans le petit fauteuil inconfortable situé non loin du lit.

— Tu as bien fait de noter ces détails. Bon réflexe.

— Je sais, lui répondit-elle, d'un air faussement hautain.

— Il faudrait entrer dans la chambre de Lussier.

— Qui ?

— Le vrai nom de Bertrand, c'est Rob Lussier. Tu te souviens ?

— Ah, oui. Ça me revient.

C'est alors que la cloche sonna au pont principal, signalant que tous les passagers devaient s'y réunir rapidement.

— Qu'est-ce qui se passe ? Il me semble que ce n'est pas encore l'heure du dîner, je me trompe ? interrogea la jeune femme.

* * *

Appuyé contre une colonne en bois massif, le capitaine attendait ses invités au salon. L'espace était chaleureux avec ses nombreuses boiseries et ses fauteuils aux couleurs chaudes. Tous les passagers pouvaient y prendre place confortablement.

Lorsque Thierry eut l'attention de tout le monde, il expliqua la situation : des requins-baleines avaient été aperçus au large de l'atoll Baa. Leur présence étant sporadique dans la région, il fallait en profiter. Le capitaine mentionna au groupe que, puisque le site en question était non loin de leur position actuelle et que les conditions le permettaient, l'*Ocean Cruiser* changerait de cap pour s'y rendre.

— *So, I decided to cut one dive today. After the lunch, that we will have a little bit earlier than usual, I will start the engines. It will take about one hour to go at the site*[10].

John vint le rejoindre à l'avant du groupe. Il expliqua que cette expédition ne serait pas une véritable plongée. Il s'agissait de snorkeling puisque les requins-baleines venaient près de la surface de l'eau à cet endroit, en raison de l'abondance de nourriture en ce moment.

— *You will only need your mask, tuba and fins. And a swimsuit, of course*[11] !

Lorsque les deux hommes terminèrent leur allocution, un vent d'enthousiasme souleva le groupe de plongeurs. Assise près des Tisseur, Elena demanda discrètement à Marie-Josée :

— Ça mange quoi en hiver, des requins-baleines ?

— Quoi ? Tu ne sais pas à quoi ils ressemblent ? s'exclama-t-elle, tout en feuilletant une encyclopédie sur la faune marine qui traînait sur la table centrale du salon.

— Euh, non, répondit la débutante, qui se sentit soudainement gênée.

---

10. Alors j'ai décidé de couper une plongée aujourd'hui. Après le repas, que nous prendrons un peu plus tôt que d'habitude, je démarrerai les moteurs. Il faudra environ une heure pour se rendre au site.
11. Vous n'aurez besoin que de votre masque, de votre tuba et de vos palmes. Et de votre maillot de bain, évidemment !

— Voilà, dit-elle en montrant dans son ouvrage un énorme poisson d'un bleu profond, tacheté de blanc. N'est-ce pas magnifique ?

— Oh, wow ! Mais c'est gigantesque !

— Ils portent leur nom en raison de leur alimentation, principalement composée de plancton, comme les baleines. Mais ce ne sont pas des mammifères.

— Comme des baleines tu dis ? Donc, rien de bien méchant ?

— Effectivement, ils sont assez pacifiques, mais surtout très impressionnants et rares ! Si nous en voyons tout à l'heure, ce sera vraiment extraordinaire. J'ai si hâte ! lui avoua-t-elle, tout en se levant pour rejoindre son conjoint.

Peu de temps après, le capitaine s'approcha d'Elena et lui souffla un mot à l'oreille, avant de s'éclipser dans la passerelle de commandement.

— Pas de palier de décompression, pas de descente... Du bonbon pour toi, cette plongée libre ! lui dit-il, les deux pouces en l'air.

* * *

Le dîner du groupe fut, encore une fois, agréable, même si le repas s'avéra plutôt ordinaire. Les fajitas de crevettes, accompagnés de guacamole maison, semblaient divins aux yeux de tous, mais le manque d'assaisonnements et la texture pâteuse de la tortilla diminuèrent sensiblement le panache qu'aurait dû avoir ce plat. En dépit de cela, personne ne se plaignit et tous mangèrent avec appétit, malgré l'heure devancée du repas.

Cette fois-ci, David discutait gaiement avec Jacky et Tom, tandis qu'Elena concentrait son énergie sur Donald, qui était installé à ses côtés. Ce drôle de personnage semblait constamment de bonne humeur et avait toujours le bon mot pour faire rire les autres. Tous ceux qui étaient à son écoute ne pouvaient s'empêcher de sourire à chacune de ses blagues. Le Californien gérait une agence de voyages et tout semblait lui réussir. Elena louangeait son enthousiasme et sa philosophie de vie, qui était pourtant simple : vivre chaque jour comme s'il s'agissait du dernier. L'homme à la queue de cheval vivait donc à fond chaque minute de son existence. Il disait ne compter que des amis parmi ses proches et évitait tout conflit potentiel.

Elena comprit également qu'il voyageait en moyenne deux mois par année et qu'il se qualifiait de sportif touche-à-tout endurci, jouant tant au rugby qu'au curling, ce qu'elle trouva bien cocasse. Tout en le regardant gesticuler, elle se perdit dans ses pensées. « Pour quelle raison voudrait-on tuer un tel homme ? se demanda-t-elle. Par simple jalousie ? » Elle voyait cette éventualité comme étant peu probable, mais elle n'arrivait pas à envisager la raison du destin tragique qui planait sur la tête du Californien.

La jeune femme tenta de se rappeler que la croisière était encore jeune et que bien des choses pouvaient se produire. Les langues sales ne s'étaient pas encore manifestées, ce qui épargnait considérablement le climat sur le bateau. Tous ces passagers n'étaient certainement pas parfaits. Mais, pour l'instant, elle appréciait chaque moment passé en leur compagnie et elle était peinée à l'idée que ce brave groupe connaîtrait prochainement une fin de voyage abrupte.

Pour dessert, elle mangea quelques bouchées du petit gâteau à la noix de coco qu'elle avait choisi parmi les gâteries offertes. N'ayant plus d'appétit, elle décida d'aller lire son polar avant de se préparer pour sa prochaine escapade en mer. En se levant, elle entendit les moteurs du yacht se mettre en marche, ce qui fit monter d'un cran le niveau d'excitation des plongeurs.

Une quarantaine de minutes plus tard, les passagers qui s'étaient assemblés sur le pont supérieur aperçurent d'autres bateaux regroupés au loin.

— Je crois que nous approchons du site ! s'exclama Simon.

Elena se leva, déposa son roman sur sa chaise, et vint rejoindre le petit groupe aggloméré à l'avant du yacht.

— Seigneur ! s'exclama-t-elle en apercevant le nombre impressionnant d'embarcations qui semblaient avoir opté pour la même activité.

Justin et son père faisaient partie du lot de curieux et ils se demandèrent comment des requins-baleines, une espèce si convoitée par les touristes, seraient tentés de rester dans un endroit aussi achalandé.

— Je vais aller voir notre capitaine, annonça David à sa copine.

Après avoir fait quelques pas vers l'escalier au centre du pont, le policier gravit les marches de la passerelle supérieure et se permit de cogner délicatement à la porte métallique. Il ne s'était jamais aventuré dans cette section du bateau.

— Oui Dave, tu peux entrer, l'invita le Français, qui l'avait aperçu venir du pont.

Le policier s'avança tranquillement, examinant l'étrange pièce de commandement. Il n'y connaissait strictement rien en navigation, mais il était convaincu que tous ces équipements ne pouvaient qu'être modernes. Avec tout le sérieux qu'un capitaine de bateau pouvait avoir, Thierry lui dit :

— Eh bien, il y a une couille dans le potage, mon ami !

— Euh, je te demande pardon ?

— Vous ne connaissez pas cette expression au Québec ?

— Pas du tout ! Jamais entendue. Ça veut dire quoi, au juste ?

— Que l'on a de sérieux problèmes…

Thierry lui expliqua qu'il n'avait pas prévu qu'autant de bateaux se seraient donné rendez-vous à cet atoll dans le but d'y observer des requins-baleines.

— Il faut croire que les nouvelles voyagent vite dans ce coin de pays ! Regarde-moi cet attroupement !

Le capitaine désigna les masses de personnes faisant du snorkeling, éparpillées sur plusieurs centaines de mètres.

— Je vais devoir jeter l'ancre ici et nous prendrons le petit yacht d'appoint afin de nous approcher du site.

— Tu parles du dhoni ?

— Non, d'un autre bateau auxiliaire plus malléable, de type Zodiac.

* * *

162

Ce fut une véritable chasse aux poissons géants, où des palmes de toutes les couleurs s'entrechoquaient pour tenter d'apercevoir ces créatures filer à toute vitesse dans les eaux encore troubles de l'océan. Après quelques essais, Barbara et Paul abandonnèrent, totalement épuisés de pourchasser le vide.

L'activité était éreintante, certes, mais Elena, Marie-Josée et Jacky tenaient bon. Les trois femmes voulaient absolument observer de leurs propres yeux les immenses requins. Usant de patience, le trio fut finalement récompensé. Alors que la jeune Perrot regardait vers la droite, la Torontoise lui agrippa le bras afin d'attirer son attention vers le sens opposé. Lorsqu'elle se retourna, Elena en oublia presque de respirer. Un immense poisson d'un bleu profond, muni d'une bouche gigantesque qui devait mesurer à elle seule plus de deux mètres, semblait flotter dans sa direction. Sa large tête aplatie retint son attention. À l'image d'une baleine, l'animal ouvrait et fermait la gueule comme s'il aspirait d'astronomiques quantités d'eau remplie de nourriture. Son ventre blanc contrastait avec son corps foncé et tacheté. Elena fut surprise de constater que, malgré sa taille impressionnante, le poisson nageait avec grâce et aisance.

À la vision de cette scène, la jeune femme n'eut qu'un seul mot en tête : « Magnifique ! » Quelques secondes plus tard, le spectacle était déjà terminé.

De retour sur le petit bateau d'appoint, les trois comparses étaient tout sourire. Malgré les efforts de tout un chacun, elles furent les seules à apercevoir les requins tant convoités. Elles avaient été au bon endroit, au bon moment.

— Wow, Elena, c'est vraiment génial que tu l'aies vu! lui dit David, heureux qu'elle soit si radieuse soudainement.

L'embarcation avait déjà entrepris son retour vers l'*Ocean Cruiser* lorsque la jeune femme s'approcha subtilement de son compagnon.

— Il manque des passagers, non?

— Euh, dit-il, tout en faisant un tour d'horizon. On dirait bien! *Hey John! Some people are missing*[12]!

— *Yes, we carried a first group a few minutes ago*[13].

Une sueur froide se mit à couler le long du dos de David lorsqu'il remarqua que Donald et Bertrand ne faisaient pas partie de leur petit groupe. Il se retourna vers sa conjointe et la regarda d'un air inquiet.

— Oh merde, lui dit-elle tout bas, constatant également leur absence.

À leur approche du yacht, elle fixa du regard le pont supérieur, espérant y apercevoir Rob Lussier vêtu d'un maillot d'une autre couleur que rouge. Presque arrivé à destination, le couple était sur le bout de son siège, prêt à sauter à bord du bateau principal.

Une fois embarqués, David et Elena enlevèrent rapidement leurs palmes et leurs masques, prirent une serviette et, encore mouillés, montèrent les marches vers le salon. Ils y trouvèrent Bruce, qui nettoyait les fenêtres tout en sifflotant. Après l'avoir salué distraitement, ils

---

12. Hé John, il manque des personnes!
13. Oui, nous avons transporté un premier groupe quelques minutes plus tôt.

poursuivirent leur route vers l'étage supérieur, où les autres passagers semblaient se trouver.

À peine arrivés, ils aperçurent Barbara, qui poursuivait son insatiable obsession à vouloir cuire le maximum de son corps au soleil. Non loin d'elle se trouvait son mari, couvert d'huile bronzante, également allongé sur une chaise longue. Le couple accéléra le pas.

Justin et George discutaient calmement avec les Américains Sally et Steven dans la partie recouverte du pont, sagement protégés des rayons chauds. Le policier et la chamane poursuivirent leur chemin vers l'arrière du bateau, où le tandem insolite Bertrand-Donald se trouvait dans le jacuzzi.

David et Elena les saluèrent et s'appuyèrent ensuite sur le rebord du bateau, contemplant le large. À voix basse, ils purent converser discrètement.

— Il y a une bouteille d'eau près de leurs serviettes pliées, chuchota Elena au policier.

— Donald a souvent une bouteille... ça ne veut rien dire, il la traîne partout, souffla-t-il afin de se convaincre que tout allait pour le mieux dans le meilleur des mondes.

Ils entendirent ensuite des clapotis derrière eux et virent le Californien sortir de l'eau avec aplomb, laissant toutes ses possessions près du bain à remous.

— *Need to go to the bathroom! And fast*[14]*!* leur dit-il avec un sourire gêné.

Le tueur à moustache décida de sortir de l'eau également. Tout en se séchant, il regarda le couple sans

14. J'ai besoin d'aller aux toilettes! Et vite!

rien dire et, d'un hochement de tête, les salua avant de quitter le pont.

Se sentant faiblir, Elena se laissa choir sur les fesses, ses genoux ne la supportant plus. Également dépité, David la rejoignit doucement sur le plancher et prit place à ses côtés.

— Tu as vu ? lui demanda-t-elle.

— Oui… il porte son maillot rouge.

Assis côte à côte sur le sol, ils avaient l'impression d'avoir échoué à leur mission. Le policier ne cessait de répéter que le Phantom pouvait porter à maintes reprises ce fameux maillot au cours de la semaine. Et que Donald avait pu trimballer lui-même sa bouteille de sa cabine, se protégeant sans le savoir des manipulations meurtrières de son compagnon de chambre. Il essaya de s'encourager en se disant que tout ceci n'était qu'une illusion et que le moment fatidique pouvait bien avoir lieu une autre journée.

— On saute peut-être trop vite aux conclusions, lui dit Elena.

— J'espère tellement !

Il était près de 16 h et les moteurs s'étaient remis en marche. Le capitaine devait se rendre à un nouveau site pour les plongeurs nocturnes. On leur avait annoncé qu'une baignade en mer serait permise à leur prochaine destination, où les eaux étaient calmes. Après le repas de 18 h, une dernière plongée était donc prévue. Le programme n'enchantait guère le couple, qui ne trouvait tout simplement pas la force de se relever.

— Mais que faites-vous là, tous les deux ? Vous avez la nausée ? leur demanda Marie-Josée, qui arrivait de l'autre côté.

— Un coup de fatigue, je dirais, lui répondit la chamane.

— Vous devriez venir en bas ! Donald est en train de démolir Justin au bras de fer !

Surpris, David et Elena se levèrent d'un bond et se dirigèrent vers ce combat inattendu. À leur arrivée au salon, l'homme à la queue de cheval avait les bras dans les airs, heureux de sa victoire. Le sourire aux lèvres, il recevait les applaudissements de ses fans, notamment de Bertrand, qui lui flanqua une solide tape dans le dos.

— *Nice job, Don !*

Sans plus attendre, Steven prit la place du Londonien et défia son compatriote américain. Un nouveau combat fut entamé, au grand plaisir des autres passagers dans le salon.

— Eh bien… Elle a l'air en grande forme notre victime, remarqua Elena.

— J'avoue ! Et c'est tant mieux ! répondit le policier, tout sourire.

Aussitôt, il alla rejoindre les autres.

— *Let's go, Don !* lança-t-il.

Soulagée d'avoir encore du temps devant elle et de savoir Donald toujours sain et sauf, la belle Perrot décida de profiter de l'occasion pour approfondir ses recherches. Prétextant vouloir faire une sieste, elle comptait plutôt descendre au niveau des cabines, où elle espérait avoir le champ libre pour explorer les horizons à sa guise.

Une fois dans le corridor, le calme ambiant l'apaisa et elle put constater l'absence de toute âme humaine dans les parages. La porte de la chambre des bronzés retraités était close; ne les ayant pas vus à l'étage, elle en conclut qu'ils étaient probablement au repos.

Debout devant la porte numéro quatre, Elena respira un grand coup et prit son courage à deux mains. Elle devrait faire très vite. Certaine d'être seule, elle tourna la poignée et, surprise qu'elle soit déverrouillée, pénétra aussitôt dans la chambre du tueur avant de refermer immédiatement derrière elle. Une fois à l'intérieur, elle chercha du regard la fameuse trousse en cuir brun qu'elle avait vue lors de sa transe.

La pièce était encore plus petite que leur propre cabine. Deux lits simples occupaient la majorité de l'espace, le long des murs. Au bout de chaque lit se trouvait une petite armoire, qui faisait office de table de chevet. Tout près de la porte se situait la minuscule salle de bains. Elena y jeta un rapide coup d'œil, mais la trousse n'y était pas.

Finalement, sans trop de difficultés, elle la trouva dans la petite armoire, près du lit de droite. Tout à coup, elle entendit des pas en provenance du corridor. Aussi rapidement que si elle avait été frappée par la foudre, la nervosité s'empara d'elle et son corps se figea subitement. Oubliant presque de respirer, elle se mit à espérer que la personne ne soit que de passage sur ce pont. Puis, aussi soudainement qu'il était apparu, le bruit cessa. Elena émit un soupir de soulagement.

Elle s'apprêtait à ouvrir le petit sac de cuir lorsque la poignée se mit à tourner. Sans même pouvoir réfléchir une seule seconde, elle lâcha la trousse et fit deux pas vers l'avant, espérant être en mesure de se réfugier derrière la porte. Cachée in extremis, elle essaya de n'émettre aucun son.

La personne entra dans la chambre et se déplaça vers les lits. Après une seconde d'hésitation, Elena pencha la tête vers la gauche, afin de détecter une ombre quelconque. Elle aperçut finalement la silhouette de Bertrand, qui fouillait dans l'un de ses sacs. Lorsqu'elle se rendit compte qu'il s'agissait du tueur, son corps se tendit davantage et son rythme cardiaque accéléra d'un cran. Qu'allait-il lui faire s'il venait à découvrir sa présence? Elle était littéralement pétrifiée, convaincue que ses nerfs ne tiendraient pas le coup.

Les mouvements de l'homme à moustache étaient lents et interminables. Elle n'en pouvait plus d'être coincée de la sorte. Des gouttes de sueur se mirent à perler sur son front. S'il décidait d'aller à la salle de bains, qui se situait immédiatement à sa gauche, elle était cuite.

Après ce qui lui sembla une éternité, il finit par sortir. Lorsque la porte s'éloigna de son visage, elle se plia en deux tout en s'appuyant sur ses genoux. Mais qu'avait-elle bien pu penser en venant fouiller la cabine d'un homme reconnu comme un tueur à gages sans pitié? Tout en se répétant cette question, elle décida de sortir le plus rapidement possible de cette pièce maudite.

Lorsqu'elle n'entendit plus un son dans le corridor, elle prit la poignée de sa main encore moite et s'apprêta à sortir, mais, en regardant derrière elle, elle s'aperçut que la trousse de Bertrand avait disparu. L'avait-il emportée avec lui ou simplement dissimulée? Elle ne savait quoi répondre à ces questions qui lui martelaient l'esprit. En aucun cas elle ne voulait rester une seconde de plus à fouiller les affaires de cet homme supposément dangereux.

Alors qu'elle était sur le point de quitter la pièce, l'angoisse d'Elena prit un nouvel essor. On avait verrouillé la serrure. Prise de panique, elle tourna plus fort le pommeau doré, mais rien ne se produisit. « Comment une porte peut-elle rester verrouillée de l'intérieur ? » se demanda-t-elle, folle de rage.

— Mais c'est complètement ridicule ! dit-elle tout haut, au risque de se faire entendre.

Découragée, elle appuya son front sur la porte et ferma les yeux, espérant trouver un semblant de calme. Lorsqu'elle les ouvrit à nouveau, elle aperçut un petit loquet derrière la boule de laiton.

— Merde, que je suis stupide…

Elle pressa dessus et put enfin tourner la poignée. Puisque Bertrand avait pris soin de verrouiller la porte, elle voulut faire de même une fois sortie. Mais, ne possédant pas la clé, il lui était impossible de remédier à ce nouveau problème.

— Il va se rendre compte que quelqu'un est venu, se dit-elle à voix basse, refoulant sa haine contre ce modèle de serrure.

C'est alors qu'elle entendit une personne descendre les marches. N'ayant pas le temps de se rendre à sa propre chambre, qui était à l'autre bout du corridor, elle improvisa une fascination pour une photographie encadrée sur le mur, celle où l'on voyait Thierry lancer une bouteille de champagne sur l'*Ocean Cruiser*, lors de son inauguration.

Après quelques secondes, Elena se retourna et aperçut Donald, qui, sans même lui dire bonjour, se précipita dans sa chambre. David arriva peu de temps après.

— Il est où ?

— Dans sa cabine. Il avait l'air pressé, lui répondit-elle.

— Et toi, tu étais où ?

— J'ai bien failli mourir de trouille ! Je te raconterai ça en privé. Viens, allons à notre cabine, lui proposa-t-elle.

Elle marcha lentement, continuant à examiner les nombreuses photographies meublant le mur du corridor. Imitée par David, elle se surprit à être totalement absorbée par ces clichés, dont certains relataient l'histoire de Thierry alors qu'il vivait encore en Europe.

Quelques minutes plus tard, la porte numéro quatre s'ouvrit et le grand Don ressortit, visiblement soulagé.

— *Are you OK ?* lui demanda-t-elle de l'autre côté du corridor.

— *You know… A man's gotta do what a man's gotta do*[15] ! lui répondit-il, un peu mal à l'aise.

Avant qu'il ne retrouve les autres au salon, elle en profita :

— *Don't forget to lock your door*[16] !

— *Yes, thanks. I always forget and it drives Bert nuts*[17] !

David et Elena retournèrent dans leur chambre. À peine remise de ses émotions, la jeune femme raconta sa

---

15. Tu sais, quand faut y aller, faut y aller !
16. N'oublie pas de verrouiller ta porte !
17. Oui, merci. J'oublie toujours et ça rend dingue Bert !

récente péripétie à son compagnon. Elle marchait de long en large dans la minuscule pièce, mais avait plutôt l'impression de tourner en rond tant l'espace était restreint.

— J'ai été stupide...

— Courageuse, certes. Mais idiote aussi, pas de doute. Il aurait fallu en profiter alors que tous les autres étaient en plongée.

— Ouais, mais il y avait Bruce l'autre fois. Je n'ai pas pu.

— Alors, tu aimes bien mener ta petite enquête, n'est-ce pas?

— Quand je commence quelque chose, je le fais bien et je le termine. C'est dans ma nature, lui répondit-elle le plus sérieusement possible, essayant de se justifier et sachant bien que son enthousiasme pour les projets du policier allait à l'encontre de sa colère envers lui.

— Je sais bien, ma chérie, et c'est exactement la raison pour laquelle je voulais faire équipe avec toi. Mais sur ce dernier coup, tu as vraiment pris un risque énorme.

— Oui, j'aurais pu vendre la mèche. Et nous faire tous tuer. Il peut faire ça, tu crois? Tous nous descendre à tour de rôle?

— Ça me surprendrait, mais je suppose que oui. Il pourrait le faire.

— David, je ne peux pas croire qu'il nous reste encore cinq jours sur ce bateau. Cette journée a été totalement démente et interminable.

— En parlant de journée... Tu crois que je pourrais la terminer ici, dans ce lit? Avec toi? Je n'arrive pas à dormir là-haut.

— ...

— Allez Elena, nous ne sommes pas encore au Québec. Alors jouons le jeu du couple uni, tu te souviens ?

— D'accord.

* * *

Pour souper, le chef avait préparé un thon tataki à la japonaise, accompagné d'une salade exotique de mangues et de papayes. Le repas était exquis et Elena le dévora avec appétit. Les Américains du Tennessee n'apprécièrent guère la délicatesse du menu et n'hésitèrent pas à demander au chef de leur préparer un plat plus protéiné.

— Franchement, poussa Simon, suffisamment fort pour que tous les Québécois comprennent sa remarque.

— Il leur faudrait des steaks tous les soirs, répliqua David.

— Non, un hamburger et un Coca-Cola suffiraient, j'en suis convaincue, précisa Marie-Josée.

— *Hey Frenchies ! We understood that last line*[18] ! protesta amicalement Sally, qui attendait d'être servie aux abords de la cuisine.

Tous se mirent à rire aux éclats, jusqu'à ce que Donald se lève précipitamment pour se diriger à nouveau vers les toilettes. Dès lors, les rumeurs de gastro se mirent à circuler autour de la table. Tous les passagers avaient constaté les allées et venues soudaines du sympathique Californien.

---

18. Hé, les francophones ! Nous avons compris cette dernière phrase !

Peu de temps après, le principal concerné revint à sa place et prit son assiette encore pleine pour la remettre à Bruce.

— *I won't eat anymore, thanks*[19].

Sans prononcer un mot, l'homme chauve prit l'assiette et alla en cuisine. Il en profita pour jeter un œil inquiet à son capitaine, qui avait vu la scène. Un cas de gastro à bord d'un bateau de croisière était un véritable cauchemar, et Thierry espérait ardemment que ce malaise ne serait que passager.

Don revint vers la table et s'adressa à Bertrand, avant de repartir vers les cabines. Inquiète, Elena jeta un coup d'œil à son compagnon et, sans prononcer un seul mot, ils échangèrent la même question : « Et si le poison tuait à petit feu l'Américain, sous les yeux impuissants de tout l'équipage ? » David eut la chair de poule en imaginant la réponse.

Maintenant seul pour la plongée de nuit, Bertrand demanda qui voulait se joindre à lui. Tom se porta volontaire puisque sa femme Jacky n'osait pas encore faire ce type d'escapade.

— Et toi, tu la fais, cette plongée ? demanda Elena à son compagnon, devant tous les autres passagers.

— Oui, avec Justin. Les conditions vont être superbes, nous a promis John, lui répondit-il, sous le regard approbateur de Simon.

Mais au fond de lui-même, il ne pouvait concevoir de laisser Donald souffrir de la sorte. Son inquié-

---

19. Je ne mangerai plus, merci.

tude devait le trahir, car Elena lui prit discrètement la cuisse.

— Je vais jeter un œil sur notre malade, lui souffla-t-elle à l'oreille.

D'un hochement de tête, il acquiesça, soulagé que le tueur soit également en plongée, donc loin de la femme qu'il aimait. Puis le policier se dit que si l'état du Californien venait à se détériorer davantage, il ferait pression directement auprès du capitaine afin de le faire transporter de toute urgence à l'hôpital. Il avait d'ailleurs vérifié avec lui, peu de temps avant le repas, que la ville de Malé se situait à une distance raisonnable. Thierry lui avait confirmé que la capitale était à moins de trente minutes de leur position actuelle. Le Français lui avait également dit se soucier de l'état inquiétant de Don.

* * *

Vers 19 h 15, David se dirigea vers le dhoni, laissant sa douce derrière lui. Il lui envoya un baiser en vol et alla rejoindre le Londonien.

Ayant également remarqué la dégradation de la santé du Californien, Jacky eut le même réflexe qu'Elena lorsque le reste du groupe partit. Arrivées nez à nez à la cabine numéro quatre, elles se regardèrent d'un air compatissant et cognèrent simultanément.

— *It's open*[20], entendirent-elles.

La Torontoise prit les devants et ouvrit la porte. Elle découvrit le malade couché dans son lit, le teint

---

20. C'est ouvert.

blafard. Elle s'approcha de lui et mit sa main sur son front. À sa surprise, il ne faisait pas de fièvre. Plié par la douleur, Don la regardait, l'implorant de l'aider.

Elle lui posa quelques questions et finit par comprendre qu'il avait de sérieuses crampes abdominales, ainsi qu'une forte diarrhée. Elle lui parlait doucement, tout en émettant quelques réflexions à haute voix. Elle trouvait étrange qu'il soit si malade, alors que tous les autres passagers avaient mangé la même chose que lui au cours des deux dernières journées.

Elena ne pouvait rêver de plus belle occasion. Elle prétexta chercher des médicaments et se mit à fouiller dans la salle de bains ainsi que dans les effets personnels de Donald. Elle en profita pour leur tourner le dos et agrandit son périmètre de recherche dans ceux de Bertrand. Elle voulait absolument retrouver cette trousse de toilette.

Finalement, après une recherche minutieuse de presque toute la chambre, elle dut renoncer à son objectif. N'y comprenant plus rien, elle ne put que constater que le petit sac de cuir avait complètement disparu. Lorsqu'elle se retourna vers les autres, Don et Jacky l'observaient d'un air interrogateur.

Presque en sueur, à genoux sur le plancher près du lit du chambreur à moustache, la jeune femme croisa le regard du souffrant, qui attendait une intervention de sa part. Elena ne trouva rien d'autre à dire que:

— *No IMODIUM here*[21]!

— *Let's see what the captain have in it first aid kit*[22], suggéra la Torontoise.

---

21. Pas d'IMODIUM ici!
22. Allons voir ce que le capitaine a dans sa trousse de premiers soins.

Après avoir apporté au malade quelques cachets dénichés dans la trousse du capitaine, les deux femmes décidèrent de laisser leur ami reprendre des forces. Elles convinrent d'aller lui rendre à nouveau visite dans la prochaine heure afin de vérifier son état.

Une fois sur le pont supérieur, elles burent une bière blonde et décidèrent d'aller profiter du jacuzzi, abandonné à lui-même dans cette nuit qui s'annonçait magnifique. En regardant le ciel étoilé, elles ne virent pas Thierry s'approcher d'elles.

— Bonsoir, mesdames !

Surprises, elles sursautèrent au son de sa voix. Il ne voulait pas les incommoder très longtemps et les informa qu'il désirait simplement prendre des nouvelles de son passager mal en point.

Jacky l'informa de la situation et poursuivit sur son élan en entamant une discussion avec lui sur les origines de sa passion pour la plongée sous-marine. Après quelques minutes de conversation, le capitaine semblait de plus en plus distrait et ne cessait de regarder sa montre.

— Mais qu'est-ce qu'ils foutent ? dit-il tout bas.

Puis l'Ontarienne lui demanda s'il comptait rester capitaine encore longtemps et s'il voulait fonder une famille un jour. En guise de réponse, le grand Français fixa l'horizon d'un air anxieux.

Avant même qu'Elena ne lui demande si quelque chose le tracassait, il prit son portable et se mit à parler dans une langue dont elle ne saisissait pas un mot. C'est à ce moment précis qu'un membre de l'équipage se pointa sur le pont, scrutant à son tour les profondeurs de la nuit, espérant apercevoir le dhoni sur son chemin du retour.

Les deux vacancières devinrent bien silencieuses dans leur bain à remous, qui leur parut lassant, tout à coup. Elles savaient intuitivement que quelque chose ne se passait pas comme prévu et jugèrent qu'il était temps pour elles de sortir de l'eau. Elles s'enroulèrent chacune dans une serviette et s'approchèrent des deux hommes, espérant comprendre ce qui se passait.

Après quelques minutes à discuter avec son interlocuteur, Thierry ferma son téléphone et fila à toute allure vers le pont inférieur, ignorant les deux femmes. Tout en marchant derrière lui, Elena fut la seule à comprendre les mots qui sortirent de sa bouche.

— Putain de bordel de merde !

Jacky et la jeune chamane suivirent le capitaine tant bien que mal et tentèrent de l'aborder, mais celui-ci alla rejoindre ses autres employés maldiviens et se mit à leur parler dans leur langue maternelle. Elles virent par la suite le Français sauter dans le Zodiac, qui était toujours accroché à l'*Ocean Cruiser*, pour ensuite partir à vive allure avec deux de ses hommes de confiance. Il ne leur accorda aucun commentaire ni quelconque attention.

Quelques secondes plus tard, une immense sirène se fit entendre à des kilomètres à la ronde. Le son provenait du pont supérieur, où les antennes et le radar de l'embarcation étaient fixés. Paniquées, les deux femmes cherchèrent à soutirer des informations à l'équipage resté à bord.

— *What's happening for God sake*[23] !? s'écria Jacky, complètement dépassée par ce vacarme aux allures dramatiques.

---

23. Que se passe-t-il, pour l'amour de Dieu ! ?

— *They lost two divers*[24], répondit Bruce.

— *Oh, it must be more complicated to find them during the night*[25] ! ajouta-t-elle, essayant de contenir son inquiétude.

Jacky connaissait le professionnalisme et l'expertise des membres de l'équipage.

— *This had never happened before. In fourteen years, Thierry has never lost anyone. Ever*[26], précisa-t-il, pour lui faire réaliser la gravité de la situation.

— *So, it's bad, isn't it*[27] ?

— *Mrs, it's very bad*[28].

La Torontoise ne parlait plus, paralysée par son malaise grandissant.

— *Who is missing*[29] ? demanda Elena, toujours mouillée à leur côté.

Le bruit de la sirène était assourdissant et cela n'aidait aucunement les deux femmes à garder leur calme. Même Donald vint se joindre à eux, allant mieux tout d'un coup. Ils regardèrent au loin les phares des bateaux qui cherchaient Tom et Bertrand dans les profondeurs de l'océan.

* * *

---

24. Ils ont perdu deux plongeurs.
25. Oh, cela doit être plus compliqué de les retrouver en pleine nuit !
26. Ce n'est jamais arrivé auparavant. En quatorze ans, Thierry n'a jamais perdu qui que ce soit. Jamais.
27. Alors, c'est grave, n'est-ce pas ?
28. Madame, c'est très grave.
29. Qui manque à l'appel ?

Après quarante minutes de recherches intensives, Thierry décida de raccompagner les autres plongeurs vers l'*Ocean Cruiser*, avant de revenir poursuivre ses efforts.

Revenu au yacht, le capitaine en profita pour enfiler un chandail plus chaud et appela les gardes côtières à nouveau. Il fallait absolument retrouver les deux hommes. Tous les plongeurs disponibles de son équipage étaient à l'œuvre, mais la noirceur des eaux n'aidait pas leur cause.

Lorsque David descendit du bateau, il alla immédiatement rejoindre Elena et la prit dans ses bras, également sous le choc. En silence, ils se regardèrent d'un air triste, présumant qu'on ne retrouverait pas les deux plongeurs.

Donald, qui n'avait plus de symptômes depuis une vingtaine de minutes, paniquait à l'idée de perdre ses deux nouveaux amis. Muette depuis un certain temps déjà, Jacky pleurait en silence, totalement pétrifiée devant l'éventualité de ne plus revoir son époux. Bien qu'elle ait obtenu du réconfort de la part d'Elena, qui l'avait prise plusieurs fois dans ses bras, rien ne pouvait atténuer sa douleur d'avoir probablement perdu Tom à jamais.

Une quinzaine de minutes plus tard, quelques bateaux supplémentaires se joignirent au dhoni ainsi qu'au Zodiac qu'avait utilisé Thierry. D'immenses phares lumineux sillonnaient au loin les eaux à la recherche des disparus.

Discrètement, David et Elena reculèrent et s'écartèrent du groupe aggloméré sur le pont. Le grand policier prit sa douce dans ses bras et ils en profitèrent pour discuter à voix basse.

— Alors c'était Tom… lui chuchota-t-il à l'oreille, d'un ton las.

— Et Don alors ?

— Tu as vu comme il va mieux ? Lussier l'a probablement empoisonné afin qu'il soit temporairement incommodé et qu'il ne puisse faire la plongée de nuit.

— Il savait que Jacky n'en faisait jamais la nuit, constata-t-elle. Oh, pauvre Jacky, c'est si triste pour elle ! Je savais que ça allait arriver, mais je refuse encore d'y croire. Pourquoi Tom ? Pauvre Jacky… répéta-t-elle une seconde fois, les larmes aux yeux.

— Et ils ne retrouveront aucun corps, c'est certain. Lussier est trop malin.

— Hum… oui, il l'est, reconnut Elena d'une voix presque inaudible. Il a réussi à faire disparaître la trousse où il cachait son poison, l'informa-t-elle. Alors personne ne soupçonnera Bertrand de quoi que ce soit.

— J'ai échoué, Elena…

— Non, NOUS avons complètement raté notre coup. J'ai seulement fait des transes au sujet de Bertrand et de sa bouteille. J'aurais dû en faire sur les autres passagers, afin de découvrir la vraie tournure de son plan.

— Tu l'as vu empoisonner Don. Comment pouvais-tu savoir qu'il ne s'agissait que d'une simple étape à son stratagème ?

— Je ne suis qu'une débutante… Et je me crois si bonne. C'est pitoyable…

— Et moi, j'étais sous l'eau, avec eux. J'ai essayé de garder un œil sur lui, mais dans le noir, c'était vraiment difficile. Je me fiais à la lueur de leurs torches… Je n'ai même pas pensé un seul instant que Lussier passerait à l'acte sous l'eau.

Moins d'un quart d'heure plus tard, un hélicoptère perça le ciel, s'ajoutant aux effectifs de recherche. Mais en vain.

Les passagers assemblés sur le pont prenaient conscience que non seulement leurs vacances venaient de connaître une fin abrupte et tragique, mais que, surtout, ils ne reverraient plus leurs nouveaux compagnons.

* * *

À plusieurs kilomètres des lieux de recherche, Rob Phantom Lussier se déplaçait à grande vitesse dans un petit yacht piloté par un jeune Maldivien, venu le chercher au point de rencontre prévu. Son complice conduisait l'engin avec adresse et ils filaient vers une petite île non loin de Malé.

Le tueur affichait un petit sourire satisfait et se laissait bercer par le vent du large, qui l'amenait bien loin des lieux de son plus récent crime. Il avait facilement pu écarter Tom du groupe et le diriger dans son piège, pourtant si simple. Assez loin des autres, il avait pu éteindre sa lampe de poche et briser celle de son partenaire. Surpris, ce dernier avait eu le réflexe de prendre sa torche de secours, mais Lussier l'en avait empêché. Avec une force inattendue, il avait réussi à immobiliser le Torontois et à fermer la valve d'oxygène de sa bouteille.

L'homme s'était mis à se débattre, cherchant à atteindre l'*octopus* de son assaillant, dans l'espoir de pouvoir respirer à nouveau grâce au dispositif de secours. N'y parvenant pas, il avait essayé de mettre la main sur l'élastique installé sur sa bonbonne d'acier. Muni d'un anneau métallique, il aurait pu produire suffisamment de bruit en le faisant claquer sur l'acier pour attirer l'attention des autres plongeurs.

Mais la surprenante force du criminel l'avait systématiquement empêché de bouger et, peu à peu, Tom s'était senti faiblir, pour finalement perdre conscience. Lorsqu'il n'avait plus offert de résistance, le Phantom l'avait saisi par les bras et, avec une aisance expérimentée, il s'était mis à nager en direction sud-ouest, entraînant le cadavre avec lui. Tout en gardant le cap, il avait agité ses palmes de façon régulière et soutenue, avançant dans la noirceur de l'océan vers son lieu de rencontre. Il n'avait pris aucune pause et, malgré sa récente prise de poids, ses muscles entraînés avaient bien répondu à l'effort exigé.

Après trente-cinq minutes de cet exercice éreintant, sa réserve d'oxygène d'air enrichi était sérieusement réduite. Aidé par le courant, il avait évalué la distance entre son emplacement et son lieu de rendez-vous comme étant suffisante pour effectuer le transfert. Il avait donc enlevé sa veste et revêtu celle de Tom, dont la bouteille d'air comprimé était encore presque pleine. À l'aide de crochets qu'il avait emportés avec lui, il avait fixé le corps de sa victime dans les profondeurs des fonds marins. Trois épais cordages le maintenaient solidement ancré sur un immense rocher. À ce moment-là, il ne savait pas si ce dispositif allait tenir bien longtemps, mais cela l'importait peu. Il était suffisamment loin du site de plongée pour retarder la découverte, presque improbable, du corps du Canadien.

Après avoir ajusté tant bien que mal sa nouvelle veste, trop petite pour lui, et vérifié son orientation géographique grâce à son ordinateur de plongée au poignet, il était reparti à vive allure. N'ayant plus de charge à transporter, il était arrivé dans les temps à son point de rencontre. Il avait fait de nombreux paliers de décompression, à cause de son long séjour en profondeur, puis avait refait surface à des kilomètres de son lieu de départ, mais exactement à l'endroit prévu.

Le Phantom se sentit extrêmement soulagé d'avoir accompli son devoir selon son plan original. Il avait eu des doutes, surtout lorsqu'il avait deviné la présence de cette sotte dans sa chambre, plus tôt dans la journée. Selon lui, il y avait anguille sous roche concernant ces deux tourtereaux du Québec et il comptait bien s'occuper de leur cas au moment opportun.

La petite embarcation dans laquelle naviguaient le Phantom et son complice arriva finalement à destination. Ce dernier lui tendit alors un sac noir en toile contenant un faux passeport canadien, une liasse d'argent, de nouvelles cartes de crédit, une arme ainsi que plusieurs accessoires nécessaires à son changement de look.

Rob Lussier prit le pistolet Glock entre ses mains et l'analysa brièvement. Il n'aimait pas ce modèle d'arme à feu, mais, pour ce qu'il avait en tête, ce pistolet pouvait suffire. Il le remit dans le sac et se leva enfin, laissant derrière lui sa combinaison thermique ainsi que la veste de plongée de Tom. Il prit son bagage de toile et sortit du bateau.

Puisqu'il n'était pas question de brûler quoi que ce soit, au risque d'attirer l'attention, une planque avait été aménagée en bordure de la forêt afin de dissimuler l'embarcation et son contenu. La cachette était constituée d'une énorme fosse qui, une fois remplie, ne pouvait aucunement être remarquée dans l'épaisse végétation adjacente à la plage.

Le complice du tueur enleva d'abord le moteur du petit yacht, avant de l'installer sur un second bateau, accosté non loin de là. Une fois sa tâche terminée, il retourna saluer son client, heureux d'en avoir terminé avec ce mystérieux contrat. Il avait reçu ses instructions uniquement par courriel, d'un certain M. J., ainsi qu'un paiement plus que généreux, considérant sa description de tâches. Il était habitué à de bien pires boulots. Il n'avait eu qu'à creuser la fosse, à trouver deux bateaux à bon prix, à préparer les effets personnels de son client et à assurer son transport.

Le Phantom regarda son partenaire marcher vers lui et, satisfait de son travail, lui serra chaleureusement la main. Alors que l'homme se dirigeait nonchalamment vers son embarcation, Lussier prit son arme de poing et lui tira plusieurs balles dans le dos. Surpris par cette attaque, le blessé se retourna lentement et tomba à genoux, face au tireur, qui le regarda sans dire un mot. Finalement, Lussier lui tira une dernière balle en pleine figure, exaspéré du temps que prenait sa victime à émettre son dernier souffle. Sans perdre une seule seconde, le tueur prit le corps inanimé et le traîna jusqu'à

185

la planque où le bateau était caché. Il y laissa également l'arme, qu'il n'avait plus l'intention d'utiliser, et se mit à remplir la fosse.

Totalement en nage après ses efforts, le tueur marcha quelques minutes le long de la plage, jusqu'à ce qu'il aperçoive l'escalier en bois qu'il cherchait. Il gravit les marches deux par deux, et arriva enfin à la magnifique résidence moderne qui lui servirait de refuge pour quelques heures. Cette impressionnante villa était généralement louée à de riches vacanciers, mais elle n'avait pas été occupée depuis plusieurs semaines.

Malgré la beauté des lieux et les pièces généreusement vitrées, Rob Lussier n'avait aucunement l'intention de s'y attarder. Il devait respecter son horaire. Dès qu'il entra dans la demeure, il ouvrit le réfrigérateur et découvrit tout ce dont il avait besoin. Il aimait travailler avec des gens compétents et détestait les écarts de conduite. Il avait demandé qu'une banane, des figues mûres ainsi qu'un yogourt nature soient au frais à son arrivée; c'est ce qu'il trouva.

Il s'assit sur le tabouret blanc de la cuisine, de style Art déco, et dévora sa collation avec appétit. Rassasié, il prit une longue douche avant de passer à la prochaine étape: modifier son look afin de devenir, le temps de son départ, Jason Moen. Dans son sac noir, il s'empara des ciseaux et du rasoir afin de couper sa moustache et de raser complètement ses cheveux. Il termina le travail avec du gel et une pioche, pour que sa tête soit parfaitement luisante. Il teignit ensuite ses sourcils blonds et apposa un faux tatouage d'ailes d'ange à l'arrière de sa nuque, de façon parfaitement centrée. La pointe des plumes montait légèrement sur son crâne. Le résultat était surprenant, quoique la pose fût pour lui une véritable acrobatie.

Finalement, il enfila un bermuda blanc et une chemise bleu foncé. Pour son nouveau personnage, il avait opté pour une tenue vestimentaire de style chic urbain. Il enfila des chaussures blanches Lacoste et, lorsqu'il jugea le résultat satisfaisant, il s'approcha du miroir afin d'apporter la touche finale à son style du tonnerre. Avec aisance, il mit délicatement deux verres de contact, qui conféraient à ses yeux une couleur bleutée.

Il n'était pas encore 1 h du matin et le Phantom pouvait se vanter d'avoir, encore une fois, réussi son coup. Son vol décollait de Malé à 6 h 35 le matin même et il avait un peu moins d'une trentaine de minutes de bateau à faire pour s'y rendre.

Il décida de s'asseoir un moment dans le fauteuil confortable du salon et de reprendre un peu ses forces, très sollicitées depuis le début de la soirée. Une fois assis, il entreprit une dernière étape avant de se permettre une pause. Au fond du sac de toile se trouvait son nouveau téléphone intelligent. Il l'ouvrit, se brancha sur Internet et, à l'aide d'un mot de passe sécurisé, accéda à son compte en banque. Tel que prévu, un virement bancaire de cent cinquante mille dollars avait été fait à minuit tapant. Aussitôt, il scinda le montant et effectua plusieurs transferts dans ses autres comptes, répartis dans les plus grandes banques du monde.

Soulagé que son périlleux contrat tire à sa fin, il régla l'alarme de son portable à 3 h du matin et posa finalement sa tête fraîchement rasée sur le coussin du fauteuil. Il s'endormit aussitôt.

Quelques heures plus tard, le tueur passa facilement la sécurité de l'aéroport de Malé et monta à bord d'un Boeing 747 en direction de Los Angeles, où il devait faire escale avant de prendre le prochain vol pour Toronto.

Il avait l'intention de rester quelques jours dans la métropole ontarienne avant de louer une voiture pour se rendre finalement à Montréal. Il avait appris au fil des ans à prendre son temps, à brouiller les cartes après son passage et, surtout, à croire en ses extraordinaires capacités de passer incognito.

Une fois au Canada, il changerait à nouveau de personnage, ce qui était d'autant plus facile avec le temps froid qui l'attendait à son retour. Il avait prévu une tuque, un accoutrement décontracté, des lunettes fumées et une prothèse dentaire particulière, qui lui donnerait, comme par magie, une nouvelle physionomie.

Assis dans son siège grand confort de la première classe de l'appareil, il se détendait, content de lui. L'agente de bord lui avait proposé un verre de mimosa, mais il l'avait poliment refusé. Étant parmi les premiers passagers à bord, le Phantom avait le loisir d'examiner la clientèle hétéroclite qui prenait peu à peu place dans l'avion.

Une jeune Indienne, dans des habits colorés, lui sourit en passant près de lui. Elle était suivie d'un individu à l'allure familière. Le tueur plissa le front en apercevant l'homme, dans la jeune cinquantaine, qui ressemblait étrangement à celui qu'il avait tué quelques heures auparavant. Il l'accompagna du regard, jusqu'à ce qu'il quitte son champ de vision. Il savait bien qu'il ne pouvait s'agir de Tom, mais cette apparition l'incommoda. Il n'avait pas l'habitude de réfléchir aux circonstances des crimes qu'il commettait, encore moins à ses victimes.

Finalement, il apostropha l'agente de bord et lui demanda un mimosa. Sans même prendre le temps de la remercier, il le but d'un trait. Cette rasade ne changea malheureusement rien à son état.

Commençait-il à faiblir ? Pourquoi avait-il imaginé Tom de la sorte ? Était-ce la vieillesse qui prenait le dessus ? Une multitude de questions surgirent dans sa tête, jusqu'à celle, fatidique, qu'il ne s'était jamais posée durant toutes ses années de carrière : sa victime méritait-elle de mourir ?

Il fit signe à nouveau à la jeune femme et lui commanda, malgré l'heure matinale, un double scotch, qu'il but aussi rapidement.

L'époux de Jacky était fort sympathique, reconnut-il, mais il avait commis une erreur, et ce, bien malgré lui. Tom avait été témoin d'un meurtre, réalisé par une personnalité très influente du Congrès américain. Une histoire bête, survenue il y avait plus de six mois, lors d'un voyage d'affaires à New York. Selon Lussier, il s'agissait d'un exemple parfait de mort inutile, occasionnée par une simple envie pressante d'uriner dans le stationnement d'un hôtel bon marché du quartier Soho de la

Grosse Pomme. Le Torontois avait été au mauvais endroit, au mauvais moment. Et sa présence fortuite l'avait assuré d'une mort prochaine en raison de la soif de pouvoir de l'assassin américain.

Mais un contrat était un contrat, se rappela le tueur. Après avoir bu son deuxième verre, il décida de s'allonger afin de dormir le reste du voyage, espérant ne plus avoir de telles pensées, qu'il jugeait faibles et empathiques.

Lors de son sommeil, il ne rêva pas à sa victime, à son grand soulagement, mais plutôt à David Allard, ce policier du SPVM pour lequel il avait d'autres projets.

DEUXIÈME PARTIE

Chapitre 6
La disparition

Vendredi 16 décembre 2011

Assise dans sa voiture, Elena était complètement pétrifiée. Les deux mains sur le volant, elle regardait les policiers à l'œuvre autour du bâtiment où vivait David. Cela faisait au moins dix minutes qu'elle avait laissé Richard à l'entrée de l'appartement de l'homme qu'elle aimait par-dessus tout, et elle n'avait pas bougé d'un centimètre.

De la buée sortait de sa bouche sous l'effet du froid qui prenait d'assaut l'habitacle du véhicule. La jeune femme était encore sous le choc de la disparition de celui qu'elle avait décidé de punir après qu'il eut osé l'embobiner avec cette histoire de croisière. Elle n'avait toujours pas démarré sa Focus et se contentait de fixer le vide devant elle, convaincue qu'elle ne pouvait être autre chose que la plus stupide des femmes. Les remords la paralysaient et lui donnaient la nausée.

À peine avaient-ils quitté la ville de Malé qu'Elena s'était donné des airs de victime et de femme blessée. Durant leur périple vers Montréal, elle avait voulu faire comprendre à son homme culotté que l'on ne jouait pas ainsi avec les Perrot.

Malgré la dissipation progressive de sa colère initiale, elle s'était quelque peu forcée à lui tenir tête. Ne s'était-elle pas promis de lui faire payer cette imprudence qu'il avait eue de lui mentir? De l'avoir mêlée à cette histoire de tueur à gages et, pis encore, de s'être servi d'elle afin d'utiliser ses capacités chamaniques? Elena s'était dit qu'elle ne devait, en aucun cas, laisser passer un tel affront. Dans le cas inverse, ne montrerait-elle pas une certaine faiblesse aux yeux de son conjoint?

Elle s'était convaincue que son attitude était justifiée et avait mis de côté son habituelle empathie et sa tristesse, pour laisser toute la place à une Elena endurcie.

Durant les seize heures de vol qu'il leur avait fallu pour atteindre Montréal, elle s'était répété de suivre son plan à la lettre. Il fallait qu'elle fasse réaliser à David qu'il avait dépassé les bornes en lui infligeant une lourde conséquence : couper les ponts avec lui quelque temps. Il avait rouspété, s'était opposé à cette décision, mais elle avait tout de même tenu tête. Plus il s'y opposait, plus elle devenait imperturbable.

Pourtant, une petite voix intérieure lui avait crié qu'elle exagérait et que ce temps de pause n'était rien d'autre pour elle qu'une occasion de le bouder, attitude infantile qu'elle méprisait d'habitude.

Aujourd'hui, en ce jour glacial de fin d'automne, elle ne pouvait que se trouver ridicule d'avoir poussé si loin ses intentions. David ne se sentait-il déjà pas assez coupable d'avoir échoué à contrer les plans du Phantom ? Des larmes se mirent à couler sur les joues de la jeune femme lorsqu'elle essaya de se souvenir des dernières paroles qu'elle avait dites à David. Avait-elle été bête et méchante ? Avait-elle pris ses grands airs de femme forte au regard réprobateur ?

Tout à coup, une personne vint cogner sur sa portière, ce qui la fit sortir de ses pensées coupables. N'y voyant rien avec le givre qui couvrait la vitre, elle ouvrit la portière et reconnut la silhouette de Richard.

— Ça va, Elena ? lui demanda-t-il.

— Pas vraiment, non.

— Rentre chez toi, je te tiens informée au moindre nouveau détail. Promis. Nous allons le retrouver rapidement, tu verras.

— J'ai été idiote avec lui... se surprit-elle à lui avouer.

— Je suis certain que non, voyons. David te pardonnerait n'importe quoi, de toute façon.

— Justement, j'aurais dû faire la même chose avec lui...

— Ça ne change rien aux récents événements. Tu n'as pas à te sentir coupable dans cette histoire-là, tenta-t-il.

— Tu vas le retrouver ?

— David est mon ami et mon collègue. Je vais tout faire pour le retrouver. Absolument tout. Maintenant, démarre ta voiture, tu vas attraper froid à rester immobile comme ça. Rentre chez toi.

— Mais je dois retourner au transbo...

— Alors vas-y, la vie continue, après tout.

Elena se sentait comme une enfant impuissante et fragile, mais elle écouta les conseils du policier et démarra le moteur de sa Ford. Toutefois, elle ne voulait pas retourner travailler tout de suite. Elle devait d'abord effectuer une transe au sujet de son amoureux afin de s'assurer qu'il était toujours vivant. Et peut-être même de découvrir ce qui s'était passé dans son appartement. Elle se trouvait cependant à une bonne vingtaine de minutes de son domicile et devait composer avec les problèmes de circulation récurrents à Montréal. Si elle allait chez elle, elle s'éloignerait davantage du poste de transbordement. En bout de ligne, elle perdrait plus d'une heure en déplacements, simplement pour faire une transe de quelques secondes, ce qu'elle jugeait illogique.

Mais là n'était pas la véritable raison. Si elle retournait chez elle, la femme en peine passerait son temps à se morfondre et à pleurer toutes les larmes de son corps. Elle devait trouver un autre moyen.

— Et pourquoi ne pas essayer dans l'auto ? se dit-elle à voix haute.

Après tout, n'avait-elle pas réussi ses précédentes transes assises dans sa cabine à bord de l'*Ocean Cruiser* ?

Elle mit le chauffage au maximum et se dirigea vers la rue Hochelaga, juste à côté. Lorsqu'elle vit l'hôpital Louis-H. Lafontaine à sa gauche, elle appuya sur l'accélérateur, comme pour fuir l'idée même d'avoir recours à des soins psychiatriques. « Combien de chamans se sont retrouvés entre ces murs au cours du siècle précédent ? » se demanda-t-elle intérieurement.

Cherchant du regard un endroit propice pour mettre à exécution son plan, elle se rappela que bon nombre de parcs se trouvaient sur la route qu'elle prenait pour se rendre au transbo. Elle tourna alors à droite sur la rue des Ormeaux en se dirigeant vers le fleuve Saint-Laurent. Quelques centaines de mètres plus loin, elle tourna à gauche sur la rue Notre-Dame et vit immédiatement le parc Clément-Jetté, qui semblait l'inviter. N'ayant pas l'intention de quitter la chaleur confortable de son véhicule, Elena décida de s'engager dans l'une des rues longeant l'espace partiellement boisé, afin d'y trouver un coin tranquille à l'abri des regards. C'est alors qu'elle aperçut un petit tronçon de la rue Tellier se terminant par un cul-de-sac et qui donnait directement sur le parc.

— Parfait, se dit-elle tout haut, encouragée par sa trouvaille qui se situait à moins de cinq minutes de son lieu de travail.

Une fois sa voiture immobilisée dans un endroit paisible, elle examina les environs, afin de s'assurer qu'elle était bien seule dans les parages. Le parc était vide et la rue, complètement déserte.

Certaine de vouloir effectuer une transe malgré ces conditions, elle jugea qu'il lui serait plus facile de s'asseoir à l'indienne sur la banquette arrière. Après une certaine hésitation, elle coupa le moteur avant de s'installer : la chaleur ambiante devrait persister durant les quelques minutes nécessaires à son exercice. Certes, elle n'avait ni sa plume ni son tambour, mais elle sortit son portable de son sac à main et sélectionna une piste qu'elle avait ajoutée récemment à son répertoire musical : le son du tambour de son ancêtre, vibrant à un rythme régulier. Déjà, elle se félicitait d'avoir eu la brillante idée de réaliser cet enregistrement.

Confortablement assise, Elena tenta d'abord de faire le vide et de se calmer. La dernière heure avait été riche en émotions et elle devait absolument atteindre un certain niveau de quiétude afin d'espérer pouvoir réaliser sa transe. Après quelques minutes, elle jugea son état d'esprit satisfaisant et appuya sur son portable, afin de démarrer le doux tambourinement, qui l'apaisa instantanément. Elle se concentra de toutes ses forces sur David, dans le but d'orienter ses pensées vers l'homme qu'elle aimait tant et dont elle ne pouvait concevoir qu'il disparaisse ainsi.

Moins d'une seconde après avoir atteint un état de conscience propice, la sonnerie de son téléphone retentit, la faisant aussitôt rager de ne pas avoir désactivé les appels pour l'occasion.

— Patronne, on a un pépin. Où te caches-tu, bon sang ?

Elle reconnut immédiatement son employé Marcel, le seul à l'interpeller de cette façon.

— Je suis occupée. J'arrive dans dix minutes, d'accord ? Cela peut attendre ?

— Pas vraiment non. Je dois partir.

— C'est quoi le problème…

— Patrick s'est blessé. Je l'amène à l'hosto.

— Et merde ! C'est grave ? Il va bien ?

— Rien de grave, une vilaine coupure. Mais il a besoin d'un bon nettoyage et de points de suture. On a fait de notre mieux ici, mais c'est plus profond que ce que l'on croyait.

— Envoie Louise avec Pat. Toi, tu deviens contremaître pour un quart d'heure. Je ne peux pas perdre mes deux meilleurs hommes comme ça! Et malheureusement, je ne peux vraiment pas arriver tout de suite. Alors, tu prends la relève du transbo, ça te va?

— Oui, c'est noté. Et toi, tout va bien de ton côté?

— Non, ça ne va pas du tout, se surprit-elle à lui confier, mais puisque Marcel était son homme de confiance, elle ajouta: garde cela pour toi, mais David a disparu.

— Quoi? s'exclama le Sénégalais. Mais comment ça?

— C'est le mystère. La police le cherche, mais, pour le moment, on ne sait rien.

— Misère, Elena! Mais que pouvons-nous faire?

— On ne peut rien faire d'autre qu'espérer. La police fait tout ce qu'il faut pour le retrouver. Tu t'occupes d'avertir Louise qu'elle doit partir avec Patrick, d'accord? dit-elle, sachant que son adjointe administrative allait devenir colérique à l'annonce de cette consigne.

Elle raccrocha enfin et, sans même se soucier davantage de l'état de santé de son contremaître, elle se remit au travail avec ardeur.

Elle devait, coûte que coûte, retrouver son bel amoureux.

La chamane était prisonnière du corps qu'elle habitait, temporairement. Tout portait à croire qu'il s'agissait de celui de David, du moins elle l'espérait ardemment. Elle ressentait une certaine douleur physique aux membres inférieurs mais, malgré tout, elle se concentra sur sa vision, qui devenait floue par moments. La poussière des environs la prenait à la gorge. Mais où diable se trouvait-elle?

L'endroit était éclairé par une fenêtre rectangulaire, d'où la cime d'arbres était visible. Les murs semblaient en tôle et des palettes en bois, dont le contenu était emballé de plusieurs couches de pellicule plastique, parsemaient les environs. Elle semblait seule dans ce qui devait être un immense entrepôt.

Puis, sentant son esprit se détacher peu à peu de cette vision, elle entendit une voix qui venait de derrière.

— Alors David, tu en dis quoi? Tu embarques toujours?

Lorsque Elena ouvrit les yeux, toujours assise dans sa voiture, elle fut assaillie par un habituel tremblement, mais, cette fois-ci, accompagné d'un immense soulagement.

« Il est vivant », se dit-elle en soupirant, appuyant son visage sur ses deux mains refroidies. Elle n'était pas certaine de ce qu'elle avait vu, mais le plus important reposait sur la découverte et la certitude que son homme était sain et sauf, quelque part.

Et qu'il n'était pas seul.

* * *

Richard Brunet était sergent-détective au SPVM depuis déjà vingt-trois ans et jamais il n'avait été impliqué de manière aussi personnelle dans l'une de ses enquêtes. D'habitude, les patrons veillaient à ne pas attribuer une enquête à un policier intimement lié à une victime, mais, dans ce cas particulier, l'équipe entière connaissait le disparu. Pensif, il examina une dernière fois l'appartement de son collègue, avant de laisser l'équipe technique sur les lieux pour qu'elle termine sa besogne. Il désirait passer au bureau afin de s'entretenir avec son lieutenant.

Son estomac lui rappela qu'il était passé midi et le quinquagénaire décida de modifier son itinéraire afin d'aller chercher deux cheeseburgers au restaurant Harvey's, près du boulevard Pie-IX. Déjà David lui manquait, car il aurait certainement suggéré un meilleur endroit où casser la croûte. Ses suggestions culinaires permettaient, le temps d'un rapide repas, d'embellir leurs journées parfois frustrantes et souvent surchargées. Affamé, il décida de manger l'un de ses sandwichs directement au volant de son véhicule, au risque de salir son indémodable manteau Kanuk.

Quelques minutes plus tard, il arriva aux bureaux des crimes majeurs et se dirigea vers celui du lieutenant Dallaire, où il avait l'intention de terminer son repas.

— Salut Claude, dit-il en entrant dans son bureau.

Les deux hommes se connaissaient depuis des années, même bien avant l'époque où son supérieur actuel était encore son égal en tant que sergent-détective.

Richard avait volontairement décidé de ne pas déposer sa candidature pour le poste de lieutenant-détective de sa division lorsque celui-ci s'était libéré. Il appréciait trop le travail sur le terrain et, de toute façon, il n'avait pas un tempérament carriériste. Lorsque son ami Claude avait été promu à ce poste en 2005, il en avait été fort heureux pour lui. Certes, leur relation avait depuis quelque peu changé, mais, malgré les apparences, ils se considéraient encore mutuellement comme les mêmes vieux routiers de la promotion de 1979 du collège Maisonneuve. Leur parcours s'était poursuivi à l'École nationale de police de Québec, le temps de leur formation. Au début des années 1980, jamais ils n'auraient cru travailler ensemble pendant près d'un quart de siècle.

Tout à fait à l'aise, l'enquêteur Brunet mordit avec appétit dans son deuxième cheeseburger, qu'il comptait terminer rapidement afin de discuter sérieusement avec son patron.

— Alors, toujours rien dans l'appartement ?

— Non, répondit Richard, la bouche pleine. Les traces de sang ont été envoyées au labo, mais les gars n'ont rien trouvé d'autre.

— Pour le moment, on va garder la disparition de David à l'interne, je ne veux pas que cette nouvelle paraisse dans les médias. C'est un enquêteur assez connu…

Dallaire regarda Brunet quelques secondes en train de se goinfrer, puis il ajouta :

— Non, mais, tu le termines, ce foutu burger ? lui demanda le lieutenant, visiblement irrité de le voir mastiquer de la sorte devant lui.

Après avoir pris une dernière bouchée, Richard jeta l'emballage de papier dégoulinant de ketchup et de moutarde dans la corbeille près de la porte, sachant très bien, et à sa propre satisfaction personnelle, qu'une odeur de casse-croûte persisterait dans le bureau pendant des heures.

— Claude, je vais tout faire pour le retrouver, dit-il. En fait, je n'arrive pas à concevoir qu'un gaillard comme lui se soit fait enlever.

— Qui t'a dit qu'il s'était fait enlever ?

— Je voulais dire qu'il ait disparu, se reprit-il rapidement.

— Allard est un drôle de moineau. Je n'aime pas toujours son attitude de petit fendant, mais je dois reconnaître qu'il est un sacré bon policier. Et je ne serai pas surpris qu'il se soit embarqué dans une histoire rocambolesque dans le but d'épater la galerie.

— Voyons, tu as perdu la tête ? Il est parti sans son flingue et son cellulaire... Et sans en parler à sa blonde ! Selon moi, il s'est clairement passé quelque chose de louche.

— Peut-être. Mais tu le sais très bien, il faut analyser toutes les possibilités. À quand remonte sa disparition ?

— Difficile à dire. Je vais rencontrer ses parents plus tard aujourd'hui ; il leur a peut-être parlé depuis son retour de vacances. Mais, selon le peu d'indices dont nous disposons, sa disparition n'est pas survenue au cours de la nuit précédente. Elle remonte peut-être à deux jours. On le saura certainement d'ici la fin de la journée. Je compte retracer son horaire dans les moindres détails pour comprendre ce qui s'est passé...

Au moment même où il terminait sa phrase, on cogna à la porte. Il s'agissait de la jeune Kim Ladouceur, qui passa timidement la tête dans l'embrasure de la porte.

— Vous vouliez me voir, lieutenant Dallaire ? demanda-t-elle de sa douce voix.

— Oui, entre.

Richard regarda son collègue d'un œil interrogateur, démontrant son soudain scepticisme.

— Brunet, tu ne seras pas sur cette enquête. Ladouceur s'en chargera. Tu es déjà assez occupé avec la procureure de la Couronne en vue du procès d'Andrew McRay... Et de toute l'équipe, tu es celui qui est le plus personnellement impliqué dans cette disparition, dit Dallaire avec froideur.

— Il n'en est pas question, Claude ! Tu ne peux pas me faire ça ! David est mon partenaire et je vais découvrir ce qui lui est arrivé. Je suis le mieux placé pour faire cette enquête, justement parce que je le connais mieux que quiconque !

— Je m'attendais à ce que tu t'opposes à ma décision. Mais Kim travaillera sur ce dossier.

Dallaire regarda son vieux collègue un instant, en silence. Ayant sagement préparé cet entretien à l'avance, et connaissant son agent vétéran sur le bout des doigts, il précisa d'un ton calme, mais tout aussi ferme :

— D'accord, tu restes responsable de l'enquête, mais Kim t'épaulera.

Richard comprit qu'elle avait la responsabilité de dénoncer tout geste douteux ou irréfléchi de sa part. En d'autres termes, son supposé ami de longue date venait de lui imposer un chaperon, qui épierait chaque décision et développement dans son enquête.

Brunet se leva, jugeant en avoir assez entendu, et sortit du bureau en frôlant la sergente-détective Ladouceur au passage.

Laissant son orgueil de côté et voulant rester professionnel devant sa jeune collègue, il lui chuchota d'un ton encourageant :

— Tu viendras à mon bureau Kim, on a du boulot.

— D'accord, lui répondit-elle aussitôt, visiblement soulagée qu'il semble comprendre qu'elle n'ait rien à voir avec cette décision du lieutenant-détective.

* * *

Accoudée sur le bureau de Louise, à l'entrée du transbo, Elena regardait depuis une vingtaine de minutes les soumissions qu'elle avait sous les yeux. Le Groupe Perrot devait se procurer de nouveaux conteneurs et la directrice avait invité trois entreprises à proposer leurs produits et services.

Malgré les apparences, la jeune femme n'avait pas lu une seule ligne des documents posés devant elle. Avec le départ de son adjointe administrative pour l'hôpital avec Patrick, elle devait désormais répondre au téléphone qui ne dérougissait pas un seul instant.

— Groupe Perrot, bonjour. Comment puis-je vous aider ?

Elena répondait machinalement à chaque appel, en prenant bien soin de rester la plus polie et compétente possible. Toutefois, dès le combiné déposé, elle se sentait à nouveau s'enfoncer dans un monde parallèle, gravitant autour de son amoureux disparu. Ainsi, après chaque appel, elle retournait à sa paperasse par simple prétexte. Car, dans les faits, son intérêt portait sur tout autre chose.

Bien qu'elle eût la certitude que David était toujours vivant, Elena n'arrivait pas à saisir la signification de la brève scène qu'elle avait vue lors de sa transe. Pourquoi son policier était-il dans un entrepôt avec un autre homme ? Et pourquoi celui-ci lui parlait-il comme s'il le connaissait ? Elena avait refait la transe une seconde fois, espérant découvrir un indice sur la localisation de ce bâtiment en tôle grise, mais en vain.

Puis vinrent les habituels doutes : quand cette scène avait-elle eu lieu ? Peut-être était-elle à venir ? David était-il en danger ? Devrait-elle en discuter avec Richard ?

Le téléphone retentit à nouveau dans le bureau de Louise.

Malgré les circonstances, Elena put entrer chez elle plus tôt ce soir-là. Lorsqu'elle avait aperçu Patrick revenir au transbo vers 15 h, incommodé par un pansement à la main gauche, elle avait été soulagée de retrouver également son adjointe. Elle en était venue à la conclusion que le travail de réceptionniste ne lui convenait aucunement.

Dès qu'elle était allée retrouver son contremaître, elle l'avait questionné du regard.

— Je vais bien, lui avait-il affirmé, comprenant son langage corporel. Cela ne devrait pas affecter mon travail.

— Tu devras être prudent. Comment t'es-tu fait ça ?

— J'ai perdu pied et, en tombant, je me suis entré un débris pointu dans la main.

— En métal ?

— Non, en verre. Ne vous en faites pas, ils m'ont piqué contre le tétanos par précaution.

— Où te trouvais-tu lorsque c'est arrivé?

— Près de l'escalier de l'aire de chargement numéro un. Il n'aurait pas dû y avoir des déchets à cet endroit, si vous voulez mon avis.

— Il faudra rappeler l'équipe de Denis à l'ordre! Il faut resserrer l'entretien des voies de circulation dans le transbo, avait-elle conclu.

Elena avait vite communiqué avec son employé afin de corriger la situation. Après quoi, le retour au calme l'avait convaincue qu'elle pouvait dès lors quitter les lieux. Vers 15 h 45, elle avait pu se rendre chez elle.

Au cours de cette interminable journée, elle avait texté maintes fois Richard, mais il lui avait appris bien peu de choses sur l'enquête. Elle avait découvert que David était entré en contact avec ses parents peu de temps après son retour de voyage, leur disant qu'il ne pensait pas se présenter au bureau le lendemain parce qu'il était trop fatigué.

L'agent Brunet l'avait informée que sa disparition devait remonter au soir même de cette discussion, sinon il aurait vraisemblablement pris la peine d'appeler au bureau le jour suivant pour signaler son absence, d'autant plus qu'elle était réfléchie. Également, l'analyse préliminaire des taches de sang retrouvées sur le plancher de son appartement avait révélé que celles-ci étaient complètement asséchées, ce qui semblait corroborer l'hypothèse que David manquait à l'appel depuis la nuit du mercredi 14 décembre.

Assise sur le canapé de son salon, la jeune femme flattait machinalement son chat Jeffrey, ce qui n'empêchait guère son félin d'apprécier ses caresses. Le ronronnement de son angora turc était apaisant et accentuait son état végétatif.

— Deux jours Jef, cela fait deux jours que David est parti.

Elle releva aussitôt la tête, surprise de ce qu'elle venait de dire. Était-il vraiment disparu, ou simplement parti de son plein gré ? Son chat se leva alors et lui lécha le bout du nez, avant de redescendre pour se rendre à la fenêtre.

Elena n'avait même pas encore pris la peine d'informer sa propre famille de la terrible nouvelle. Elle prit son portable, qu'elle avait toujours près d'elle, et composa le numéro de sa sœur Amélia. Mais jugeant que cette annonce allait sensiblement la troubler, elle changea d'idée au dernier moment.

La future mère se portait à merveille et elle entamait son sixième mois de grossesse. Elena avait réalisé juste à temps que la nouvelle de la disparition de David aurait pu la perturber, surtout à quelques jours de la fête de Noël. Si la situation se résorbait sans heurts rapidement, ce qu'elle espérait, elle l'aurait inquiétée pour rien.

Elena voulut ensuite en discuter avec son père, mais le simple risque que sa mère décroche le téléphone fut une raison suffisante pour la faire changer d'idée.

Finalement, elle se leva et décida de prendre une longue douche. Après quoi, elle mangea rapidement un œuf brouillé accompagné d'une rôtie à la confiture de fraises.

Son réfrigérateur était presque vide et elle passa à deux doigts de se mettre une tuque sur la tête, même si ses cheveux étaient encore mouillés, et d'enfiler ses bottes afin de se rendre au marché le plus proche. Mais cet élan avorta par lui-même au bout de quelques secondes seulement.

Tout compte fait, elle retourna dans sa chambre et, malgré l'heure hâtive, elle se laissa choir dans son lit. Son cadran affichait 17 h 44, mais la noirceur de la soirée naissante, jumelée aux effets du décalage horaire, l'invitait déjà à rejoindre les bras de Morphée.

Le retour au froid québécois et aux courtes journées hivernales ne se faisait pas sans heurts pour la jeune femme. Elle s'avoua regretter cette croisière, qu'elle avait pourtant détestée par moments. Sentant les larmes sur le point de surgir à nouveau, elle décida de réaliser une autre transe sur David. En deux jours, bien des choses avaient pu se passer, et elle comptait les découvrir.

Cette fois-ci, elle décida de suivre les enseignements de son ancêtre et prit sa plume de hibou entre ses mains.

— Aidez-moi sur ce coup, dit-elle en déposant la plume sous son chandail.

Pour la première fois, elle s'était adressée à tous les chamans de sa famille, qui, selon les dires d'Aimée, étaient bien nombreux depuis des décennies. Elle prit ensuite son tambour en peau de bison et s'allongea sur son lit, comme elle le faisait auparavant.

Dès les premiers tambourinements, elle sentit la différence. L'enregistrement sonore de son tambour avait été utile, certes, mais rien ne pouvait se comparer aux vibrations pénétrantes de la peau de bison dans son corps.

Les échos de chacun de ses coups semblaient transpercer ses membres les uns après les autres. Rapidement, elle entra en transe avec une efficacité assurée.

Elena était en voiture. Le véhicule roulait lentement sur un grand boulevard qu'elle ne reconnaissait pas. Un cours d'eau se trouvait sur sa droite.

Le conducteur portait un bonnet en fourrure en guise de tuque. Une barbe fournie cachait la moitié de son visage. Elle ne le vit que quelques instants, mais comprit chacune de ses paroles.

— Alors, tout est clair David ?

— Ouais, je suis prêt.

— Tu vas voir, ça va bien aller.

La voiture entama un virage vers un domaine qu'Elena n'avait jamais vu. Une clôture en fer forgé noir encerclait l'enceinte. Une maison centenaire se trouvait à la gauche de l'entrée, alors que, de l'autre côté du passage, un drapeau du Québec flottait élégamment vers le ciel bleu.

Les deux hommes se turent lorsqu'ils arrivèrent à la guérite qu'ils devaient traverser.

Toujours étendue sur son lit, Elena ne comprenait rien. Elle avait été heureuse d'entendre la voix de David, mais les circonstances de ses deux précédentes transes la laissaient perplexe.

Lorsque le téléphone retentit dans la pièce sombre, elle prit l'appareil sans même s'en rendre compte, perdue dans ses pensées.

— Allô ? Il y a quelqu'un ? Elena ? Tu es là ?

Surprise d'entendre son nom, la jeune femme réalisa soudain qu'elle tenait son téléphone entre les mains.

— Charlotte ?

— Mais tu vis sur quelle planète ?

— Écoute, je viens tout juste de faire une transe et je n'avais même pas réalisé que j'avais répondu à ton appel, lui expliqua son amie.

— Oh... Drôle de situation. Et tu épiais qui ?

— Tu ne peux pas savoir à quel point tu tombes bien. Je suis complètement chamboulée depuis ce matin...

— Ce matin ? Mais qu'attendais-tu pour m'appeler, pour l'amour du ciel ! s'exclama sa grande confidente. Que se passe-t-il ?

— ... David a disparu.

— Quoi ? Il t'a quittée ?

— Non, il n'a plus donné signe de vie à personne depuis mercredi soir. La police le cherche. Personne ne sait où il se trouve. Son appartement a été fouillé, il y avait des traces de bagarre et de sang... Il est même parti sans son cellulaire et, pire, sans son arme ! raconta Elena, la voix tremblante.

— Mais qu'est-ce que tu me dis là ? Il a été kidnappé ?

— Je ne sais pas... Peut-être.

— Le gars mesure près de deux mètres, il pèse cent quinze kilos et il s'entraîne comme un fou plusieurs fois par semaine... Ça ne tient pas debout, cette histoire, voyons !

— Je ne sais plus quoi penser. La police non plus. Il n'est plus là, c'est tout... dit-elle avant que les sanglots l'empêchent de poursuivre.

— Ma belle, je m'en viens. D'accord ? J'arrive le plus rapidement possible.

Sans même lui répondre, Elena raccrocha. Elle se força à se lever, à ouvrir quelques lumières ici et là, et elle mit de l'eau à chauffer pour le thé, sachant que son amie serait chez elle dans moins de dix minutes.

Assise en silence dans le salon, Elena était étrangement concentrée sur le sachet de menthe poivrée qui semblait flotter par moments dans sa tasse. En face d'elle, Charlotte réfléchissait à ce que la chamane venait de lui expliquer.

— Donc, tu as fait deux transes prouvant que David est encore vivant, qu'il ne semble pas blessé et qu'il se déplace avec une autre personne… qu'il semble connaître. Et le pire dans tout ça, c'est que tout indique qu'ils préparent un coup. Ça ressemble à ça ?

— Ouais, quelque chose comme ça. Je ne comprends pas ce qui est en train de se passer…

— Eh bien moi, ce que je ne comprends pas, c'est que tu gardes tout ça pour toi ! Tu dois absolument avertir la police !

— Ah oui ? Et pour dire quoi : « Bonjour, j'ai des visions et je peux vous aider » ? Je vais passer pour une folle.

— Dans ce cas, que comptes-tu faire ? Procéder à ta propre enquête ? ironisa son amie.

— Pourquoi pas ?

— Tu as perdu la tête ? David a un partenaire de confiance, non ? Un certain Robert ?

— Richard.

212

— Bon, je crois que tu dois aller le rencontrer. En privé. Il comprendra peut-être mieux tes transes. Le bâtiment clôturé, avec une guérite, c'est un indice solide ! Il faisait jour ?

— Euh, oui. Il faisait soleil et le vent semblait soutenu. Une chose est certaine, il ne neigeait pas.

— C'était près de l'eau ?

— C'est ça.

— Fais une Elena Perrot de toi-même ! Tu es la personne la plus fougueuse, déterminée et entêtée que je connaisse. Aide-toi en communiquant avec ce Richard. Pour une fois, je te donne un conseil réaliste et vraiment utile. Vous pouvez vous aider mutuellement.

— Il va me prendre pour une cinglée !

— Mais non ! Je suis certaine qu'il t'écoutera. Comme David l'a fait. Il n'a jamais ri de toi et il t'a crue.

— Facile, il était en amour par-dessus la tête avec moi !

— Bah, je suis certaine que son partenaire ne résistera pas à ton charme ! Tu l'as déjà rencontré ?

— Oui, c'est un bon gars.

Les deux amies se regardèrent un moment, convaincues d'être sur la bonne voie. Puis, tout à coup, Charlotte se mit à éviter le regard d'Elena, gênée de l'idée qui venait de lui traverser l'esprit.

— Quoi ? lui demanda la chamane, comprenant immédiatement que quelque chose clochait.

— Je peux te donner mon avis franchement ?

— Tu me le donnerais même si je n'en voulais pas…

— Ça, c'est certain. Eh bien, je crois que ton policier s'est vraiment foutu dans une merde pas croyable.

— Une enquête spéciale ?

— Je ne sais pas trop. En fait, j'en doute. Mais avec le coup de salaud qu'il t'a monté aux Maldives, ton mec a perdu des points.

— Tu dis quoi, là ?

— Qu'un menteur restera toujours un menteur. Et David en est un.

Chapitre 7
Matricule 2379

Vendredi 16 décembre 2011

Certains jours peuvent parfois paraître plus longs que d'autres, voire carrément interminables. Et pour Richard, ce vendredi de décembre venait de gagner la palme de la journée qui ne semblait jamais se terminer.

Afin de se motiver à poursuivre ses efforts, le sergent-détective s'était permis une petite pause bien méritée en retournant chez lui quelques instants. Il comptait profiter d'un rapide repas chaud, mais, surtout, il espérait grandement retrouver l'usage de ses pauvres pieds gelés.

À peine avait-il franchi le seuil de sa maison qu'il se dirigea vers sa chambre afin d'enfiler une seconde paire de chaussettes, suivie de ses grosses pantoufles en cuir. Les orteils bien au chaud, il alla enfin rejoindre sa femme qui faisait des mots mystères dans la cuisine.

Marié à son amour de jeunesse, l'enquêteur menait une vie bien rangée dans sa coquette maison de la 52e Avenue, près du fleuve Saint-Laurent et du parc Clémentine-De La Rousselière. Parfaitement entretenue, leur modeste demeure avait vu sa valeur marchande croître au fil des ans, notamment en raison de son emplacement privilégié. Mais loin d'eux l'intention de vendre leur bel havre de paix !

Légèrement plus âgée que lui, sa femme Pierrette travaillait à la bibliothèque de Pointe-aux-Trembles, à quelques minutes à pied de leur résidence. Elle se passionnait pour la littérature et appréciait tout particulièrement l'odeur des pages d'un bon bouquin. Pour elle, son travail représentait un mode silencieux de protestation contre la popularité grandissante de l'ère numérique.

Malgré ses cinquante-cinq ans, elle n'envisageait aucunement de prendre sa retraite prochainement. Elle adorait son travail et craignait de se languir seule à la maison, sans son conjoint. Car il était très clair pour le couple que Richard ne cesserait guère de travailler de sitôt. En fait, Pierrette était convaincue que l'équilibre mental de son mari était étroitement lié à sa passion pour son exigeant boulot. Le policier se plaisait d'ailleurs à dire qu'il quitterait son poste uniquement lorsque son lieutenant le jugerait trop désaxé et fainéant pour vaquer à ses tâches.

Leurs deux fils, Luc et Jonathan, âgés respectivement de trente et un et de vingt-huit ans, avaient quitté la demeure familiale quelques années auparavant. Le couple avait donc dû réapprendre à vivre ensemble, ce qu'il avait aisément fait, profitant ainsi pleinement de sa nouvelle liberté.

Excellente cuisinière, Pierrette avait toujours un bon petit plat au four pour son époux. Elle cuisinait pour lui par plaisir, et non par obligation, ce qu'elle s'empressait de répéter à ses collègues de travail.

Lorsqu'elle vit son homme ce soir-là, elle sut immédiatement qu'il n'était que de passage. Mais cela ne l'importuna guère. Elle avait appris depuis longtemps à ne plus attendre son mari et à accepter les aléas de son métier. De toute façon, si elle ne les avait pas acceptés, elle n'aurait jamais pu poursuivre sa relation avec lui, elle en était convaincue. Cela avait d'ailleurs amené le couple à apprécier chaque moment passé ensemble, ne sachant jamais lorsque le téléphone portable du policier viendrait briser cette quiétude.

Dès son entrée dans la cuisine, Richard expliqua à Pierrette la nature de sa nouvelle enquête et elle comprit qu'il ne rentrerait probablement pas cette nuit-là. Tel était souvent le cas lors de nouvelles enquêtes sur des disparitions douteuses.

Elle lui servit un morceau de pâté au poulet, qu'il dévora avec appétit, accompagné d'un verre de lait. Aussitôt son repas terminé, il se précipita vers la salle de bains afin d'y faire un brin de toilette. À peine avait-il terminé de se brosser les dents que son portable sonna.

— Brunet, répondit-il.

— Oui, euh… Richard ?

— Ah, bonsoir Elena. Tu tiens le coup ?

— Je crois, oui. Une certaine Kim m'a téléphoné pour me rencontrer demain matin.

— Elle est ma partenaire. Nous sommes à reconstruire, heure par heure, tous les faits et gestes de David depuis son retour de vacances. Même si nous savons que vous ne vous êtes pas vus, tu fais tout de même partie de l'enquête, tu comprends ?

— Certainement. Le contraire m'aurait étonnée. Mais, je me demandais si nous pouvions nous rencontrer ce soir. Toi et moi.

— Ah, bon… Je suppose que c'est possible.

— C'est très important, Richard, ajouta Elena en sentant le policier quelque peu hésitant. Et David m'a toujours dit que je pouvais te faire confiance.

— Tu sais quelque chose ? lui demanda-t-il, curieux.

— Tout dépendra de toi. Mais c'est primordial que l'on se parle.

— Bon, si tu le dis. On se rencontre dans un Tim Hortons ? Il y en a un, rue Sherbrooke Est.

— J'aurais préféré un endroit plus discret.

— Alors… si tu le veux, je peux venir chez toi. Je suis à Pointe-aux-Trembles ; je peux y être dans une quarantaine de minutes.

— Ça te fait tout un détour ! constata-t-elle.

— Dans ce cas, réfléchit-il quelques secondes, que dirais-tu de l'appartement de David ?

— Ah, si tu veux. Je peux y être dans vingt minutes.

— À tout de suite, Elena.

Richard prit soin de faire la bise à sa femme et en profita pour lui souhaiter une bonne nuit. C'est ainsi qu'à 21 h 15, il sauta dans son véhicule, les pieds bien au chaud, et se dirigea vers l'autoroute 40 Ouest, afin de se rendre, une fois de plus, dans la rue Bossuet.

* * *

Après le départ de Charlotte, Elena avait pris la décision de tout raconter au partenaire de confiance de son copain. Elle jugeait, comme son amie d'ailleurs, qu'il n'y avait pas d'autre option possible, craignant que la vie de son amoureux soit en danger.

Malgré les doutes naissants de sa confidente, elle croyait toujours au fond d'elle-même que quelque chose de grave attendait son homme. Et elle avait cru bon d'entrer immédiatement en contact avec Richard, ne pouvant se permettre d'attendre au lendemain matin.

Lorsqu'elle se gara devant l'immeuble du disparu, Elena eut un pincement au cœur, mais elle prit son courage à deux mains et sortit rencontrer le policier qui l'attendait déjà.

Il l'invita à entrer dans l'appartement et ils s'assirent dans la salle à manger. La jeune femme resta muette un moment, scrutant l'endroit silencieux.

— C'est étrange de se retrouver ici sans lui, confia-t-elle.

— Oui, j'avoue. Mais tu y serais revenue de toute façon demain, avec Kim.

— Ah oui ?

— Nous voulions en faire le tour avec toi pour nous assurer qu'il ne manque rien. Du moins, à tes yeux.

La jeune femme acquiesça en silence. Richard reprit rapidement la parole.

— Tu veux qu'on le fasse tout de suite ? lui suggéra-t-il.

— Euh, pouvons-nous attendre ? J'aimerais mieux te dire ce que je sais avant.

Le policier sortit son précieux bloc-notes ainsi que son stylo à bille et releva la tête.

— Je t'écoute, Elena, lui dit-il avec un regard bienveillant.

La chamane se leva et se dirigea vers la cuisine, où elle se servit un verre d'eau. Elle demanda du regard à Brunet s'il en voulait un, mais il déclina poliment son offre. Lorsqu'elle s'installa de nouveau devant lui, elle but d'abord une longue gorgée avant de prendre la parole.

— Richard, ce que je vais te dire me demande tout mon courage. Je ne t'aurais pas téléphoné si je ne croyais pas la situation urgente et d'une importance capitale. Mon appel de tout à l'heure repose uniquement sur la confiance absolue que te voue David.

Elena prit une seconde gorgée et déposa, très lentement, son verre sur la table.

— Alors voilà... je possède certaines facultés particulières dont seules quelques personnes sont au courant. Je les ai découvertes en juin dernier, alors nous pouvons dire que c'est encore assez nouveau pour moi.

Elle prit une pause, presque intimidée devant cet homme qu'elle connaissait peu.

— Vois-tu, j'ai des visions dont certaines peuvent être prémonitoires. Mes ancêtres qualifiaient les gens comme moi de chamans. Crois-moi, je n'ai pas choisi de l'être. Mais il y en a toujours eu chez les Perrot, depuis onze générations, et il semble que j'en sois un. Au stade où j'en suis, je ne peux pas tout faire, mais je peux voir certaines choses ou scènes qui peuvent survenir à un moment ou un autre dans un avenir rapproché. J'ai ces visions grâce à des transes. Elles ne sont jamais bien longues, mais elles sont toujours très révélatrices. Tu me suis ?

Devant le regard incertain de Richard, elle ajouta aussitôt :

— David est au courant, il me croit et je lui en ai démontré maintes fois la preuve. La raison pour laquelle nous étions en froid repose d'ailleurs là-dessus : il a voulu m'utiliser à son avantage, sans m'en parler au préalable.

— Ça ne me surprend pas de lui !

— Tu le connais… dit-elle, avec un sourire en coin.

Même s'ils s'étaient croisés dans des circonstances moins plaisantes à la suite de l'agression qu'elle avait subie en juillet, Richard et Elena avaient pu faire plus ample connaissance lors d'un souper organisé par David, en septembre. Les deux couples s'étaient donné rendez-vous dans un restaurant animé où l'on pouvait suivre le match des Alouettes en direct sur écran géant.

Ce soir-là, les deux conjointes avaient rapidement fraternisé. Elles avaient partagé un pichet de sangria, tandis que les deux hommes avaient préféré la bière. Encore une fois, le quinquagénaire avait fait confiance à son fringant collègue pour lui suggérer un plat épicé dont il n'avait pas l'habitude, sous le regard amusé de Pierrette.

Avec la belle Perrot au centre de l'action, la soirée avait été un succès sur toute la ligne, accentué par une victoire écrasante de l'équipe de football montréalaise. Avec ses cheveux soignés, sa petite chemise cintrée blanche et son sourire contagieux, elle avait immédiatement gagné Richard.

En ce soir de décembre, la jeune femme assise devant lui avait quelque peu perdu de son éclat, ce qui était bien normal dans les circonstances. Malgré tout, son regard laissait encore entrevoir cette force brute qui l'habitait. Le policier percevait très bien cette étincelle dans son coup d'œil, qui inspirait confiance.

Elena avait cessé de parler et regardait Richard calmement, attendant sa réaction. Malgré ses traits tirés, sa queue de cheval faite à la va-vite et son chandail de coton trop ample pour elle, la jeune femme resplendissait dans cet appartement froid et terne. Et tout compte fait, le policier réalisa qu'il avait peut-être même plus de respect pour elle qu'il n'en avait pour son partenaire.

Richard ne pouvait faire autrement que de la croire sur parole, comme s'il avait été envoûté par la chamane qui le suppliait du regard. Avec son calme habituel, il prit son stylo, ouvrit son calepin à une page vierge et se prépara à écrire.

— Bon, quelles visions as-tu eues ? demanda-t-il, le plus simplement du monde.

Légèrement surprise de sa réaction, Elena hésita à lui répondre.

— Euh… Tu me crois ?

— Écoute, David est le gars le plus rationnel et terre à terre que je connaisse. S'il y a un sujet à éviter avec lui, c'est bien tout ce qui touche à la spiritualité ou à la religion. Alors si tu me dis que tu l'as convaincu, sache que je n'ai absolument aucun autre choix que de te croire.

Satisfaite, la chamane entama son récit sur les deux transes qu'elle avait effectuées au cours de la journée. Elle tenta de relater les moindres détails qu'elle avait elle-même notés, espérant qu'ils seraient plus révélateurs pour Richard qu'ils ne l'avaient été pour elle. Elle lui parla de sa première vision dans l'entrepôt poussiéreux. Puis de la seconde, dans la voiture qui roulait vers un endroit clôturé le long d'un cours d'eau. Richard écrivit dans son carnet, sans même relever la tête une seule fois. Lorsqu'elle eut terminé, elle prit une pause, attendant un commentaire de sa part.

Finalement, après avoir relu ses nombreuses notes à quelques reprises, le policier leva la tête et regarda Elena dans les yeux. Puis, sans dire un mot, il détacha de son bloc-notes la feuille griffonnée sur laquelle il venait d'écrire le témoignage d'Elena.

La jeune femme ne sut comment réagir. Avant même qu'elle n'émette un son, il prit la parole.

— Tu as entendu des voix masculines lors de tes deux visions, est-ce qu'il pourrait s'agir de la même personne ?

— Oui, répondit-elle aussitôt, le voyant ensuite reprendre des notes sur sa feuille.

— Tu dis qu'il l'a appelé par son prénom ?

— Oui, ils semblaient se connaître.

— Et toi, l'as-tu reconnu ?

— Il m'était familier, mais je ne l'ai pas reconnu.

— Donc, selon toi, David est vivant et se porte bien.

— Il semblerait, oui.

— Il t'a parlé de quelque chose durant vos vacances ? D'une enquête qui l'attendait à son retour, d'un cas à régler, bref, de quoi que ce soit qui t'a peut-être paru anodin sur le coup, mais qui pourrait être révélateur aujourd'hui ?

— Euh, pas à ce que je sache. Je suppose que je n'étais pas au courant de tout...

Après une petite pause, Richard enchaîna.

— D'après toi, pourquoi voulait-il aller à Bordeaux ?

— Où ?

— Ta deuxième vision, c'est la prison de Bordeaux.

— Ah oui ?

— Ce centre de détention est situé sur le boulevard Gouin, tout près de la Rivière-des-Prairies. Tu as bien dit que le véhicule longeait un cours d'eau, n'est-ce pas ? Et la vieille demeure dont tu parles à l'entrée du site, près de la clôture métallique, c'est la maison Pierre-Persillier. Il s'agit de l'ancienne maison de ferme qui était dressée sur les terres où l'on a construit la prison. Je ne vois pas d'autres possibilités.

— Mais, pourquoi voudrait-il aller là-bas ?

— Aucune idée, c'est pourquoi je te pose la question.

— Je ne sais vraiment pas, moi non plus. Et l'entrepôt de la première vision ?

— Il y en a tellement, c'est comme chercher une aiguille dans une botte de foin ! Dis-moi, tu as fait ces deux transes aujourd'hui ?

— Oui, à quelques heures d'intervalle seulement.

— Et crois-tu que ces scènes ont eu lieu au cours de la même journée ?

— Tout ce que je sais, c'est qu'il faisait soleil et qu'il ne neigeait pas dans les deux cas. C'est tout. Je n'ai même pas pu voir leur tenue vestimentaire pour les comparer.

Richard prit la feuille de notes et la plia en deux avant de la glisser dans la poche de sa chemise.

— Elena, tout ce que tu viens de me raconter ne doit pas se savoir. Ça reste entre toi et moi.

Le policier se leva et se dirigea vers la grande fenêtre pour observer le vent glacial se lever. L'hiver québécois avait décidé de se montrer le bout du nez bien hâtivement. Richard prit quelques minutes de réflexion, puis il se retourna vers la belle brune.

— Tu as bien fait de m'en parler, Elena. Mais, malheureusement, je ne peux pas faire part de ces informations à quiconque de mon équipe. Car tu comprendras que les transes ne sont pas reconnues comme étant des preuves ni même des indices fiables. Je crois que le simple fait d'en glisser un mot à mon lieutenant me ferait suspendre de mes fonctions ou passer pour un cinglé.

— Alors, tu ne peux pas te servir de ces informations dans tes rapports ?

— Eh bien, il y aura désormais deux enquêtes. La nôtre, et celle du SPVM. Et nous travaillerons d'arrache-pied pour qu'elles finissent par se chevaucher. Tu comprends ?

— Je crois.

— Et je réagis de la sorte uniquement parce qu'il s'agit de mon collègue et ami. Je vais donc faire tout ce qui est en mon pouvoir pour le retrouver, même écouter sa copine chamane, lui dit-il en lui faisant un petit clin d'œil. D'ailleurs, je suis vraiment soulagé d'apprendre qu'il est en vie, si tu dis vrai, bien entendu. Mais je suis tout autant inquiet de ce que je vais découvrir sur notre drôle de moineau.

Elena se leva à son tour pour le rejoindre. Ils restèrent ainsi côte à côte, pensifs, fixant les branches dénudées du grand chêne se faire malmener par les rafales qui frappaient la métropole. Tous deux se posaient les mêmes questions en silence : pourquoi David aurait-il concocté un tel projet secrètement ? Pourquoi restait-il caché, sans donner de nouvelles à personne ? Avait-il un complice ? Quel intérêt avait-il à se rendre au centre de détention de Bordeaux ? Dans quel merdier s'était-il enlisé ?

Leurs interrogations furent interrompues par un signal sonore provenant du téléphone portable de Richard. Il lut le message texte qu'il venait de recevoir.

— Bon, c'est fait. Un signalement interne a été émis à tous les corps policiers du Québec et de l'Ontario sur la disparition de David.

— Pourquoi ne faites-vous pas un signalement public ?

— Ça ne devrait pas tarder. Le lieutenant Dallaire espère toujours régler ce type de dossiers sans attirer l'attention des médias. Habituellement, on peut faire une sortie publique relatant la disparition d'un homme, sans préciser qu'il est policier. Mais David est très connu, surtout depuis l'enquête sur McRay, qui vient tout juste de se terminer. Les médias vont le reconnaître tout de suite si on lance sa photo…

— Je comprends.

— Alors Elena, si tu ne veux pas revenir ici demain avec Kim, faudrait faire le tour de l'appartement.

— Oui, finissons-en.

Cela faisait quelques semaines déjà qu'elle n'avait pas mis les pieds dans le logement de son amoureux, il lui était donc difficile de se remémorer chaque détail.

— Dis-toi que même si vous êtes partis quelques semaines, dans les faits, David y est revenu seulement une journée. Alors il ne devrait pas y avoir d'importants changements depuis votre départ aux Maldives. Autrement dit, fie-toi à ta mémoire, l'encouragea le policier, comme s'il avait entendu ses doutes.

— Oui, c'est vrai, approuva la jeune femme.

Ils marchèrent lentement dans le salon, où la table basse était renversée. Des télécommandes et quelques magazines, qui traînaient habituellement à cet endroit, jonchaient le sol. Une lampe d'appoint était brisée et des éclats de porcelaine étaient éparpillés.

— Vous n'avez rien rangé ? demanda Elena en observant les signes de bagarre dans la pièce.

— Non. David ramassera ses affaires lorsqu'il reviendra, répondit Richard à la blague, ce qui fit sourire Elena, malgré les circonstances.

Ils traversèrent rapidement le corridor afin de se rendre à la chambre à coucher. Le lit était défait et le chandail bleu qu'elle aimait tant se trouvait par terre, en boule. Elle ne remarqua rien de louche, outre le passage d'un homme qui avait traîné au lit.

— Il a discuté avec ses parents, tu dis ?

— Oui, mercredi en fin de journée. Voici ce que nous savons : il était prévu qu'il revienne travailler hier, mais on espérait qu'il fasse un tour au bureau avant, chose qu'il n'a pas faite. Nous avons appris qu'il s'était entraîné au gym avec son ami Antoine mercredi matin, entre 9 h et 10 h 30. Selon l'état de sa chambre, tout porte à croire qu'il aurait flâné au lit le restant de la journée, ajouta Richard en montrant à Elena le coffret DVD de la série américaine *Breaking Bad* qui était par terre. En tout cas, il ne semble pas être ressorti de son appartement. Nous n'avons rien trouvé en ce sens.

Après avoir fait le tour du lit, le policier reprit :

— Il aurait fait deux appels : un à ses parents vers 17 h 30 et un autre à une pizzéria vers 18 h. Selon le livreur, la livraison a eu lieu vers 18 h 25. La dame du dessous affirme avoir perçu des voix fortes en début de soirée, vers 20 h. Elle se souvient également d'avoir entendu des bruits, probablement la table du salon qui s'est renversée ou la lampe qui est tombée. Puis, ce fut le silence. Des pas dans l'escalier, un peu plus tard dans la soirée, auraient attiré son attention, mais elle n'a pas pu préciser s'ils provenaient du logement de David.

Tout en discutant, Richard et Elena revinrent vers l'entrée, en scrutant du regard les autres pièces. La jeune femme tentait de garder la tête haute, malgré l'effort considérable que cela lui demandait. Revivre la dernière journée de David, telle que reconstruite par le SPVM, lui donnait la nausée. D'autant plus que la fatigue se faisait de plus en plus présente et qu'elle avait du mal à se concentrer.

Lorsqu'elle passa devant le bureau, elle s'arrêta net, soudainement ragaillardie.

— Ici ! dit-elle d'une voix assurée.

Comme il l'avait fait plusieurs fois au cours de la journée, Richard examina la petite pièce attentivement.

Une étagère remplie de bouquins de toutes sortes se trouvait près de la porte, alors qu'un bureau moderne donnait sur la petite fenêtre. L'espace était rangé et semblait ne pas avoir été utilisé depuis un certain temps.

— Le bureau était dans un fouillis total la dernière fois que je suis venue, dit Elena. Je m'en souviens très bien. Il y avait des boîtes de carton au sol et des dizaines d'articles de journaux étaient fixés sur les murs. Je croyais...

Elle s'arrêta un instant, réalisant qu'elle venait de se souvenir d'un élément important.

— Oh merde, laissa-t-elle échapper.

— Prends ton temps, tu dois te souvenir de tous les détails, lui rappela le sergent-détective, qui avait sorti à nouveau son calepin de notes.

— En fait, un seul détail me revient à l'esprit.

— Lequel ?

— Rob « Phantom » Lussier.

— Quoi ? s'exclama le policier, qui faillit laisser échapper son stylo.

— Son bureau était enseveli d'articles sur lui et je revois très bien dans mon souvenir que c'est ce nom qui était écrit au crayon-feutre sur les boîtes... Oui, j'en suis certaine ! Et tout a disparu !

— Mais pourquoi aurait-il tout ça chez lui ?

— Je crois qu'il s'intéressait à ce personnage... dit-elle, se retenant d'en dire davantage.

— Crois-tu que c'est David qui a vidé la pièce à son retour de croisière ?

Elena crut un instant qu'il était effectivement possible qu'il ait voulu faire le ménage de son bureau et effacer toute trace de cette obsession mal placée sur ce tueur. Il en aurait eu le temps mercredi après-midi. Après tout, cette fascination morbide n'était-elle pas la raison même de leur actuelle situation conjugale ?

— Eh bien, c'est une possibilité, avoua la jeune femme. Mais au plus profond de moi-même, j'en doute.

— Et je suppose que c'est la chamane qui parle ? demanda le policier.

En guise de réponse, elle s'appuya contre le mur du corridor et y déposa la tête doucement. Elle ferma les yeux.

— Tu sais Richard, dit-elle, les yeux clos, j'aimerais tellement me tromper.

Elle fit une pause, puis dit tout haut, à elle-même :

— Encore ce foutu tueur qui s'invite dans nos vies...

Stylo en main, Richard fixa la jeune femme d'un air intéressé, mais surtout inquiet de découvrir ce qu'elle était sur le point de lui révéler.

* * *

Samedi 17 décembre 2011

Elena fixait le pommeau de douche qui projetait l'eau chaude sur son corps encore endormi. Elle avait peine à croire qu'elle avait entrepris d'aller travailler en ce samedi matin. Elle le faisait machinalement depuis plusieurs années, mais ce jour-là n'était pas comme les autres.

D'abord, la fatigue.

Peu habituée aux décalages horaires, la jeune femme avait bien du mal à se réadapter à l'heure du Québec. Hier soir, après sa rencontre avec Richard, elle était revenue péniblement à son condo pour finalement s'écraser dans son lit, tout habillée. Le réveil à 5 h 30 avait été particulièrement pénible.

Ensuite, la disparition inexpliquée de David.

Cette situation devenait insupportable. Plus les heures passaient, plus les questions germaient dans son esprit. Tellement qu'elle osa même se demander si elle connaissait véritablement l'homme qu'elle prétendait aimer.

Finalement, le temps des fêtes.

Dans une semaine exactement, aurait lieu le réveillon de Noël chez ses parents. Ce moment si magique qu'elle avait toujours tant aimé risquait d'être compromis. Et elle qui espérait le vivre avec David pour une première fois !

Elle sortit finalement de la douche, ne se souvenant même plus si elle avait pris la peine de se laver les cheveux. Elle entendit ensuite la sonnerie de son téléphone portable, qui traînait sur sa table de chevet. Acceptant le risque de peut-être glisser sur le plancher, elle se précipita à vive allure vers sa chambre, complètement mouillée, sachant bien qu'à cette heure matinale, il ne pouvait s'agir que d'un appel important.

— Allô ? dit-elle, légèrement essoufflée.

— C'est Richard.

— Salut, du nouveau ?

— Une analyse partielle du labo. Le sang retrouvé dans l'appartement n'est pas celui de David. Ce n'est pas le même groupe sanguin.

— Ah non? C'est celui de qui alors?

— Aucune idée. Nous aurons les résultats de l'analyse d'ADN dans trois jours, peut-être avant.

— C'est si long?

— Eh oui... Ça fait partie de la frustration du métier. Et pour ton information, à l'heure où l'on se parle, une équipe technique est en route pour passer au peigne fin le bureau de David. Pour une deuxième fois depuis hier. Que ce soit au labo ou dans l'équipe des techniciens en scène de crime, tout le monde met la main à la pâte. C'est encourageant de travailler dans ces circonstances. Si quelqu'un a fait le ménage dans cette pièce, il a certainement laissé des traces. Et j'espère que ce quelqu'un est Rob Lussier!

— Espérons-le, répondit Elena tout en repoussant son chat qui léchait ses mollets encore humides. Tu sais Richard, je me posais la question: pourquoi David aurait-il vidé son bureau? Crois-tu que Lussier soit derrière tout ça? Car le ménage qui a été fait a vraiment attiré mon attention et m'a amenée à faire rapidement le lien avec le Phantom. Il me semble que ce n'est pas une bonne stratégie pour brouiller les pistes.

— Si c'est vraiment l'initiative de Lussier, je crois qu'il avait tout avantage à entreprendre ce *cleanup*. Car tu es la seule personne à avoir vu son bureau ainsi, non?

— Fort probablement, oui.

— S'il avait été laissé tel quel, nous aurions été immédiatement interpellés par le contenu de cette pièce. Avec la disparition de David, Rob Lussier savait bien que le SPVM prendrait d'assaut l'appartement. Il n'avait donc pas le choix de vider le bureau. Je suppose qu'il ne se doutait pas que tu étais au courant des recherches de David à son sujet.

— Cette pièce a toujours été fermée et je n'ai jamais eu le réflexe d'entrer là. C'est par hasard que j'ai vu toutes ces boîtes par l'embrasure de la porte. Et les images sur les murs...

— Alors, tu vois, Lussier avait tout avantage à faire le ménage. David lui a certainement dit que personne n'était au courant qu'il travaillait sur lui.

— Donc le sang...

— C'est probablement celui de Lussier. Mais ne te fais pas d'illusion, Elena. Ce gars-là n'a pas de dossier. On ne connaît pas sa véritable identité.

— Quoi ? Ce n'est pas son vrai nom ?

— Probablement pas. C'est compliqué...

— Ah merde, je commence à être vraiment inquiète ! Je crois que je vais devenir folle.

— Quant à moi, je dois t'avouer que je suis de plus en plus frustré. Je ne sais pas ce que fout David, mais je peux t'assurer que je vais avoir deux mots à lui dire à son retour.

Tout en écoutant parler le policier, la jeune femme se rappela le moment, la veille au soir, où elle avait raconté à son nouveau complice les détails de sa fameuse croisière et des vacances prétendument offertes par son amoureux. Elle avait évidemment mentionné l'histoire du Phantom, qui avait réussi à faire une innocente victime de plus en la personne de Tom.

Elle lui avait également expliqué le plan d'intervention qu'avait concocté David, complètement aveuglé par son obsession pour ce tueur à gages. Richard

233

avait d'ailleurs été très inquiet de savoir son collègue en lien probable avec l'un des plus efficaces et infaillibles tueurs que l'Amérique eût jamais connus. En échange de ces renseignements, elle lui avait fait promettre de ne pas raconter cette histoire à quiconque, ce qu'il avait accepté.

— Cette histoire est, de toute façon, hors de mon territoire. Je n'ai pas l'obligation légale d'y faire suite, lui avait-il expliqué, le regard plein de compassion.

Également, le policier lui avait posé une question à laquelle elle n'avait pu répondre dans l'immédiat.

— L'homme inconnu dans tes transes, se peut-il qu'il s'agisse du Phantom ?

— Je ne crois pas, mais je vais vérifier... J'ose croire que je l'aurais reconnu sur-le-champ, lui avait-elle répondu.

Toujours debout près de son lit, flambant nue, Elena entendit Richard poursuivre la conversation :

— Tu es là, Elena ?

— Euh, oui, oui ! Excuse-moi, j'étais distraite... Tu sais, ça se bouscule en permanence dans ma tête. Tu disais ?

— Que tu ne dois parler à personne de ce dont nous venons de discuter. Je risque de sérieuses représailles à te divulguer des informations de la sorte. Je le fais uniquement pour que nous soyons sur la même base pour l'analyse de tes transes. Tu comprends ?

— Absolument, c'est clair. Tu peux compter sur ma discrétion. Oh, et Richard, avez-vous eu des signalements à l'interne ?

— Non, rien encore. Si nous n'avons rien d'ici la fin de la journée, je crois bien que nous lancerons un appel au public. Je te tiendrai au courant. Tu sais, tu devrais effectuer une transe au sujet de Rob Lussier, si je peux me permettre.

— Oui, je vais essayer. Mais je ne sais pas si je vais y parvenir.

— Tiens-moi au courant. On reste en contact. Bonne journée, Elena.

— Merci, à toi aussi.

Elle raccrocha et fixa un certain temps son appareil. Elle décida finalement de le lancer au travers de la pièce, où il termina sa course dans le panier à linge. La jeune femme regarda ensuite son lit si invitant et, après une brève hésitation, elle se laissa choir dans les couvertures, en larmes, dénudée et frigorifiée.

* * *

Damien Vanier venait d'arriver ce samedi-là et, déjà, on lui assignait une tâche qui ne l'enchantait guère. Il prit tout de même la pile de documents qu'on lui avait transmise et se mit au travail, c'est-à-dire à trier et à classer les documents produits la veille.

L'administration du centre de détention de Bordeaux était en plein virage informatique, mais, malgré ce tournant, une lourde bureaucratie freinait encore le travail des agents de correction et des préposés sur place. La gestion des nombreux registres en était un exemple.

Après quelques minutes de classement et de rangement, Damien fut attiré par une carte de visite, où l'on avait noté des informations au verso. À leur arrivée, chaque visiteur devait signer le registre au bureau de l'accueil afin de s'enregistrer et, surtout, de justifier leur présence. Une fois cette étape terminée, une carte de visite en règle et numérotée leur était fournie. Celle-ci devait être visible en tout temps lors de leur visite, et ce, quelle qu'en soit la nature. Elle devait être ensuite déposée dans un panier, à leur sortie. L'écriture de la note était peu soignée et presque illisible, mais le jeune homme essaya tout de même de déchiffrer ce qui était inscrit.

SPVM matricule 2379
St-Francis-de-la-Croix
AL - 1970

Le jeune préposé ne savait que faire de cette note ; c'était bien la première fois qu'un visiteur avait pris la peine d'écrire quelque chose au verso d'une des cartes ! À l'abri des regards, il vérifia dans la base de données de l'établissement le numéro de matricule indiqué. Après quelques secondes de réflexion, il jugea qu'il n'avait rien à perdre et décrocha le combiné.

* * *

Aussi efficace qu'une anorexique en pleine compétition d'haltérophilie, Elena errait dans son bureau du transbo, se demandait bien ce qu'elle faisait encore à travailler dans de telles circonstances. Puis, elle se rappela qu'elle avait pris la décision de venir passer quelques heures au boulot, espérant se changer un peu les idées.

Pour la première fois depuis belle lurette, elle décida de troquer son habituelle tisane aromatique contre un café bien corsé, absolument nécessaire en ce samedi matin.

Alors qu'elle écrivait un courriel à son frère et à son père concernant son choix final de fournisseur pour l'achat prochain de nouveaux conteneurs, son téléphone se mit à vibrer. Lorsqu'elle jeta un coup d'œil sur son écran, elle pencha la tête en arrière, avec un mélange particulier de découragement et de tendresse.

Elle devait répondre à l'appel.

— Bonjour Sam, dit-elle d'un ton calme.

— Mon poussin ! Quel plaisir d'entendre ta voix ! Tu as fait bon voyage ?

Si, il y avait de cela quelques mois à peine, elle avait été très proche de sa grand-tante, son intérêt pour entretenir leur relation avait nettement diminué depuis l'arrivée de David dans sa vie. L'amour qu'elle avait pour la vieille dame n'avait en aucun cas changé, mais le rythme de ses rafraîchissantes visites avait clairement ralenti depuis plusieurs semaines.

Elena décida de ne pas passer par quatre chemins pour s'exprimer.

— Écoute Henriette, je n'ai pas la tête à discuter au téléphone.

Lorsqu'elle entendit son véritable prénom, Sam sut immédiatement que quelque chose de très sérieux tracassait sa petite-nièce. Malgré toutes ses bonnes intentions et, surtout, l'inquiétude qui l'assaillait, elle lui répondit le plus calmement du monde.

— Elena, tu sais que je serai toujours là pour toi, ma belle. Viens faire un tour, nous pourrons en discuter.

C'est en rapport avec David, c'est ça ? Je l'aime bien, ce jeune homme. Je suis certaine que tout s'arrangera entre vous deux.

— Eh bien, c'est un peu plus compliqué que ça...

La directrice décida de prendre quelques minutes de son temps afin d'expliquer la situation. Après tout ce que sa grand-tante avait fait pour elle, Elena jugea qu'il était inapproprié de lui cacher la vérité.

À l'écoute de son récit, la vieille dame fut abasourdie.

— Oh, mon Dieu, c'est horrible ! Comment te portes-tu dans tout cela ? Tu tiens le coup ?

Mais avant même de pouvoir lui répondre, Elena entendit un bip sonore qui la remplit d'espoir.

— Attends, j'ai un autre appel !

Lorsqu'elle vit l'identité du second demandeur, elle décida de mettre immédiatement fin à sa conversation avec Sam. Elle prit l'autre appel juste à temps.

— Richard ! Excuse-moi, j'étais en ligne. Vous l'avez retrouvé ?

— Malheureusement pas, mais on a du nouveau. Il m'a laissé un message.

— David ?

— Oui ! Et devine d'où il provient ?

— Non... pas de Bordeaux ?

— Eh oui !

— Pas vrai ! Et le message dit quoi ?

— Aucune idée, ce n'est pas évident. Il y a mon numéro de matricule, mais je ne peux t'en dire plus pour le moment. Je voulais simplement que tu saches que tu avais vu juste dans ta transe. David est bel et bien allé à la prison, il est inscrit au registre. Je dois te laisser, Kim revient. Je te tiens au courant, nous partons là-bas à l'instant, conclut-il, aussi fébrile qu'un gamin pris en flagrant délit.

— Merci Richard…

Le cellulaire toujours en main, une nouvelle énergie s'empara soudainement de la jeune femme: celle d'avoir la preuve tangible que David était vivant, celle de toujours croire à la perspective de le retrouver.

Elle ne s'attendait certainement pas à ce que la situation se corse à ce point au cours des prochaines heures.

Chapitre 8
Professeur Auguste

Samedi 17 décembre 2011

Ouvert en 1912, l'établissement de détention de Montréal possédait une architecture impressionnante. Les cinq ailes le composant avaient toutefois grandement évolué au fil des ans. Mieux connu sous le nom de « prison de Bordeaux », ce centre pénitentiaire pouvait héberger près de mille deux cents détenus, dont la majorité était condamnée à des peines de moins de deux ans d'emprisonnement. Les prévenus en attente d'un procès y étaient également logés.

Boris Dubuc, superviseur à cet établissement, attendait les sergents-détectives Brunet et Ladouceur. Il veillait au travail de tous les agents correctionnels en fonction et avait été désigné par la direction pour s'occuper de la requête du SPVM.

Assis à son bureau, l'homme à lunettes attendait ses invités avec impatience. Lorsqu'on l'avait informé qu'un récent visiteur, porté disparu depuis près de trois jours, avait été retracé à Bordeaux, il avait pris la peine d'aller féliciter le jeune préposé Damien Vanier de son initiative. Sans sa vivacité d'esprit et l'appel qu'il avait fait au SPVM après avoir lu la note sur la carte de visite, le passage de cet homme recherché aurait probablement passé inaperçu.

Après de brèves présentations, les deux policiers s'installèrent dans le vétuste bureau du superviseur. Ce dernier leur montra sans attendre le laissez-passer du disparu et le registre du vendredi. Richard repéra rapidement le nom de David. Juste à côté étaient inscrites son heure d'arrivée et celle de son départ.

— Il est venu hier à 14 h… constata l'agent.

— On m'a informé qu'il n'était pas seul, précisa leur hôte.

— Effectivement, un certain Raymond-Joseph Calvas est également enregistré à cette heure-là, remarqua Kim par-dessus l'épaule de son collègue.

— Ça te dit quelque chose, ce nom-là ?

— Pas du tout. Dites-moi, monsieur Dubuc, qui sont-ils venus voir ? interrogea la jeune femme.

— L'agent Allard accompagnait cet avocat, maître Calvas. Ils ont rencontré le prévenu Auguste Larochelle. Nous les avons installés dans la salle numéro deux pour leur entretien.

— Et ce Larochelle est incarcéré pour quoi ? poursuivit Richard.

— Il était en attente de son procès. Il était présumé avoir tué un autre détenu lors de son séjour au centre de correction de Sainte-Anne-des-Plaines.

— Pourquoi « il était » ? Il n'est plus ici ?

— Il est décédé ce matin.

— Quoi ? ! s'exclama le policier, pas certain d'avoir bien entendu.

— Le détenu Larochelle est mort aujourd'hui, vers 9 h 45. Nous l'avions mis en quarantaine hier, vers 17 h. Il souffrait de graves coliques et les médecins ont diagnostiqué une gastroentérite. Sa nuit fut difficile et sa condition s'est détériorée rapidement. Vous savez, il était âgé de soixante et onze ans. Son état de santé était déjà fragile et il avait l'habitude de fréquenter l'infirmerie.

— Oh merde, pas de chance ! Nous aurions aimé le rencontrer, précisa Kim. Savez-vous si une autopsie sera réalisée ?

— Le coroner a été avisé du décès et il ne nous a pas informés de cette nécessité.

— Étant donné les circonstances, je suis persuadée qu'une autopsie devra être pratiquée, ajouta-t-elle.

— Alors je resterai à l'affût des développements de ce dossier et nous vous ferons parvenir une copie du rapport, si vous le désirez.

— Ce serait apprécié, répondit la jeune femme.

Richard n'avait pas dit un mot depuis que l'homme devant eux leur avait annoncé la mort de cet Auguste. Il regarda sa montre : il n'était pas encore 11 h. Ils avaient loupé le vieillard de moins de deux heures seulement.

Le policier d'expérience reprit vite ses esprits.

— Dites-moi, si ma mémoire est bonne, il y a des caméras de surveillance dans vos salles depuis vos récentes rénovations, non ? dit-il.

— C'est exact, dans quelques-unes, et la salle numéro deux en est équipée.

L'homme à lunettes se leva promptement de son fauteuil et indiqua à ses invités de le suivre.

— Je vous fais préparer une copie du visionnement. Pendant ce temps-là, nous irons faire un tour dans la salle.

— Mille mercis, monsieur, dit la policière, le sourire aux lèvres.

Kim Ladouceur travaillait pour le SPVM depuis bientôt deux ans. Pour le moment, ses succès reposaient sur son incroyable droiture envers le lieutenant Dallaire. C'était la première fois qu'elle œuvrait avec le sergent-détective Brunet et, surtout, qu'elle participait à un mandat si important.

Dans le cadre de cette enquête, elle avait reçu la consigne bien claire de s'assurer que son nouveau partenaire faisait les choses selon le protocole. Les quelques années à côtoyer l'agent Allard avaient inévitablement modifié les méthodes d'enquête du quinquagénaire, du moins selon le point de vue du lieutenant Dallaire. Kim n'avait toutefois trouvé aucune faille dans le travail de Richard jusqu'à présent. Au contraire, elle était plutôt épatée par son professionnalisme et son dévouement pour ses collègues et son métier. Sa participation à cette enquête l'enchantait au plus haut point. Et cette visite imprévue d'un des plus anciens centres de détention de Montréal la ravissait également. La jeune femme aux yeux bridés, en raison de l'origine vietnamienne de sa mère, avait de la difficulté à cacher son enthousiasme.

Lorsqu'ils arrivèrent à la salle numéro deux, Richard fixa la table et les chaises la meublant. Il y avait moins de vingt-quatre heures, David s'y trouvait. Il sursauta lorsqu'un bruit retentit dans le corridor.

L'agent fit quelques pas et sortit de la minuscule pièce sans fenêtre afin de voir d'où cela provenait. Tout près de la porte, plusieurs machines distributrices étaient installées dans le couloir. Un agent de correction, chauve et rondelet, venait de s'acheter une boisson gazeuse.

— Bonne journée, dit-il en partant aussitôt.

— Ah, je n'avais même pas remarqué ces distributeurs, avoua Richard aux deux autres.

— Les visiteurs peuvent acheter des boissons gazeuses, des jus et des petites gâteries aux détenus. Nous refusons toute nourriture venant de l'extérieur, alors nous mettons à la disposition des familles ces machines, précisa Dubuc.

N'ayant rien d'autre à voir ni à ajouter, le superviseur les invita à se diriger vers les bureaux de la sécurité, où la copie du visionnement du passage de David les attendait.

* * *

En pleine discussion avec Marcel, Elena sentit son portable vibrer. Elle répondit aussitôt.

— Bonjour, madame Perrot ? C'est l'agente Ladouceur du SPVM.

— Oui ? Que se passe-t-il ? Y a-t-il du nouveau ? répondit-elle, surprise que ce soit la policière qui l'appelle.

— En fait, je suis avec l'agent Brunet et nous retournons à nos bureaux. Nous nous demandions si

245

vous connaissiez un certain Raymond-Joseph Calvas ? Il serait avocat de profession.

— Non, ça ne me dit absolument rien.

— Une dernière question... Connaissez-vous M. Auguste Larochelle ? Croyez-vous qu'il pourrait s'agir d'une connaissance de votre conjoint ?

À peine avait-elle raccroché qu'Elena prit congé de Marcel et marcha jusqu'à son bureau. Bien qu'elle ne connût pas les personnes qu'avait mentionnées l'enquêtrice, elle comprit que Richard, en demandant à Kim de lui téléphoner, lui avait indirectement lancé un message : trouver qui étaient ces hommes et entreprendre des recherches sur eux, comme seule une chamane était en mesure de le faire.

N'ayant aucun point de départ, et ne pouvant discuter de vive voix avec son complice, elle décida de débuter par une navigation sur Internet. Ses démarches pour retrouver l'identité du premier homme furent brèves, puisqu'elle ne trouva absolument rien sur un avocat de ce nom.

Après avoir répondu au coup de fil d'un client, elle reprit son clavier et tapa « Auguste Larochelle ». Ce qu'elle trouva la surprit au plus haut point. Elle ne comprenait pas comment l'identité de cet homme pouvait jouer un rôle dans l'enquête sur la disparition de David, mais elle prit la peine de noter tout ce qu'elle lut. Des dizaines d'articles avaient été écrits à son sujet, relatant les circonstances de ses arrestations. Elle savait très bien que Richard avait probablement toutes ces informations, mais elle devait absolument comprendre, au minimum, qui était le personnage pour arriver à faire une transe à son sujet.

L'homme, aujourd'hui vraisemblablement âgé, avait mené une carrière d'enseignant avant de devenir un détenu récurrent de l'établissement Archambault, à Sainte-Anne-des-Plaines.

Lorsque la jeune policière avait nommé le nom de Larochelle, Elena crut avoir déjà entendu ce nom quelque part, et maintenant, elle avait découvert pourquoi. Il possédait l'un des plus volumineux dossiers de pédophilie à Montréal, avec plus d'une quinzaine de victimes déclarées. Son dernier procès avait fait la manchette pendant plusieurs semaines, il y avait de cela quelques années.

Le septuagénaire avait purgé sa première peine à l'âge de cinquante-quatre ans lorsqu'une de ses victimes l'avait dénoncé. Par la suite, une cascade d'incriminations l'avait amené à vivre la majeure partie de sa retraite en centre pénitentiaire. Le 25 septembre dernier, il avait été accusé du meurtre d'un détenu. Elena apprit qu'Auguste Larochelle avait plaidé non coupable à ce crime, puisqu'il aurait agi en légitime défense. Son procès était prévu pour juillet 2012.

Mais c'est lorsqu'elle lut qu'il avait été enseignant au collège Saint-Francis-de-la-Croix pendant plus de trente ans que sa vision se mit à s'obscurcir.

* * *

Vers midi, les deux policiers arrivèrent aux bureaux du SPVM avec chacun un sous-marin. Richard avait commandé son habituel sandwich douze pouces sur pain italien avec côtes levées et sauce barbecue. Il y avait fait ajouter quelques légumes et une quantité impressionnante de piments forts.

— Tu es fou ! lui avait spontanément dit Kim, en le voyant passer sa commande au commis du restaurant Subway.

À la table de la salle de visionnement, ils s'installèrent pour regarder la vidéo que leur avait remise M. Dubuc, tout en mangeant leur repas. Lorsque Richard vit son partenaire et ami discuter avec le détenu Larochelle, il crut visionner une scène de film tellement tout lui semblait irréel. David s'adressait au détenu comme s'il était responsable d'une enquête sur un certain Gaspard Ferlatte. Il avisa le vieil homme qu'il avait probablement été témoin d'une conversation lors de sa sentence en 2010 et que la police avait besoin de sa déposition. Il lui présenta également l'avocat de la Couronne, maître Calvas.

— Mais, il dit quoi, là ? Qu'est-ce que c'est que ce charabia ? s'exclama Richard, la bouche pleine.

— Je ne crois pas qu'il y ait une enquête sur cet individu… Ce Ferlatte ne me dit rien.

— Faudra vérifier avec les autres sections, mais il n'y a rien aux crimes majeurs sur ce Gaspard, ça, c'est certain.

Absolument rien de particulier ne se passa durant l'entretien qui se déroulait sous les yeux les deux policiers. À un certain moment, David quitta la pièce pour aller chercher une boisson gazeuse au détenu, ce qui était chose courante lors d'interrogatoires. Au bout de vingt minutes environ, David et l'avocat quittèrent la salle numéro deux aussi calmement qu'à leur entrée.

— Merde… tu as compris quelque chose, Kim ?

— Non, rien de rien. Pourquoi David mènerait-il une enquête en cachette ? Sans donner signe de vie à personne…

— Il a gardé sa plaque, mais il a laissé son arme et son portable dans son appartement. Ce n'est pas commode durant une enquête, constata l'agent Brunet. Bordel, je n'y comprends rien. On la regarde à nouveau, d'accord ?

Lors du deuxième visionnement, ils s'attardèrent à d'autres détails. David portait un pantalon noir ainsi qu'un polo gris. Il avait un manteau North Face brun avec capuchon. Ses cheveux étaient peignés comme à l'habitude. Ses traits semblaient tirés, mais son attitude envers le détenu paraissait normale. Outre son manteau, il avait apporté un porte-documents et un crayon. Rien de suspect n'attira leur attention.

L'avocat, lui, était vêtu d'un veston bleu et d'une chemise blanche ajustée. Il devait être âgé d'une cinquantaine d'années et portait une barbe parfaitement taillée. L'allure générale de Raymond-Joseph Calvas était exemplaire. Il avait avec lui une petite mallette en cuir noir, qu'il n'ouvrit que pour prendre quelques documents.

Le détenu les écoutait parler, mais ne semblait pas bien comprendre la raison de leur visite. Il ne se souvenait pas beaucoup de ce prisonnier Ferlatte. Il leur dit absolument tout ce que sa mémoire voulait bien leur offrir, du temps où il avait côtoyé le détenu à l'établissement Archambault.

Au bout d'un moment, David lui proposa une bouteille de boisson gazeuse qu'il venait d'acheter des distributeurs, ce qu'Auguste accepta avec plaisir. Finalement, après quelques minutes supplémentaires, les deux visiteurs rangèrent leurs notes et se levèrent, remerciant le vieil homme de les avoir aidés.

Lorsque le visionnement fut terminé, Richard resta accoudé sur la table, découragé.

— Je ne sais pas pour toi, Kim, mais moi, je ne suis pas plus avancé.

En guise de réponse, elle se mit à rire nerveusement, tout en se levant pour allumer les lumières.

— Allez viens, on se prend un bon café et après, on essayera d'en apprendre un peu plus sur ce Larochelle.

— Ouais, mais je ne veux pas de l'eau de vaisselle que nous avons ici. J'ai besoin d'un double expresso, un vrai ! Allons au café Starbucks juste à côté. Je passe aux toilettes et je te rejoins, dit-il en espérant pouvoir y faire discrètement un appel.

* * *

Elena avait enfilé son parka et ses bottes d'hiver, pour ensuite sortir du bureau. Son adjointe Louise n'était jamais là le samedi, alors ses allées et venues étaient moins remarquées durant le week-end.

Elle s'installa dans sa voiture, après avoir pris soin de régler la température du chauffage car, malgré le soleil, il faisait un froid de canard à l'extérieur. La jeune femme s'installa ensuite sur la banquette arrière afin de se préparer à entrer en transe.

Puisque la cantine de ses employés donnait sur l'autre côté du bâtiment, elle croyait bien être à l'abri des regards. Le stationnement était désert et la situation semblait idéale. Il y avait peu de personnel sur place les fins de semaine, mais des précautions s'imposaient. Elle ne voulait pas se faire surprendre assise dans sa voiture et susciter des questions de la part de ses collègues.

Avant même qu'elle n'enlève ses bottes, afin de s'asseoir confortablement à l'indienne, son téléphone sonna.

— Richard ! dit-elle, heureuse qu'il l'appelle enfin.

— Je ne peux pas te parler longtemps, chuchota-t-il.

— Mais tu es où ? J'ai de la difficulté à t'entendre !

— Dans les toilettes... au bureau !

— Oh...

— Écoute, je voulais te dire que j'ai vu David sur vidéo. Il semble bien aller, mais il a l'air aussi fatigué que toi.

— Et avez-vous compris pourquoi il est allé à Bordeaux ?

— Il a rencontré un détenu du nom d'Auguste Larochelle. On ne comprend toujours pas pourquoi. Il a dit être sur une autre enquête... Même si son entretien a été filmé, ça ne nous a pas plus avancés. Et toi, as-tu trouvé quelque chose sur lui ?

— J'allais justement faire une transe sur Larochelle. Il était professeur au collège où David est allé.

— C'est vrai ? Tu es certaine ?

— Si ma mémoire ne me joue pas de tours, il m'a bien dit être allé au collège Saint-Francis-de-la-Croix quelques années, avant de se faire mettre à la porte. Et ce vieux pédophile y a été professeur plusieurs années.

— Ça alors ! Tu es plus rapide que nous ! Eh bien, j'ai hâte de savoir ce que ta transe révélera ! Elena, je vais devoir raccrocher, mais avant, je voulais que tu saches un truc.

— Quoi donc ?

— Larochelle est mort ce matin.

— Pas vrai !... Richard ?

Il avait raccroché, probablement parce que quelqu'un venait d'entrer dans les toilettes.

Encore plus motivée, Elena se dépêcha de s'installer pour enfin essayer d'y comprendre quelque chose.

* * *

Jeudi 12 novembre 1987

David Allard était un jeune costaud âgé de seize ans, qui ne jouissait pas d'une grande popularité auprès de la plupart de ses enseignants. Cela faisait trois ans qu'il fréquentait le collège Saint-Francis-de-la-Croix, et ses parents faisaient tout pour convaincre la direction de l'établissement de le garder jusqu'à ce qu'il termine ses études secondaires.

Bien qu'il n'eût pas la renommée qu'il escomptait auprès des étudiantes, son statut de joueur vedette de l'équipe de football lui convenait largement. Il avait la chance d'avoir le physique d'un centre arrière, mais sa vitesse le rendait polyvalent et, du coup, il avait développé des habiletés en tant que receveur.

Ses notes en classe étaient acceptables, voire bonnes dans certains cas, mais sa tendance à vouloir être constamment le centre de l'attention lui valait bien des retenues après les classes. À part le professeur d'éducation physique, tous les autres se plaisaient à lui rendre la vie difficile dès qu'ils le pouvaient.

Lorsque la direction de l'établissement voulut convoquer les parents de David afin de leur apprendre l'expulsion de leur fils, un seul professeur se manifesta et sortit tous les arguments imaginables pour faire renverser la décision de ses supérieurs.

— Monsieur Larochelle, David a délibérément dissimulé des cintres métalliques dans la pelouse afin d'endommager le tracteur à gazon et contrarier M. Bertrand. D'ailleurs, cette mauvaise plaisanterie aurait pu le blesser !

— Écoutez, donnez-moi l'entière responsabilité de ce garçon. Je le prendrai sous mon aile, vous verrez. Je lui imposerai des tâches après l'école, je l'encadrerai. Comprenez, c'est notre meilleur élément dans l'équipe de football et dans celle de hockey ! Il ne doit pas partir !

Dès lors, Auguste Larochelle garda un œil attentif sur le jeune Allard, ce qui, tout compte fait, faisait bien l'affaire de l'enseignant de quarante-sept ans.

En ce jeudi de novembre, David ramassait les ballons qui traînaient dans le gymnase afin de les ranger dans l'entrepôt où se trouvaient les autres accessoires nécessaires au cours d'éducation physique. Tous les autres étudiants étaient partis et il avait pris l'habitude depuis quelques semaines d'aider le prof Larochelle après les cours.

— Monsieur Allard, vous viendrez dans mon bureau lorsque vous aurez terminé.

— Oui, monsieur, j'arrive. J'ai presque fini, répondit David tout en donnant un puissant coup de pied au dernier ballon, qui traversa la pièce pour terminer sa course dans l'entrepôt, en fracassant une ampoule.

Ce jour-là, le cours de gym était le dernier prévu à l'horaire et puisque le jeune homme vivait tout près du collège, il n'avait pas à se hâter de monter à bord d'un autobus. Et même s'il s'agissait d'un plan d'encadrement mis en place à son intention, il aimait bien passer plus de temps au gymnase, qu'importe si c'était pour y faire le ménage.

Lorsqu'il entra dans le bureau de son professeur, il resta debout près de la porte. L'homme devant lui était assis à son bureau et sirotait un Dr Pepper tout en le regardant dans les yeux. Après quelques secondes de ce drôle de silence, il lui demanda de fermer derrière lui, ce que David fit, sans se poser de question.

Moins de dix minutes plus tard, Auguste Larochelle sortit en courant, le nez cassé et deux dents en moins.

Ce fut la dernière journée que David passa au collège Saint-Francis-de-la-Croix.

* * *

Samedi 17 décembre 2011

Elena tremblait de froid, malgré le réglage du thermostat au maximum et son gros manteau sur ses épaules, censé la tenir au chaud. Elle venait de sortir de transe. En plus des inconvénients habituels qui l'accompagnaient, cette fois-ci un mélange d'émotions lui serrait la gorge.

D'abord, elle ressentait une immense tristesse, puisqu'elle venait de découvrir que son conjoint avait été la victime d'un pédophile récidiviste. Elle sentait aussi de la frustration et de la colère envers ce pervers qui avait osé s'en prendre à son élève. À cela s'ajoutait une certaine fierté d'avoir vu son David frapper l'enseignant en signe de riposte. Mais, surtout, elle gardait un mal-être profond, associé au souvenir dégoûtant de l'odieux spectacle auquel elle avait assisté, bien malgré elle, lorsque cet abject personnage avait ouvert sa braguette pour montrer son sexe en érection à son élève et avait commencé à se caresser.

Prisonnière du corps de son hôte, elle avait senti le malaise, l'impuissance et le sentiment de stupeur l'envahir. Les paroles du professeur, qu'il prononçait d'une voix calme et posée, se voulaient malfaisantes :

— Après tout ce que j'ai fait pour toi, je crois que tu me dois bien une petite faveur, l'avait-elle entendu dire. Et puis, avait-il poursuivi, tu es tellement attirant, le sais-tu ? D'habitude, les étudiants qui viennent s'amuser avec moi sont plus jeunes... Mais toi, tu es différent...

L'esprit de la chamane avait martelé le vide dans l'espoir d'aider David à fuir les lieux, mais ce dernier était resté figé d'interminables secondes devant la scène surréaliste qu'il observait silencieusement. Lorsque l'homme d'expérience s'était approché de lui pour le caresser à son tour, il ne s'était pas douté de la réaction violente qu'allait provoquer cette tentative.

« Décidément, ce salopard ne savait pas de quel bois se chauffait David Allard, même à seize ans ! » se répéta la jeune femme, toujours assise sur la banquette arrière de sa voiture.

Silencieuse, elle écouta le réconfortant vrombissement du moteur de sa Focus et elle se mit à se bercer, tout doucement, le menton appuyé sur ses genoux, en pleurant en silence. David lui manquait terriblement. Sa présence, sa voix, son souffle sur son cou, son corps chaud sous les couvertures… Même si sa voix était différente, elle avait reconnu son beau colosse lors de sa transe. Il n'avait pas tant changé.

Jugeant avoir suffisamment pollué l'air ambiant de l'est de Montréal, Elena coupa le contact de son véhicule et remonta à son bureau. À peine arrivée à la porte, elle constata qu'elle avait oublié de se préparer un repas. Elle oubliait fréquemment ses repas dans le frigo de son condo, mais, cette fois-ci, elle avait carrément omis d'en faire un. Il était plus de 13 h et elle était affamée.

Sans hésiter une seconde, elle rebroussa chemin et décida qu'il était temps pour elle de rentrer. Elle prit la peine d'avertir son personnel par téléphone, avant de poursuivre sa route jusqu'à la rue Rachel.

Une faible neige se mit à tomber, ce qui arracha un mince sourire à la jeune femme. Elle gara sa voiture dans la ruelle derrière son immeuble. Mettant de côté son appétit pour quelques minutes supplémentaires, elle décida d'aller marcher un peu dans le parc qui l'accueillait tous les matins lorsqu'elle ouvrait les rideaux de sa chambre.

Les flocons tournoyaient lentement, comme s'ils dansaient au rythme du vent léger. Elena aimait l'odeur de l'hiver, la fraîcheur de l'air qui lui picotait les narines, le bruit de ses pas qui embrassaient la neige au sol et, surtout, la quiétude que cette saison amenait. Inévitablement, il y avait moins de vélos, de piétons ou de terrasses dans les rues...

Tout en marchant, elle se sentit bien seule brusquement. Elle regarda derrière son épaule, espérant y voir son ami Marc-Antoine, son ancien voisin de neuf ans, venir vers elle en courant. Mais il n'y avait personne. Sa présence lui manquait... Là, en ce samedi de décembre, elle aurait voulu qu'il soit près d'elle.

Puis, après avoir observé un écureuil traverser le parc à vive allure, elle fit une constatation qui la surprit: pour la première fois, elle avait réalisé une transe dans le passé. Elle avait toujours visionné des événements à venir ou quelques rapides souvenirs de personne en temps réel, mais jamais elle n'avait fait un bond aussi important dans le temps.

Pourquoi toujours chercher les réponses dans le futur, alors que le passé pouvait tout autant être révélateur? Et grâce à cela, elle avait découvert un lien réel et tangible entre le détenu Larochelle et son amoureux disparu.

Elle décida finalement de retourner chez elle, afin de se préparer un thé vert à la menthe accompagné d'un bagel au fromage à la crème, avant de communiquer avec son nouveau complice du SPVM.

* * *

Richard et Kim travaillaient à leurs bureaux respectifs depuis moins d'une heure, chacun à ses tâches. De son côté, le quinquagénaire tentait de comprendre le message que son collègue lui avait laissé au verso de sa carte de visite, tandis que la jeune policière scrutait le dossier personnel de David. Elle ne mit pas beaucoup de temps à découvrir ce que le sergent-détective savait déjà.

— J'ai passé le dossier d'Allard au peigne fin. Tu savais qu'il avait fréquenté le collège Saint-Francis-de-la-Croix au secondaire ? C'est ce nom qu'il a inscrit sur la carte, non ?

Le sergent-détective regarda sa partenaire et fit mine d'être surpris, car il n'était pas censé être au courant de ce détail. David ne lui en avait jamais parlé, certes, mais Elena l'avait fait, il y avait de cela moins de deux heures. Pour la première fois, il trouvait cette enquête parallèle avec la belle chamane légèrement plus périlleuse qu'il ne l'aurait cru. Avec la fatigue qui s'accumulait, il craignait de faire des erreurs qui allaient compromettre la confiance de sa jeune collègue ou, pire encore, celle de son supérieur. Après une brève hésitation, il lui répondit, le plus naturellement du monde :

— Ah oui, il y est allé ?

— Oui, mais je me demande pourquoi il a indiqué l'année « 1970 » sur son message ?

258

— Parce qu'il veut nous parler d'Auguste Laro-chelle et non de lui. Les lettres A. L. de la carte, ce sont ses initiales. Et regarde… dit-il tout en lui montrant le fruit de ses recherches sur son écran d'ordinateur.

C'est alors que Kim comprit que le détenu de Bordeaux était un ancien enseignant de ce collège et que David voulait vraiment les amener à découvrir quelque chose de déterminant sur lui.

— Mais il veut nous dire quoi, tu penses ? C'est une drôle de coïncidence qu'il soit allé au même collège que ce professeur ! C'est quoi, ce petit jeu ? ajouta la policière, confuse.

Richard sentit un brin de désespoir et de panique dans sa voix. Il lui répondit calmement pour lui montrer l'importance de toujours garder la tête froide, tout en essayant de la rassurer.

— Ne t'en fais pas Kim, nous allons trouver. Nous devons prendre chaque élément, un à un, et les analyser en profondeur. C'est lorsque nous nous y attendrons le moins que tout se mettra en place, comme par magie. Alors, restons positifs, alertes et faisons les choses comme il se doit, lui dit-il, essayant, par la même occa-sion, de se convaincre lui-même.

— Oui, d'accord. Alors quelles sont les prochaines étapes ? On se rend au collège ?

— Bonne idée. Mais d'abord, nous allons trans-mettre la carte de visite à une experte en écriture. Elle nous aide souvent dans nos enquêtes. Elle peut égale-ment faire un peu de graphologie, si nécessaire. J'aime-rais comprendre pourquoi l'écriture de David est si différente de son écriture habituelle.

— Il devait être pressé !

— C'est bien plus complexe que cela, mais, oui, ça fait peut-être partie de l'explication. D'autres questions se posent : a-t-il écrit de sa main gauche au lieu de la droite ? Et si c'est le cas, cela veut-il dire qu'il est blessé ? On ne le voit pas sur la séquence vidéo, mais ça ne veut pas dire qu'il ne l'était pas. Et puis, où a-t-il écrit ce message et dans quelle posture ? Avait-il peur ?... Tu vois le topo ?

— Oui, mais, il faut en prendre et en laisser avec ces analyses-là, d'après ce que dit le lieutenant.

— Eh bien, Kim, sache que Suzanne Margot est vraiment un as en la matière, tu verras ! Par la suite, nous appellerons Elena Perrot.

— Pourquoi ? Elle a dit tout à l'heure ne pas connaître l'avocat ni le détenu.

— Elle doit absolument visionner l'entretien qu'a eu David à Bordeaux. Elle peut peut-être reconnaître l'un des hommes. Les noms s'oublient vite, mais pas les visages, dit-il, en espérant que la chamane puisse reconnaître le mystérieux homme à barbe, dont ils n'avaient toujours pas réussi à trouver l'identité.

Au moment même où il termina sa phrase, son téléphone portable se mit à sonner.

— Tiens, regarde ça ! dit-il en montrant à Kim l'écran de son iPhone. En parlant du loup !

Lorsque le policier lui expliqua la situation, Elena accepta sur-le-champ de regarder la vidéo, à condition qu'ils puissent profiter, tous les deux, d'un moment seul à seul. Ce qu'il accepta.

— Je vais rester avec toi dans la salle de visionnement. Pendant ce temps, ma partenaire va scruter le dossier de cet Auguste, la rassura-t-il à l'autre bout du fil, tout en regardant du coin de l'œil Kim, qui hochait la tête en signe d'approbation.

Le dossier du détenu de soixante et onze ans devait mesurer au moins dix centimètres d'épaisseur, et la jeune policière n'en avait lu que quelques pages jusqu'à présent.

À peine Elena avait-elle mis le pied chez elle qu'elle devait déjà en ressortir. Elle caressa tout de même son chat quelques secondes, avala une barre protéinée, pour finalement enfiler son manteau et ses bottes.

Elle sentit rapidement une certaine fébrilité l'envahir à l'idée de voir David sur cette vidéo. Lors de ses transes, elle ne l'avait pas vu, puisqu'elle était « dans sa tête ». La simple idée de réentendre sa voix et de le voir bien vivant lui fit appuyer, sans s'en rendre compte, sur l'accélérateur, faisant fi des amoncellements de neige fondante sur la route.

Arrivée aux bureaux du SPVM, elle monta les marches deux par deux pour finalement atteindre à bout de souffle la réception où Richard l'attendait.

— Tu ne tiens plus en place, hein ? lui demanda-t-il, tout en l'accueillant par une accolade.

Il lui présenta l'agent Ladouceur, qu'elle n'avait pas encore eu la chance de rencontrer, et ils circulèrent tous les trois d'un pas assuré entre les bureaux à cloisons, vers une salle sans fenêtre située au fond de la pièce.

— Je vous laisse ici madame Perrot, on se revoit tout à l'heure, lui indiqua Kim, qui partit rejoindre sa paperasse à son bureau.

Après avoir fermé la porte derrière eux, Richard et Elena se regardèrent d'un air complice et prirent place autour de la petite table.

— Enfin seuls! On peut parler librement? lui demanda-t-elle.

— Oui, ma chère! Je vais te montrer la vidéo et j'espère que tu pourras nous en apprendre plus.

— Avant, je dois te dire ce que j'ai vu dans ma transe.

— Sur qui au juste?

— Cet Auguste Larochelle. Eh bien, ma vision m'a ramenée à David.

— Comment ça?

— Quand il était adolescent! Ils se connaissaient, Larochelle était son professeur d'éducation physique.

— Merde alors! Mais, réfléchit Richard un instant, sur la vidéo, ils ne semblent pas se connaître.

— Crois-moi, David ne peut pas l'avoir oublié. Mais peut-être que le vieux ne l'a pas reconnu. Tu as vu dans son dossier que c'est un pédophile, n'est-ce pas?

— Effectivement, nous l'avons vite su. Mais attends... Non, pas sur Allard?

Il n'osait s'imaginer son coéquipier aux prises avec ce criminel.

— Je sais que Larochelle s'est essayé sur lui, mais je ne sais pas s'il y a eu d'autres épisodes. En fait, certainement pas, car David a été mis à la porte de ce collège avant la fin de l'année. Le jour même où il a donné deux coups de poing à Larochelle, pour être plus précise.

— Ah! Là, je le reconnais... Donc, tu as vu tout ça dans ta transe?

— Oui. C'était plutôt intense, je dois t'avouer.

— Avec son message, son passage à Bordeaux et ta transe, on voit bien que tout s'oriente autour de cet Auguste. David veut nous dire quelque chose…

— Mais le détenu est mort. Alors, quel est le but ?

— Je ne sais pas, Elena, je n'y comprends pas grand-chose non plus. Et pourquoi David a-t-il fait comme s'il ne le connaissait pas ?

Après un bref silence, Richard démarra le visionnement. La jeune femme se tourna rapidement vers l'écran plat suspendu devant eux et observa son conjoint quelques instants, sans rien dire. Toute son attention portait sur cet homme qu'elle aimait par-dessus tout et qui semblait faire son travail le plus normalement du monde. Puis, elle commença à remarquer certains détails.

— C'est la première fois que je le vois avec ce chandail. Et je n'ai jamais vu ce porte-documents dans ses affaires.

Richard prit des notes, sans faire de commentaires. Elena resta silencieuse quelques minutes, le regard sévère. Elle arracha soudain la télécommande des mains du policier et figea la projection.

— Tu peux agrandir une section de l'image ? lui demanda-t-elle.

— Pas sur cet écran, mais sur mon portable, oui. Pourquoi ?

— Regarde la nuque de l'avocat. Tu remarques quelque chose ?

— On dirait… Une tâche de naissance ou peut-être une cicatrice ?

— Précisément. L'homme barbu n'a pas la même couleur de cheveux ni la même posture, mais je suis presque certaine qu'il s'agit de Rob Lussier. Il a une cicatrice comme celle-là, je l'ai vue durant ma croisière.

— Tu en es certaine ?

— Oui, absolument, répondit-elle après quelques secondes de réflexion.

— Donc, cela prouve que, depuis le début, David est bel et bien avec lui… Mais pourquoi visiter un ancien professeur, en catimini, avec l'un des tueurs à gages les plus meurtriers de notre époque ? interrogea Richard, qui n'en pouvait plus de poser des questions sans réponse.

— Je ne sais pas. Et quel est le lien avec Lussier ? Je me demande autre chose : où David va-t-il chercher la bouteille de Dr Pepper ?

— Il y a des machines distributrices à l'entrée des salles. Les consommations en provenance de l'extérieur sont interdites.

— Mouais… répondit-elle, la tête ailleurs. Sur la vidéo, on a l'impression que c'est seulement David qui touche à la bouteille, alors ça va, je me fais des idées…

— Tu penses à quoi ?

— À des souvenirs pas si lointains des îles Maldives…

* * *

Dimanche 18 décembre 2011

Elena dut mettre son réveille-matin en fonction pour être certaine de ne pas manquer le brunch du dimanche des Perrot. Bien qu'elle eût quitté les bureaux du SPVM en fin d'après-midi la veille, elle n'avait pas été en mesure de se coucher tôt, comme elle l'aurait espéré.

Sur le chemin du retour, après avoir rencontré Richard, elle s'était arrêtée à son restaurant chinois préféré pour s'acheter un plat sauté, qu'elle avait dégusté tôt, espérant pouvoir se coucher avant 20 h. Toutefois, un appel de son amie Charlotte, qui s'envolait pour le soleil chaud de Cuba, vint contrer ses plans. Elle avait discuté avec elle durant plus d'une heure trente.

Lorsqu'elle avait raccroché, pour enfin aller se mettre au lit, elle avait, encore une fois, réalisé une transe sur David, afin de s'assurer qu'il était toujours en vie. Elle n'avait rien vu de concluant, seulement une autre balade en voiture avec celui qu'elle savait être le Phantom.

Le fait que ces promenades en voiture semblaient si communes et sans histoire l'indisposait au plus haut point. Dans cette situation atypique et inquiétante, pourquoi le comportement des deux hommes était-il si impassible et inébranlable ? se demandait-elle sans cesse.

Malgré la fatigue omniprésente, elle s'était finalement endormie vers 23 h.

Après avoir éteint la sonnerie agressante de son réveille-matin, la jeune femme se leva rapidement et enfila un jean ajusté bleu foncé, une camisole blanche ainsi qu'un chandail de coton ample couleur saumon. Elle se brossa rapidement les cheveux, fit un chignon et contempla le résultat devant le miroir de la salle de bains. Ses traits étaient encore tirés et elle se trouvait franchement moche en ce dimanche matin. Les traces de son chagrin étaient évidentes.

Après s'être lavé le visage, elle appliqua sa crème de jour avant de sortir rapidement de la pièce, fuyant son reflet terne et sans vie. Elle entendait déjà sa sœur lui recommander d'appliquer du cache-cernes et du fond de teint, mais la pose de maquillage n'était vraiment pas la tasse de thé d'Elena, aussi élémentaire devait-il être.

Elle décida de boire un rapide café de sa machine Nespresso et de prendre son bel angora turc dans ses bras quelques minutes, question de lui donner un minimum d'affection. Moins de vingt minutes après son réveil, elle sortit machinalement de chez elle, sans motivation particulière.

Elle pensa soudain à Amélia et se mit à sourire. Même si elle ne lui avait pas beaucoup parlé depuis son retour, elle savait que sa grossesse se déroulait sans complications. Elle avait gardé l'habitude de réaliser des transes à son sujet, et elle était ravie de voir que la croissance de son futur neveu se déroulait si bien.

Presque arrivée à destination, Elena éprouva un haut-le-cœur immédiat. Dans ce quartier huppé et cossu de Montréal, chaque propriétaire se livrait un combat malsain pour savoir lequel ornerait sa demeure avec le plus de décorations de Noël. À la seconde où elle tourna dans la rue Olivier, elle se crut téléportée dans un mauvais film américain de série B où le respect de son prochain reposait presque exclusivement sur la facture d'électricité salée accompagnant les festivités de décembre. Surtout, cette ambiance surréaliste du temps des fêtes lui rappelait la précarité de la situation dans laquelle elle baignait depuis la disparition de son amoureux.

Lorsqu'elle gara sa voiture, elle vit sa mère à la fenêtre, guettant son arrivée. La petite Clara, sa mignonne nièce maintenant âgée de cinq ans, la saluait aux côtés de sa grand-mère, alors qu'elle marchait d'un pas lent vers la maison. Devant ce comité d'accueil, elle sut qu'elle serait la vedette de ce brunch, où tout un chacun espérerait obtenir quelques anecdotes amusantes de son récent voyage aux Maldives.

— Je suis tellement heureuse de te voir enfin, lui dit sa sœur, qui l'accueillit avec le reste de sa famille. David n'est pas là ? ajouta-t-elle avant de la prendre dans ses bras.

Au contact de ce corps familier, Elena sentit sa force et sa retenue se dissiper peu à peu. Après cette étreinte si réconfortante, Amélia lui dit tout haut :

— Sœurette, tu as vraiment une sale tête !

En guise de réponse, Elena éclata en sanglots, devant le regard consterné de toute sa famille, entassée dans l'entrée pour la recevoir.

L'atmosphère était lourde. Bruno, Amélia ainsi que les parents de la femme en peine s'étaient réunis au grand salon. Sa belle-sœur Pénélope avait amené les enfants dans la salle familiale, à l'écart, pour laisser la famille discuter calmement.

Après avoir retrouvé ses esprits, Elena confia à ses proches la mystérieuse disparition de David. Ils l'écoutèrent en silence, tout en manifestant leur stupeur et leur inquiétude.

— ... il s'est passé quelque chose et hop! il ne communique plus avec personne, même pas avec moi! C'est comme s'il était dans un monde parallèle. La police le sait vivant, mais aucun de ses collègues ne comprend son comportement. Et dire qu'il manque à l'appel depuis mercredi soir...

— Pour l'amour du ciel, ma chérie, mais c'est tellement horrible! lui dit sa mère, tout en lui prenant les mains.

Son père, juste à côté, se leva et se pencha vers elle.

— Pourquoi avoir attendu tout ce temps pour nous en parler? C'est malsain de garder ça pour toi.

Puis, sans crier gare, Pénélope arriva en trombe dans la pièce, un brin de panique dans la voix.

— Ouvrez la télévision à RDI, vite! s'écria-t-elle.

Bruno prit la télécommande et s'exécuta aussitôt. En quelques secondes, l'animateur Louis Lemieux se fit entendre, relatant une nouvelle de dernière heure. On y voyait une photo de David en uniforme, ainsi que des images de l'établissement de détention de Bordeaux.

« ... le sergent-détective David Allard, très connu des médias à la suite de la récente enquête sur le tueur en série Andrew McRay, est recherché pour une affaire de meurtre. Auguste Larochelle, un détenu âgé de soixante et onze ans, incarcéré au centre de détention de Bordeaux, aurait été empoisonné à la ricine, une substance mortelle... »

Déjà, Elena était debout et n'écoutait plus la voix familière de l'animateur. Un avis de recherche était finalement lancé pour retrouver son amoureux, mais pas de la façon dont elle l'avait envisagé.

En état de choc, la jeune femme se figea complètement. La main réconfortante de son père, qu'il posa délicatement sur son épaule gauche, la sortit alors de sa torpeur. Elle prit machinalement son cellulaire et appela Richard, sentant à chaque seconde l'étendue de sa frustration et de son incompréhension lui monter dans les veines. Mais le policier ne répondit pas. Pleine de rage, elle ferma l'appareil et le lança de toutes ses forces à l'autre bout de la pièce. Juste à temps, Pénélope l'attrapa d'une main habile, sauvant le téléphone d'Elena d'une fin abrupte.

« Écoutons à nouveau le commandant Ian Lafrenière, lors du point de presse de ce matin :

Auguste Larochelle est mort des suites d'une dose létale de ricine. On sait que le sergent-détective Allard l'a visité au centre de détention, vendredi dernier. L'agent Allard était recherché activement par le SPVM depuis jeudi matin. Il serait accompagné d'un homme violent et dangereux, mais l'identité de ce dernier n'est pas encore confirmée. Quiconque aurait des informations concernant ces deux hommes est invité à communiquer avec le 9-1-1 sans délai. »

Une photo, tirée de la vidéo de surveillance du centre de détention de Bordeaux, montrait à l'écran le visage flou de Rob Lussier, qu'Elena avait reconnu la veille. En aucun moment, il n'avait levé le menton, et l'image affichée aurait pu être celle de n'importe quel homme barbu de corpulence similaire.

Bruno se retourna vers sa sœur et lui dit, sans aucune diplomatie :

— Dis-moi Elena, tu le connais vraiment, ton David ? Nous voilà avec un autre visage à deux faces dans la famille ! s'exclama-t-il, dépassé par les frasques de ses deux récents beaux-frères.

— Ta gueule, pauvre con ! répondit Amélia, amenant sa sœur en retrait, dans la chambre de leurs parents.

Assise au bord du lit, Elena regardait droit devant elle, essayant d'assimiler ce qu'elle venait d'apprendre. Son homme, son beau policier, auteur d'un meurtre ? La pauvre femme ne savait plus quoi penser.

C'est en regardant dans les yeux de sa jeune sœur qu'elle comprit qu'elle seule pouvait vraiment la comprendre. Car elle avait vécu exactement la même chose avec son amoureux Mark, un tueur en série menant une double vie.

Elena se revoyait chez sa sœur en train de lui conseiller d'oublier Mark et de passer à autre chose. Elle répétait que son prétendu amant était un criminel et que la vie qu'elle espérait avec lui n'était qu'un rêve vide. Mais avait-elle vraiment compris le désarroi d'Amélia ? En ce jour de décembre, plusieurs semaines plus tard, elle en doutait sérieusement.

Ainsi, la belle brune se trouvait désormais exactement dans la même position et se demandait comment Amélia avait pu passer à travers cet affront. Elle avait l'impression de se noyer dans cette mer de mensonges, qui l'empoignait à la gorge.

— Ma chérie, tu dois entrevoir la possibilité que tout ce que tu sais sur David n'est que duperie et fabulation. Et je suis tellement triste que tu doives vivre ce que j'ai moi-même vécu, crois-moi, dit la cadette, pleine de compassion.

— David, un meurtrier ? Mais c'est impossible, Amy...

— Tout est possible. Mais une chose est certaine : ton policier est un menteur, j'espère que tu le réalises.

Cela, Elena l'avait déjà entendu de la bouche de son amie Charlotte. Et maintenant, toute sa famille le croyait aussi.

Même sa conscience ne put faire autrement que de se rendre à cette évidence.

Chapitre 9
La traverse de tortue

Dimanche 18 décembre 2011

Toujours chez ses parents, Elena tentait sans relâche de rejoindre son présumé complice policier, afin de mieux comprendre la tournure inattendue des événements, mais, surtout, de lui déverser une rafale de réprimandes.

Elle n'avait mangé qu'une seule bouchée d'une chocolatine et ne cessait de se tortiller sur sa chaise en marmonnant. Elle avait demandé à sa famille de discuter d'un autre sujet, mais, finalement, personne ne parlait vraiment, sauf la petite Clara, qui trouvait ce brunch familial franchement moche.

Amélia n'avait d'yeux que pour sa grande sœur, qui n'arrêtait pas de pester contre un certain Richard. Elle s'entêtait à le rappeler sur son portable, puis, au bout d'une bonne dizaine d'essais frénétiques, il répondit enfin.

— Richard ! s'écria la jeune femme avant même qu'il ne glisse un mot.

Elle se leva promptement, faisant tomber sa chaise à la renverse, et courut vers la chambre à coucher la plus proche. Son père la regarda partir, espérant qu'elle obtiendrait plus de détails sur la situation de son beau-fils et qu'elle réussirait à se ressaisir. Jamais il n'avait vu sa fille aînée dans cet état.

— Mille excuses Elena, c'est complètement fou ce matin, je n'ai pas pu te répondre avant.

— J'ai remarqué, figure-toi! Que se passe-t-il, bon sang? David est recherché? Est-il suspecté de meurtre? Tu as une minute pour t'expliquer, car je suis à deux doigts de venir t'étrangler!

— Je te le jure, ce n'est pas de mon ressort! C'est la décision de Claude! J'ai vraiment tout fait pour l'en empêcher.

— C'est le lieutenant Dallaire, ce Claude?

— Exact. Les rapports préliminaires d'autopsie du vieux Larochelle sont arrivés hier en fin de journée. Les analyses ont démontré la présence de ricine dans son sang. Ce poison, qui est inodore et incolore, provoque des symptômes similaires à ceux d'une gastro. Après l'ingestion, la mort peut survenir deux à cinq jours plus tard, mais étant donné l'état de santé précaire du détenu, cela a pris moins de vingt-quatre heures.

— Et que vient faire David dans cette histoire d'empoisonnement? rétorqua-t-elle avec vigueur.

— C'est ce que nous nous sommes demandé. Alors nous avons visionné à nouveau la vidéo de son entretien à Bordeaux, ainsi que certaines séquences provenant de caméras de surveillance de l'établissement. Tu te souviens quand David est sorti acheter la bouteille de Dr Pepper?

— Oui, tu m'as dit que les machines étaient près de la porte.

— C'est vrai, elles sont tout juste à côté. Grâce aux autres caméras, on voit David ouvrir la bouteille et y verser quelque chose, puis la refermer. Lorsqu'il revient dans la salle, il l'offre au prisonnier mais l'ouvre d'abord pour faire croire que le bouchon était encore scellé.

— Quoi... Tu dis que David aurait mis le poison dans la boisson ? Mais voyons !

— Écoute Elena, nous avons regardé cette séquence au moins une vingtaine de fois... C'est très subtil, mais c'est l'évidence même. S'il avait une petite fiole en verre ou en plastique sur lui, David a facilement pu l'apporter dans l'établissement.

— Merde ! Je ne sais pas quoi penser, Richard... Vous êtes certains de ça ?

— Je te le dis, faut le voir pour le croire, Elena, et je suis le premier à protéger David, tu le sais. Cette scène aurait pu passer inaperçue, puisque les vidéos de surveillance en provenance des corridors ne sont pas systématiquement analysées. En plus, écoute bien cela : à la fin de l'entretien, le barbu a pris la bouteille de boisson gazeuse pour la ranger dans sa mallette de cuir. David avait gardé le bouchon et il l'a laissé sur la table. Pourquoi ont-ils rapporté la bouteille ? Pour ne pas laisser de trace, bien entendu.

— C'est vrai... Elle n'était plus sur la table lorsqu'ils sont partis ! se souvint la jeune femme.

— Voilà de minuscules détails qui font toute la différence. Nous nous sommes attardés à ce qu'ils disaient, à leurs visages, à ce qu'il faisait dans la salle, mais pas à la bouteille! Et devant ces faits, le lieutenant n'a pas eu d'autre choix que de lancer l'avis de recherche que tu as vu ce matin.

— Richard, tu sais autant que moi que David n'est pas un assassin.

— Oui, mais nous l'avons vu de nos propres yeux sur la séquence vidéo. Il a bel et bien injecté un liquide dans cette bouteille. J'ai voulu apporter une nuance à mon supérieur, sans succès... Si ce n'avait été du message de David sur sa carte de visite, ce meurtre se serait produit sans être remarqué, car aucune autopsie n'était prévue au départ. Il est clair qu'Allard a porté volontairement un geste pour nous diriger, nous interpeller. Et il a fait en sorte que le pot aux roses soit rapidement découvert. C'est à ce moment-là que j'ai eu une sérieuse prise de bec avec Claude. Je pense même que Kim était d'accord avec moi.

— Mais il salit la réputation d'un de ses meilleurs éléments!

— C'est justement l'une des raisons pour laquelle il l'a fait. Ton *chum* prend beaucoup de place, il a du panache, de la gueule... Il dérange. Et je crois qu'au plus profond de lui-même, Dallaire ne l'aime vraiment pas. Mais ça, c'est mon opinion personnelle. Je connais Claude comme le fond de ma poche, j'arrive à lire entre les lignes... Et puis, il ne cesse de me dire de rester objectif, d'arrêter de ne voir qu'un seul côté de la médaille. Car depuis que tu nous as révélé l'existence du bureau de David, rempli à craquer d'informations sur le Phantom, Claude trouve de plus en plus louche les agisse-

276

ments de notre disparu. Et il a raison, dans un certain sens. C'est juste que je n'arrive pas du tout à accepter la possibilité qu'il ait une double vie et qu'il soit également un meurtrier.

— Imagine pour moi! C'est un non-sens absolu, je n'arrive pas à concevoir cette éventualité. En plus, j'étais avec ma famille tout à l'heure lorsque j'ai appris la nouvelle. Si elle n'avait pas été là, j'aurais complètement démoli le salon de ma mère, y compris son foutu sapin de Noël!

Après une petite pause, elle enchaîna, d'une voix plus calme et déterminée.

— Et on fait quoi, maintenant?

— Va chez toi et attends mon appel.

* * *

Le directeur du collège Saint-Francis-de-la-Croix, Alain Lemieux, n'était pas particulièrement enthousiasmé à l'idée de se rendre à son lieu de travail un dimanche matin. Mais les circonstances entourant la demande des policiers du SPVM avaient attisé sa curiosité et il savait qu'il devait être là, malgré le baptême de son petit-neveu. Lorsqu'il se gara devant l'entrée principale de son école privée, Alain remarqua que ses visiteurs étaient déjà arrivés. Il se dépêcha de sortir de son véhicule et alla les rejoindre.

Les agents Brunet et Ladouceur espéraient en connaître davantage sur l'année scolaire 1970, indiquée sur le message de David, même s'il était évident que le directeur, à peine âgé d'une quarantaine d'années, n'était pas en poste à cette époque. Après les présentations d'usage, les policiers entrèrent tout de go dans le vif du sujet.

— S'est-il passé quelque chose de particulier cette année-là, à votre connaissance? lui demanda Kim, tout en regardant les archives qu'avait sorties le responsable du collège.

— Rien ne me vient à l'esprit… Tout le monde connaît le professeur Auguste pour ses frasques judiciaires. Il a vraiment entaché l'image de notre école et nous en subissons encore les conséquences. D'après ce que l'on dit, il aurait fait plusieurs victimes supplémentaires, peut-être des dizaines de plus que celles qui l'ont courageusement dénoncé. Vous savez, il s'en est passé des choses depuis qu'il a commencé à enseigner ici, à la fin des années 1960… Alors, vous me demandez ce qui s'est passé en 1970? Je n'en ai aucune idée, mais plusieurs de ces personnes le savent certainement, leur dit-il, en leur montrant des photographies des équipes sportives du collège de l'époque.

— Il y a tellement d'étudiants… remarqua la jeune policière.

— Selon les registres, Larochelle s'occupait des équipes de football et de hockey, en plus d'enseigner à trois groupes. Alors oui, ça fait tout un tas d'élèves.

— Pouvons-nous avoir des copies des photographies et de la liste des jeunes inscrits à ses cours?

— Absolument, je vous prépare cela immédiatement. Donnez-moi quelques minutes.

Pendant que le directeur s'affairait à sa tâche, les deux agents avaient entrepris une petite visite des corridors de l'administration de l'établissement, qui étaient parsemés de photos d'enseignants et d'élèves de différentes époques.

Richard s'approcha de Kim et lui demanda à voix basse :

— Dis-moi, par simple curiosité, que crois-tu que l'on va trouver sur ces vieux clichés ?

— De nouvelles victimes, peut-être ? Dont David était au courant ?

— En 1970, il n'était même pas né ! lui fit remarquer le quinquagénaire.

— Ah oui ? C'est vrai, il est seulement dans la jeune quarantaine...

Laissant sa partenaire sur ces réflexions, il s'éloigna en silence et s'évada dans ses pensées quelques instants. Tout en faisant les cent pas, le policier d'expérience réfléchissait à une stratégie plus efficace pour terminer cette enquête rapidement. Il avait une idée en tête, mais cela signifiait devoir faire confiance à sa nouvelle partenaire. «Ou peut-être pas», conclut-il.

Lorsqu'ils eurent les photographies en main, Richard et Kim remercièrent chaleureusement le directeur et s'installèrent dans la voiture du policier. Avant de démarrer, l'homme se tourna vers sa collègue.

— Tu sais quoi ? Je crois que David veut nous mettre sur la piste de Rob Lussier. Rien de moins. Je suis persuadé qu'il a fréquenté cette école-là, lui aussi.

— Pourquoi avoir tué Auguste Larochelle dans ce cas-là ? N'était-ce pas de la vengeance personnelle ?

— Kim, arrête de parler comme Claude, veux-tu ?

Ne sachant quoi répondre, elle baissa la tête, faisant mine de regarder les documents qu'ils venaient de recevoir.

— Je sais que le lieutenant t'a demandé de me surveiller, l'informa-t-il.

La jeune femme leva immédiatement les yeux, interloquée, et fixa son partenaire d'un regard coupable. Mais avant même qu'elle puisse lui répondre, il reprit la parole.

— Tu es une bonne policière, Kim, et j'apprécie de travailler avec toi. Mais je crois qu'au stade où nous en sommes, nous avons besoin d'aide. Ça ne va pas suffisamment vite à mon goût.

— Au contraire, ça avance rondement !

— Non, c'est une course contre la montre. Nous avons besoin d'un petit coup de pouce pour accélérer le processus. Là, tout de suite. Et je sais où aller. Alors que tu me suives ou non dans mes démarches, je m'en fous. Tu m'entends ? Va dire ce que tu veux à Claude, je l'emmerde de toute façon, ces temps-ci.

— Mais voyons Richard, qu'est-ce que tu dis là ?

— Je te dis que nous allons chez Elena Perrot et que je me fiche de ce que tu diras à Dallaire par la suite. Ce que je veux, c'est trouver David. Et elle, elle peut vraiment nous aider.

— Comment ça ?

— Tu verras.

Il démarra la voiture et fila vers le parc La Fontaine sans ajouter un autre mot.

* * *

Richard était assis dans la confortable petite cuisine de la belle Perrot, en compagnie de sa partenaire intriguée, qui ne cessait de se tortiller.

— J'attendais ton appel, mais une visite, c'est encore mieux! avoua Elena.

— Écoute, on passe en deuxième vitesse. Tu dois nous aider à établir le lien entre l'année 1970, Auguste Larochelle et Rob Lussier.

— Ça, c'est ton hypothèse, précisa Kim.

— C'est le gros bon sens, voyons! Ce foutu Phantom est partout depuis que David a disparu. Alors Elena, peux-tu faire une transe sur lui et Auguste, pour y voir plus clair, une bonne fois pour toutes?

La chamane manqua de renverser sa tasse de tisane lorsqu'elle croisa le regard du policier et celui de la jeune femme aux yeux bridés, assise à ses côtés.

— Tu dis quoi, là? Elle est au courant? l'interrogea-t-elle, tout en pointant la policière du doigt.

— Elle vient de l'être!

— Mais Richard, elle va aller commérer ça à votre lieutenant et le SPVM au complet va savoir par la suite! Je ne veux pas devenir un animal de foire!

— Voyons, Elena! Les gens sont plus ouverts d'esprit que tu ne le crois! On doit retrouver David, un point c'est tout! répondit Richard en haussant légèrement le ton.

«Il a parfaitement raison», s'avoua la chamane aussitôt. Elle baissa les yeux, réfléchissant quelques secondes.

— Pour ta part, Kim, tu ne vas rien dire du tout, d'accord? enchaîna le policier. Depuis deux jours, grâce au don d'Elena, j'étais deux pas en avant durant l'enquête, et ce, à tout moment. J'ai su que David était vivant dès le début, qu'il n'était pas seul, qu'il irait à Bordeaux, qu'il avait fréquenté le collège Saint-Francis-de-la-Croix adolescent et qu'il avait été une victime de Larochelle. Tout ça, avant même qu'on ne le découvre de notre côté par d'autres moyens.

— Ouais… Et ça n'a rien donné, Richard! s'exclama Elena. Tout ça n'a rien donné! Mes transes sont vides de sens! Des balades en voiture, de brèves discussions, des souvenirs vagues, rien de concret. David n'est toujours pas là, avec nous.

— Parle pour toi, Elena. Tu m'as prouvé ton talent, mais, surtout, je me suis senti encouragé pour la suite. Et c'est grâce à toi qu'on va le retrouver et comprendre ce qui se passe.

Le policier d'expérience semblait déterminé, certes, mais également impatient et prompt dans ses propos. Son petit côté tendre, qu'Elena aimant tant, semblait bien loin. La tension était palpable autour de la table, d'autant plus que les heures avançaient et qu'il n'y avait eu aucun développement tangible depuis la découverte de la visite de David au centre de détention de Bordeaux.

— Dis-moi Richard, demanda Kim qui n'avait toujours pas prononcé un mot depuis leur arrivée, cela fait combien de temps que tu n'as pas dormi?

Finalement, Elena accepta de réaliser une transe, tel que le suggérait le partenaire de son conjoint. Elle n'aimait pas du tout cette situation, mais elle laissa tout de même ses invités dans la cuisine et s'installa dans sa chambre, après avoir pris soin de fermer la porte derrière elle.

Elle décida de sortir son tambour, qui était bien plus efficace que son enregistrement audio sur son portable, et s'assit à l'indienne sur son lit. Elle se concentra sur le souvenir qu'elle avait de Bertrand, ce personnage du Phantom qu'elle avait connu lors de ses vacances. À ses pieds se trouvaient les photographies des élèves de 1970, que lui avait remises Richard. Elle tenta de garder en tête le visage d'Auguste Larochelle, tel qu'elle l'avait vu lors de sa transe sur David.

« Ouf, c'est compliqué comme commande ! » se dit Elena. Elle n'avait jamais entrepris de transe avec des consignes aussi précises et elle se surprit à demander l'aide des grands esprits, même si elle doutait de leur existence.

Lorsqu'elle fit le vide en elle, ses efforts de méditation portèrent leurs fruits et au rythme du tambour, elle put entrer en transe. Mais cela ne se passa pas comme elle l'avait espéré.

Quelques minutes après que leur hôtesse fut entrée dans sa chambre, les deux policiers entendirent un soudain raffut, contrastant outrageusement avec le doux tambourinement qu'ils avaient distingué auparavant. Richard se leva d'un bond et alla immédiatement rejoindre la jeune femme, inquiet. Lorsqu'il arriva près d'elle, elle était accroupie contre la cuvette de la toilette, vomissant le peu que contenait son estomac.

— Elena ! Ça va ? dit-il en lui apportant une serviette à main pour qu'elle puisse s'essuyer.

— Oh… Ça ne s'est vraiment pas bien passé, dit-elle tout en se levant et en tirant la chasse d'eau.

— Comment ça ?

— Richard, laisse-moi deux minutes, veux-tu ? J'irai vous rejoindre, dit Elena, espérant arriver à retrouver ses esprits.

Après s'être nettoyée et avoir changé de chandail, elle revint vers la cuisine et se prépara un verre d'eau, sans pour autant en boire une gorgée. Elle alla ensuite s'asseoir au salon, où ses invités la suivirent sans dire un mot. Elle mit les mains sur son visage, couvrant ses yeux humides.

— Que s'est-il passé, Elena ?

Elle ne put répondre instantanément à cette question, comme si sa volonté refusait les paroles qui germaient dans son esprit. Après un effort, qu'elle jugea colossal, elle releva la tête.

— Je viens de me faire agresser sexuellement dix fois d'affilée, voilà ce qui s'est passé, dit-elle d'une voix vacillante, à peine audible.

— Quoi ? s'écria le policier, outré.

Tout en tremblant, elle expliqua brièvement ce qu'elle venait de vivre.

— D'abord, ma transe n'a pas bien fonctionné, probablement parce qu'il y avait une tonne d'ail ou d'oignons dans mon souper d'hier... Je n'ai pas fait attention. Ça trouble ma vision, précisa-t-elle, devant l'air ahuri des deux sergents-détectives. Quand je mange ces aliments, c'est l'enfer... Ça s'est déjà produit par le passé : ma vision se résume en une dizaine de transes qui se succèdent à une vitesse folle, entre-coupées d'intenses flashs. Ça donne la nausée. Le problème, c'est que...

Lorsqu'il la vit sangloter, Richard s'approcha d'elle et la prit dans ses bras. Kim, seule sur l'autre canapé, ne savait comment réagir devant cette étrange scène qu'elle ne comprenait pas tout à fait.

— J'étais dans la peau de Rob Lussier. Je ne peux pas dire quel âge il avait, peut-être treize ou même quinze ans. Mais je peux te confirmer qu'il a souffert durant ses études secondaires... Et souvent, en plus. Ce salopard de Larochelle a abusé de lui tant de fois! dit-elle, avant de repartir en pleurs. C'est... tellement... terrible de faire ça à des enfants...

Kim s'approcha lentement d'eux.

— Tu as senti ces abus comme si c'était toi qui les avais vécus? demanda-t-elle tout bas.

Elena acquiesça d'un signe de tête et se mit à trembler de plus belle. Une seconde plus tard, elle repartit en courant vomir à nouveau dans l'évier de la cuisine, sous le regard impuissant des deux agents.

— Un don, tu disais? demanda la jeune policière à son collègue. C'est plutôt un cauchemar, si tu veux mon avis. J'en tremble moi-même.

— J'avoue que c'est vraiment intense, dit Richard, tout en se levant pour aller chercher les photographies dans la chambre.

— Tu vas bien, Elena? demanda poliment la sergente-détective.

— Oui, ça va, merci. Laissez-moi seule quelques minutes, d'accord? dit-elle, avant de s'enfermer à nouveau dans sa chambre, après avoir laissé sortir l'enquêteur avec les documents.

Richard scrutait les clichés qu'il avait entre les mains, tandis que sa partenaire lisait la liste des noms que leur avait transmise le directeur du collège. Elle prit un crayon et barra tous les noms féminins. Après quelques minutes, le policier prit la parole :

— Et puis ?

— Sur les quatre-vingt-sept élèves de Larochelle, il reste quarante-neuf garçons.

— Ouf…

— David veut vraiment nous mettre sur la piste de Rob Lussier, constata Kim à la lumière des récentes confidences d'Elena.

— Je te l'avais bien dit.

— Va falloir trouver une explication bidon à raconter au lieutenant pour justifier notre raisonnement, lui dit-elle d'un œil complice.

— Tu sais que je t'aime de plus en plus, toi ! répondit Richard, tout en lui donnant une tape amicale dans le dos.

Lorsqu'elle sortit les rejoindre, la chamane semblait avoir retrouvé ses couleurs. Elle leur offrit un café, qu'ils refusèrent.

— Pourrais-tu regarder attentivement ces photos, Elena, et peut-être essayer de faire un premier tri des visages ? demanda Kim.

— Tu as quand même passé quelques jours avec lui en croisière, tu es la mieux placée pour le retrouver, ajouta Richard.

— Je ne l'ai même pas reconnu adulte dans mes premières transes. Il est un véritable caméléon !

— Alors attarde-toi à ses traits généraux, à la forme du visage. Après ton premier tri, nous l'enverrons à un spécialiste.

Après quelques minutes d'efforts, la jeune femme put éliminer une dizaine de personnes, dont elle était certaine qu'il ne pouvait s'agir du tueur à gages.

— Le problème, c'est que l'on ne connaît pas les noms des garçons qu'elle raye sur les photos, souleva la policière.

— Ouais, ça, c'est un autre problème, admit son partenaire.

Sur le point de partir, Richard se retourna vers Elena, tout en mettant son manteau.

— Pourquoi ne viens-tu pas avec nous?

— Je ne crois pas que ce soit une bonne idée de l'emmener au bureau! affirma sa partenaire.

— Qui t'a dit que nous allions là-bas?

Ils s'installèrent tous les trois dans la voiture des policiers.

— Tu as fait une transe dernièrement sur David, n'est-ce pas? lui demanda Richard, un peu inquiet, avant de démarrer.

— Oui, hier soir.

— Mais pas depuis?

— Non, je n'en ai pas vraiment eu l'occasion.

— Retournons chez toi, il faut en faire une. Elle disait quoi, la dernière?

— Euh… Il était en voiture avec Lussier.

— Où? dit-il, tout en sortant du véhicule.

Les deux femmes se regardèrent silencieusement et emboîtèrent le pas au policier. La chamane sortit son trousseau de clés et ouvrit la porte de son condo.

— Je n'en ai aucune idée, dit-elle finalement. Je n'ai pas reconnu la route. Il y avait des arbres, beaucoup de végétation, en fait.

— Donc, peux-tu affirmer que ce n'était ni en banlieue ni en ville ?

— Je suppose que oui.

— Tu as vu des pancartes, des commerces, des affiches quelconques ?

— Richard, tu m'énerves à la fin ! Que se passe-t-il dans ta tête ? lui demanda Elena, éberluée par son comportement erratique.

— Je m'inquiète, voilà tout. David rôde, on ne sait où, avec un meurtrier. Une personne vient d'être empoisonnée, et nous sommes sans nouvelles de ton *chum* depuis plusieurs jours. Je crois que... je vis simplement un instant de panique, tout d'un coup...

— Je vois ça et tu me fais paniquer aussi, figure-toi ! Sache que je n'ai pas vu de pancarte particulière... Ah si ! J'en ai aperçu une : elle était jaune, en forme de losange, avec une tortue dessus, précisa la chamane.

— Une tortue ?

— Ne m'en demande pas plus, je n'ai pas la moindre idée de sa signification.

La jeune femme enleva ses bottes et son manteau et se dirigea, presque à la course, vers sa chambre.

— Comment peux-tu lui demander de refaire une transe après ce qu'elle vient de vivre ? demanda Kim à son collègue.

— Elena est endurcie, déterminée et forte. Elle va la faire, même si tout va mal.

— Vraiment, je trouve cette fille soit complètement folle, soit absolument épatante.

Allongée sur son lit, la belle brune prit de longues inspirations, sachant bien que sa prochaine transe ne serait pas aisée. Une série de flashs l'attendaient, comme pour la précédente, mais l'inquiétude soudaine de Richard corroborait son sentiment d'urgence à l'idée de retrouver rapidement son amoureux.

Elle remit donc sa plume de hibou sous la bretelle de son soutien-gorge et joua du tambour.

Comme à l'habitude, elle se retrouva prisonnière de son hôte. Dans ce cas-ci, il s'agissait de David. Les éblouissements qu'elle appréhendait se manifestèrent entre différentes scènes qu'elle connaissait déjà, notamment celle de la guérite au centre de détention de Bordeaux ou celle de l'entretien de son amoureux avec le pédophile, qu'elle détestait au plus haut point. Après un troisième éclair lumineux, elle revit la pancarte jaune à la tortue avant de revivre un brusque changement de scène. Lorsqu'elle entendit l'homme qu'elle aimait crier, elle pensa sombrer dans un état léthargique tellement son désarroi était palpable.

— Pourquoi ? Pourquoi tu as fait ça ? vociférait-il à l'homme barbu devant lui.

Le prochain flash l'illumina complètement et cela lui prit quelques secondes avant d'arriver à distinguer clairement le spectacle sordide dont elle était témoin. Un animal blanc, à l'agonie, se vidait de son sang sur une vieille table ternie. Le liquide rouge se répandait partout et dégouttait sur le plancher, entre les lattes de bois. Les entrailles de la bête étaient sorties et répandues devant elle.

Les mains rougies et dégoulinantes, Lussier s'approcha du visage de David et lui dit, d'une voix monochrome, tout en le fixant dans les yeux :

— Et puis, ai-je gagné ta confiance ?

Lorsqu'elle sortit de sa transe, Elena sentit la nausée l'envahir encore, mais l'envie de vomir fut rapidement refoulée et laissa toute la place à une panique démesurée. Tremblante et frigorifiée, la chamane se leva d'un bond, tout en criant.

Les deux enquêteurs s'étaient accoudés au rebord du comptoir de la cuisine et furent surpris lorsqu'ils virent Elena sortir en courant de sa chambre.

— Jeffrey ! Jeffrey !

— Que se passe-t-il ? demanda aussitôt Richard, sur le qui-vive.

— Il est venu, il est venu chercher mon chat !

— Qui ?

— Oh non… Jeffrey !

Elena cria ainsi plusieurs minutes, en fouillant partout dans son condo pour trouver son colocataire félin. Elle poussa les meubles, ouvrit la porte du balcon, regarda sous son lit… Il n'était nulle part.

Après un certain temps, elle ne vit plus rien tellement ses larmes lui voilaient la vue. N'en pouvant plus, elle se laissa choir sur le plancher de la cuisine, en pleurs.

— Il est mort, il est mort… répétait-elle.

— Elena, qui est décédé ? Qui est venu ici ? demanda Kim, qui s'accroupit près d'elle.

— Ne comprends-tu pas ? Rob Lussier est venu ici chercher son chat et il l'a tué, lui répondit le policier.

— Oh...

— Dire que je l'ai pris dans mes bras ce matin, avant de partir chez mes parents, réussit à dire Elena entre deux sanglots.

L'enquêteuse se leva et alla rejoindre son partenaire, qui était retourné près du comptoir.

— Tu as remarqué des signes d'effraction ? lui demanda-t-elle.

— Non, aucun.

— David a la clé de mon appartement, leur apprit Elena, alors qu'elle se relevait.

— Donc, il la lui a donnée ?

— Non, Lussier la lui a prise, rectifia Richard, en regardant sa collègue d'un air sévère.

— Il faut appeler une équipe technique immédiatement, réalisa la policière en prenant son téléphone.

Mais son collègue lui enleva son portable des mains, sans aucune délicatesse.

— Et pour leur dire quoi, au juste ? Que le chat de madame n'est pas retourné à la maison après sa promenade matinale ? lui demanda-t-il d'un ton sec, prouvant une fois de plus son manque flagrant de sommeil. On ne peut pas faire débarquer toute l'équipe technique ici pour ça ! Personne ne sait que le Phantom est venu ici, excepté toi, moi et Elena. C'est frustrant, mais c'est ainsi.

— Et que va-t-on mettre dans notre rapport, dans ce cas ?

— Mais Kim, pour l'amour du ciel, il n'y aura pas de rapport ! Tout ce que l'on sait, c'est que ce tueur est dérangé, qu'il sait où Elena habite, et qu'il a sa clé. Voilà ! Nous le savons peut-être, mais nous n'avons aucune preuve tangible. Rien. Alors Dallaire ne gobera rien à cette histoire !

Reprenant rapidement ses esprits, la jeune policière se tourna vers la chamane et lui ordonna de faire ses valises.

— Tu viens avec nous et tu ne remettras pas les pieds ici tant et aussi longtemps que nous n'aurons pas retrouvé ce Rob Lussier !

Elena ne se le fit pas dire deux fois. Elle partit immédiatement ramasser quelques effets personnels, qu'elle mit dans son sac à dos. Lorsqu'elle sortit de sa chambre, Richard s'avança vers elle.

— Tu allais oublier quelque chose, dit-il, tout en ramassant le tambour de peau de bison sur le lit.

* * *

Les trois complices avaient donné rendez-vous au spécialiste en morphologie du visage, Alexander Vern, au restaurant Poutineville dans la rue Ontario, non loin du parc La Fontaine. Il s'agissait d'un collaborateur de longue date que Richard pouvait se permettre d'appeler un dimanche après-midi.

Affamés, les policiers commandèrent des burgers gigantesques, qu'ils dégustèrent avec appétit, tandis qu'Elena se contenta d'une soupe, qu'elle regarda avec un manque d'appétit évident. Pendant ce temps, le spécialiste analysait minutieusement les photos des étudiants des classes de 1970.

Pour l'aider, Elena avait apporté son ordinateur portable et y avait déniché une photographie où l'on pouvait voir le Phantom sous les traits de Bertrand. L'image floue de la vidéo de Bordeaux était également à sa disposition.

— Richard, tu m'en devras une après ce coup-là ! lui fit remarquer Alexander, dans un français impeccable, malgré un fort accent anglais.

Pendant qu'il travaillait, les trois complices discutaient à voix basse.

— Donc, Rob Lussier avait des raisons encore plus importantes que David de se débarrasser de son ancien professeur, nous nous entendons tous là-dessus ? affirma le sergent-détective.

— C'est évident, confirma Kim.

— Deux anciennes victimes qui décident ensemble de régler leurs comptes... philosopha-t-il, jusqu'à ce que son téléphone portable émît un gazouillis d'oiseau, annonçant l'arrivée d'un message texte.

Devant le regard surpris de Richard, la policière ne put s'empêcher de rire.

— Tu aimes ce son ? C'est moi qui te l'ai programmé. Avoue que c'est joyeux, non ? lui demanda-t-elle, espérant qu'il apprécierait ce nouvel effet sonore.

— Mais quand as-tu fait ça ? lui dit-il, tout en lisant son message. Ah, c'est Suzanne Margot, celle qui a analysé l'écriture de David sur la carte.

— Et elle dit quoi ? demanda Elena, qui s'était fait bien silencieuse depuis leur arrivée au restaurant, ne se remettant pas facilement de ses récentes émotions.

— Hum… Elle dit que l'écriture démontre une grande nervosité et une importante vitesse d'exécution.

— Rien de sorcier, remarqua Kim.

— David est rarement nerveux, précisa la chamane tout en brassant sa soupe déjà refroidie.

— Mais lorsque tu t'apprêtes à tuer quelqu'un, c'est normal, non ? ajouta l'enquêteur.

Comme s'il venait d'apparaître soudainement à leur table, l'anglophone prit la parole, les faisant tous sursauter.

— Bon ! J'ai terminé, leur annonça-t-il. Je suis d'accord avec ce que vous avez fait, madame Perrot. Vos choix ont été prudents et justes. J'ai également écarté quinze visages, dont je suis convaincu de leur non-concordance. Les autres, c'est vraiment trop difficile, puisque je n'ai pas de bonnes photographies de celui que vous recherchez ni tous mes outils de travail.

— Il nous en reste tout de même vingt-quatre, c'est beaucoup ! s'exclama Kim.

— Il faut trouver quelqu'un qui a vécu cette époque et qui connaît d'autres anciens élèves. Il nous faut des noms, pas seulement des visages. Il faut… carrément découvrir la véritable identité de Rob Lussier, ce que personne n'a été en mesure de faire, depuis plusieurs décennies, précisa le quinquagénaire, légèrement découragé.

— Vous avez la liste des noms ? demanda alors le spécialiste.

Entre deux bouchées de frites, Kim lui remit les quelques feuilles regroupant les noms des joueurs et des élèves ayant eu Auguste Larochelle comme entraîneur ou enseignant.

— Quelques bons amis de mon âge ont fréquenté cette école, les informa-t-il, tout en parcourant la liste du regard. En 1970, j'avais quatorze ans, alors…

Richard arrêta de boire son thé glacé et se mit à fixer de ses yeux noisette son ami, assis devant lui. Littéralement suspendu à ses lèvres, le policier cessa même de respirer.

— Voilà! Georges Valiquette. Lui, je le connais!

— Ce n'est pas vrai? Un miracle! Un miracle vient de se produire! s'écria spontanément l'agent Brunet, heureux de ce concours de circonstances.

Leur repas terminé depuis plusieurs minutes, les quatre comparses s'étaient agglutinés autour du iPhone d'Alexander et discutaient via Skype. Grâce à la magie de cette application, ils pouvaient dialoguer par vidéoconférence avec cet ancien élève du collège Saint-Francis-de-la-Croix, et ce, même s'il vivait à Trois-Rivières.

Toujours à l'aide du téléphone de l'anglophone, le policier lui avait auparavant envoyé par courriel une photographie de chaque cliché qu'il avait amené. C'est ainsi qu'une véritable séance de remue-méninges fut entamée dans le restaurant presque vide.

— Troisième rangée en haut, le garçon au chandail vert et au veston marron, je ne me souviens plus de son nom de famille, mais je sais qu'il s'appelait Anthony. Et celui tout juste en bas, avec la chemise blanche et le veston noir, c'est Nicolas Papineau, décrivait ainsi Valiquette d'une voix aiguë, qu'Alexander s'amusait à appeler Georgie.

Ce dernier put ainsi identifier avec certitude huit élèves dont le visage n'avait pas encore été marqué d'un «X». Finalement, il termina son énumération en annonçant la mort de l'ancien capitaine de l'équipe de hockey, dans un accident de voiture, alors qu'il étudiait à l'Université de Montréal.

— Je m'en souviens comme si c'était hier. Il fréquentait encore ma sœur, leur annonça Georges, alors que Kim barrait d'un trait rouge le visage du jeune garçon sur la photo.

— Merci infiniment de votre aide, monsieur Valiquette, dit Richard. Est-ce que vous vous rappelez un événement particulier survenu en 1970?

— Ça fait bien des années! Je dois y réfléchir... Écoutez, je vais prendre note de vos coordonnées et je vous tiendrai au courant si quelque chose me revient en tête.

Lorsque les deux policiers et Elena retournèrent à la voiture, ils restèrent silencieux quelques instants, espérant qu'une chaleur relative s'installerait rapidement dans l'habitacle du véhicule. La chamane avait mis sa tuque et ses gants, et regardait la façade du restaurant dans lequel ils venaient de passer plus de deux heures.

Même s'il n'était que 16 h, le ciel était noir, comme s'il faisait nuit. Malgré la présence des deux sergents-détectives, la jeune Perrot se sentait terriblement seule, assise sur la banquette arrière de la Chevrolet Malibu de Richard. D'une oreille distraite, elle écoutait les deux autres discuter.

— Nous en sommes à vingt-trois garçons, et on connaît le nom de neuf d'entre eux, dit Kim.

— Excellent! On avance, affirma le policier. Veux-tu que je te dépose chez toi pour prendre un peu de repos?

— Et toi, que vas-tu faire?

— Je vais aller au bureau approfondir mes recherches sur les noms que nous avons. Je vais les passer dans le système.

— Alors, je viens avec toi, dit-elle d'un air complice.

— D'accord. Et toi, Elena, je te dépose chez moi? Pierrette serait très heureuse de te revoir.

— Non, je vous suis, si ça ne vous dérange pas.

— C'est d'accord. De toute façon, un dimanche, à cette heure-là, il n'y aura pas un chat au bureau, précisa le conducteur.

* * *

Leur arrivée aux bureaux de la section des crimes majeurs du SPVM ne passa pas inaperçue. Plusieurs agents étaient en poste afin de valider les informations récoltées au 9-1-1, concernant l'avis de recherche lancé pour retrouver le sergent-détective Allard.

— Et merde! laissa entendre Richard à leur approche.

Plusieurs dizaines d'appels avaient été reçus et chacun d'eux devait être méticuleusement trié. Sur une centaine d'informations recueillies, moins de quatre ou cinq étaient pertinentes et nécessitaient une vérification approfondie.

Menant leur propre enquête en parallèle, les trois arrivants tentèrent de se faufiler vers une salle en retrait, en vain. Ils furent apostrophés dès leur premier pas. Par chance, le lieutenant Dallaire n'était pas là, ce qui évita une potentielle prise de bec entre lui et l'agent Brunet.

Finalement, après quelques minutes, Richard et Elena purent s'enfermer dans une salle et s'installer devant l'ordinateur disponible. Quant à Kim, elle resta avec les autres policiers afin de vérifier la qualité des informations émises jusqu'à présent par le public.

Pendant qu'il tapait les noms un à un dans le système informatique, le policier s'adressa à Elena:

— Cela va me prendre un certain temps, ma chère. Tu pourrais peut-être t'allonger et te reposer un peu? Tu as vécu pas mal d'émotions fortes depuis quelques heures...

— C'est vrai, mais j'aimerais mieux me tenir occupée, sinon je vais me remettre à pleurer. Crois-moi.

— Tu voudrais vraiment te rendre utile à quelque chose?

— Oui. Je pourrais peut-être essayer de localiser Rob Lussier et David? proposa-t-elle.

— En plein dans le mille! dit Richard en lui faisant un petit clin d'œil. Cette pancarte de traverse de tortue est intrigante... tu ne trouves pas?

Richard donna ses clés à la belle brune, afin qu'elle puisse mener sa petite enquête dans la quiétude de sa voiture. Encore une fois, la chamane remit son manteau et partit d'un pas rapide vers la sortie, espérant passer inaperçue.

Le véhicule n'avait pas encore perdu la totalité de sa chaleur, et Elena s'installa aussitôt, heureuse de retrouver le tambour de son ancêtre. Encore une fois, elle se maudissait d'avoir mangé tant d'aliments interdits au repas de la veille, perturbant ses projets pour la journée. Elle en était à sa troisième transe en quelques heures, et elle espérait que les effets néfastes de son plat, dont elle ne comprenait toujours pas la signification, s'étaient amenuisés.

Pour les personnes possédant des facultés similaires aux siennes, la consommation d'ail et d'oignons était à proscrire, comme le lui avait conseillé son ancêtre chamane. Elena n'aurait jamais pensé payer autant sa bourde comme elle le faisait aujourd'hui. Elle entreprit donc à nouveau la fameuse transe ciblée par Richard, souhaitant retracer l'endroit où se situait cette affiche. En quelques minutes, elle y parvint aisément.

La transe fut courte et révélatrice. Le nom de la traverse de tortue était écrit dans une autre langue que le français et l'anglais. Elena ne parvenait pas à reconnaître ce dialecte étrange, qui lui semblait pourtant si familier.

Elle refit une transe et les flashs lumineux ne perturbèrent pas sa vision. Elle griffonna sur sa paume le losange métallique qu'elle avait observé sur le bord de la route qu'avaient prise les deux hommes recherchés. Lorsqu'elle termina, elle relut ce qu'elle avait réussi à inscrire : « a'nó:wara ». Satisfaite, elle resta assise le dos droit, fixant l'horizon. Malgré la fatigue, l'inquiétude et les tremblements, elle savait qu'elle devait poursuivre ses efforts.

Cette table en bois, presque pourrie, où agonisait son chat, était dans une maison, quelque part. Elle se souvenait d'une grande fenêtre, donc d'indices potentiels pour la retracer. Elle garda sa position un moment, espérant trouver la force de revivre cette cruelle scène. Mais elle en était tout simplement incapable. Elle n'en trouvait pas le courage, ses réserves de bravoure semblaient à sec.

Elle laissa finalement tomber son tambour à ses pieds, et pleura durant de longues minutes, seule, dans le stationnement.

Pourquoi son David se trouvait-il depuis quatre jours avec un homme aussi cruel ? Elle n'arrivait tout simplement pas à répondre à cette question, ce qui la fit davantage éclater en sanglots.

Une fois calmée, Elena prit quelques mouchoirs de la boîte qui traînait sur la banquette arrière, et tenta de limiter les dégâts qu'avait certainement causés sa récente crise de larmes sur son visage déjà blafard. Elle prit une profonde respiration et sortit de la voiture. Tout était silencieux autour d'elle, malgré la présence de l'autoroute à proximité.

En fermant la porte, elle observa le dessin qu'elle venait de tracer sur sa main et analysa l'image plus ou moins réussie de la fameuse traverse de tortue qu'elle avait tenté de localiser. Soudain, une illumination la frappa de plein fouet, comme si elle avait ingurgité une dizaine de boissons énergisantes d'un seul coup. Cette pancarte lui était familière pour la simple et unique raison qu'elle l'avait déjà vue.

Elena se mit à courir pour rejoindre Richard, excitée de lui annoncer qu'elle savait où se trouvait David.

Chapitre 10
La chaise métallique

Lundi 19 décembre 2011

Richard enfila son t-shirt ainsi que son chandail en tricot bleu marine. Il se prépara en un clin d'œil et descendit rejoindre sa femme dans la cuisine. Pierrette lui avait fait un café, et le lui tendit avant de lui donner un doux baiser. Elle devait partir rapidement pour son travail, qui débutait à 9 h, mais elle prit le temps de lui passer la main dans les cheveux.

Murmurant tout près de son visage, elle lui intima de trouver David au plus vite afin de prendre un peu de repos. Il lui offrit un bruyant soupir en guise de réponse et acquiesça de la tête. En regardant son épouse partir, le policier se mit à espérer pouvoir passer plus de temps avec elle dans un avenir rapproché.

Elena et lui étaient rentrés vers 21 h 30 la veille, totalement épuisés de la journée rocambolesque qu'ils avaient vécue. Après un repas tardif, concocté par l'excellente cuisinière qu'était Pierrette, ils firent un brin de toilette avant d'espérer se blottir dans les bras de Morphée pour une nuit de sommeil bien méritée.

Le couple avait installé leur invitée dans une petite chambre au sous-sol, que la jeune femme avait trouvée immédiatement à son goût. Le lit était ferme, comme elle les aimait, et la décoration, quoique quelque peu démodée, était chaleureuse. Une salle de bains, de taille très modeste, était également aménagée à proximité, ce qui avait agrémenté son confort.

Une fois au lit, elle avait voulu réaliser une transe sur son amoureux, espérant ainsi être en mesure de trouver un minimum de quiétude en le sachant vivant. La fatigue accumulée des derniers jours avait pris de l'ampleur, et elle avait eu bien de la difficulté à maintenir sa concentration. N'osant pas utiliser son bruyant tambour en peau de bison, elle avait opté pour son enregistrement audio, qu'elle avait écouté discrètement à l'aide de ses écouteurs.

Il lui avait fallu quelques secondes pour se rendre compte que cette transe était une erreur. Les images étaient moins saccadées que celles de ses autres essais dans la journée, mais leur contenu donnait la chair de poule. Certes, elle avait constaté que David était toujours vivant, mais le spectacle qu'il avait eu sous les yeux n'avait rien de réjouissant. Les plaintes du félin étaient terminées, car Jeffrey était bel et bien mort, vidé de son sang sur cette table grise et craquelée. Le jour était sur sa fin, puisque Elena percevait le coucher du soleil à la droite de David. Celui-ci était assis, hébété devant cette horrible scène, comme s'il ne concevait pas que le chat soit décédé.

À sa sortie de transe, Elena avait laissé les larmes couler sur ses joues. Cette chambre était devenue soudainement terne et froide. Elle s'était sentie isolée et, telle une enfant, elle aurait voulu se recroqueviller dans le lit de ses parents pour être consolée. Pierrette et Richard auraient très bien pu faire l'affaire.

Finalement, elle avait pleuré en silence la perte de son chat pendant plusieurs minutes, et la disparition de son amoureux pendant de longues heures.

* * *

Richard s'appuya sur le cadre de la porte-fenêtre et observa silencieusement un geai bleu qui avait choisi comme poste d'observation le grand pin derrière la maison. Il entendait son invitée s'affairer à l'étage inférieur ; elle devait être en train de se préparer.

En ce lundi de décembre, le policier se culpabilisait d'avoir fait la grasse matinée. Mais travailler près de cinquante heures en trois jours laissait incontestablement des marques. Il se permit donc quelques minutes de repos, en sirotant son café et en observant la faune virevolter dans sa cour arrière. Ce réconfortant moment fut toutefois bref, car au bout de quelques minutes, le quinquagénaire se mit à se remémorer les événements de la veille.

* * *

Lorsque la chamane était revenue à la course le rejoindre dans la salle qu'il avait transformée temporairement en quartier général, il discutait au téléphone avec Georges Valiquette, l'ancien élève du collège Saint-Francis-de-la-Croix qui les avait aidés au courant de la journée. Une fois son entretien terminé, il était si fébrile qu'il avait immédiatement demandé à Elena d'aller chercher Kim.

— Mesdames, nous avons d'autres noms ! leur avait-il annoncé, tout en déposant sur la table de travail les photographies de classe d'Auguste Larochelle. Alors, avait-il repris, notre nouvel ami, M. Valiquette, a fait ses devoirs et a communiqué avec quelques-unes de ses connaissances de l'époque. J'ai déjà noté leurs noms. Voyez ce petit blond, au visage triste ? Il s'appelle Lucien Bastille. Ce gamin était toujours à l'écart et plutôt solitaire. Kim, je veux que tu enquêtes sur lui.

Il avait ensuite montré un autre visage, celui d'un jeune homme au regard vif, affichant un large sourire.

— Georges a travaillé très fort à essayer de se souvenir si un événement quelconque s'était produit en 1970. Eh bien, en discutant avec un ancien élève, il s'est souvenu qu'il s'agissait de l'année où ce garçon souriant, un certain Henri Levasseur, a fait une tentative de suicide dans les vestiaires du collège.

Les deux femmes s'étaient penchées davantage sur le cliché, afin de mieux distinguer le visage de l'adolescent. Il avait les cheveux longs bruns et portait de grandes lunettes, très en vogue à l'époque.

— Et pour quelle raison il a tenté de s'enlever la vie ? avait demandé la policière.

— En fait, il semble que personne ne l'ait jamais su. C'est le concierge qui l'aurait découvert, pendu. Mais il a pu couper la corde à temps et Henri a été sauvé. Or, quelques semaines plus tard, tous les jeunes faisaient comme si rien ne s'était produit.

— Oh, mais c'est terrible! avait ajouté l'agent Ladouceur.

— Alors, pour le moment, je concentrerais mes efforts sur ces deux mal-aimés. Et toi, Elena, tu as fait ta transe? Excuse-moi, mon entretien avec Valiquette m'a vraiment distrait! Que voulais-tu me dire?

— Eh bien… Je crois savoir où est David, avait-elle répondu, pleine de fierté. J'ai retracé la pancarte de la traverse de tortue! Elle est écrite en langue mohawk, et elle se trouve dans la réserve de Kahnawake. Je m'en souviens à présent, car je l'ai aperçue lorsque je me rendais à mes cours de plongée sous-marine cet automne.

— En es-tu certaine? Il existe deux réserves mohawks en périphérie de Montréal.

— Celle de Kahnawake est tout de même collée sur la métropole et a près de cinq fois la superficie de l'autre, alors c'est plus probable que ce soit celle-là, avait précisé Kim.

— Donc, cela veut dire qu'ils sont passés à cet endroit, n'est-ce pas Elena? avait demandé Richard.

— Soit ils y sont, soit ils n'ont été que de passage, c'est exact.

* * *

Le territoire de la réserve de Kahnawake faisait plus de cinquante kilomètres carrés et se situait au sud-ouest de l'île de Montréal, en Montérégie. En périphérie, se trouvait la municipalité régionale de comté de Roussillon, regroupant plus d'une dizaine de municipalités, dont celles de Châteauguay et de Saint-Constant. Une superficie énorme qu'il était impossible de ratisser au peigne fin, réalisa Richard, en prenant une nouvelle gorgée de café.

Le geai bleu s'envola enfin, juste comme Elena entrait dans la cuisine.

— Bien le bonjour mamzelle ! lui lança le policier, constatant du même coup les traits tirés de la jeune femme. Tu veux un café ?

— Non, merci. Mais je prendrais bien un thé.

Alors que Richard s'affairait à faire chauffer l'eau, Elena reprit la parole pour entamer la discussion.

— Kim a travaillé toute la nuit, tu crois ?

— Non, elle est certainement allée dormir un peu.

La veille au soir, déjà ils avaient réussi à retracer Lucien Bastille, l'adolescent au regard triste. Ce dernier enseignait maintenant la physique dans une école secondaire de Lanaudière et semblait mener une vie bien rangée. Sa collaboration avait été exemplaire et il leur avait fait rapidement parvenir une photographie récente de lui. Tout indiquait qu'il ne s'agissait pas de Rob Lussier. Mais afin d'en être certains, Kim avait prévu de le rencontrer ce lundi matin. Le Phantom étant un personnage minutieux, complexe et perspicace, une vérification en profondeur s'imposait. Quant au jeune suicidaire, les premières recherches avaient été moins concluantes. Richard avait donc prévu poursuivre ses démarches aujourd'hui, sachant également qu'une rencontre avec le lieutenant Dallaire allait s'avérer inévitable.

Le policier tendit à Elena une tasse fumante aux effluves d'Earl Grey et ne la quitta pas du regard.

— Comment vas-tu, ce matin ?

— Disons… qu'il y a eu de meilleurs réveils. Ma nuit a été pénible. Je me suis toujours dit que nous allions retrouver David, que nous ne pouvions faire autrement, mais pour la première fois, je commence à avoir des doutes… Je ne sais pas pourquoi.

— J'espère que ton incertitude sera passagère, car je suis convaincu que nous sommes sur la bonne voie.

— Oui, tu as probablement raison. D'autant plus que j'ai toujours eu des transes spontanées depuis ma tendre enfance. Elles se déroulent durant mon sommeil, lorsque de graves événements sont sur le point de se produire. Et je n'ai pas vu David mourir depuis sa disparition, alors je suppose que tout se passe bien pour lui, sinon je l'aurais su.

— Tu es certaine de ce que tu dis ? Tu l'as déjà vérifié ?

— Mais oui, bien entendu ! Avec la mort de mon grand-père, et celle de mon ami Marco, par exemple. Mon attaque au couteau de cet été m'a également été révélée durant mes nuits.

— C'est vrai ? Plutôt pratique, je dois dire. Et… tu es certaine de toujours percevoir ces transes lorsque tu dors ?

— Absolument, lui répondit-elle, avec, soudainement, un doute dans son esprit.

Se pouvait-il qu'elle réalise des transes fortuites depuis des jours, sans s'en rendre compte ? Que sa fatigue l'amenait dans un sommeil si profond qu'aucune transe spontanée ne pouvait se manifester ?

Elena fixait la chaude vapeur de son thé en sentant les poils de son cou se hérisser à chaque question qu'elle soulevait. La voyant contrariée, son hôte reprit la parole.

— Je te laisse chez tes parents ou je t'accompagne au transbo ? lui demanda-t-il, la sortant de sa rêverie.

— …

— Je ne peux pas te garder avec moi toute la journée et je ne veux pas que tu retournes à ton appartement. Mais tu peux rester ici si tu préfères.

Comme si elle venait de prendre conscience que la vie suivait son cours et que la semaine de travail avait débuté, Elena regarda sa montre et lâcha un petit cri de surprise. Elle n'avait même pas pensé joindre son contremaître afin de l'aviser de son absence. Car elle n'avait pas du tout l'intention d'aller travailler en ce lundi matin. Elle prit donc son cellulaire et composa le numéro du poste de transbordement, sans même regarder Richard qui continuait à lui parler.

— Le Groupe Perrot, bonjour ! Comment puis-je vous aider ?

— Louise ! C'est moi, je ne rentre pas de la journée, tu peux vérifier avec Patrick si c'est correct ? Dis-lui de me joindre si…

— Elena ! la coupa-t-elle. Ma pauvre ! J'ai entendu la nouvelle au téléjournal hier, c'est terrible…

Alors qu'elle écoutait son employée parler sans relâche, Elena réalisa tout à coup que la totalité de son entourage était désormais informée de l'avis de recherche portant sur son conjoint. « Raison de plus pour ne pas me présenter au boulot », pensa-t-elle.

Elle remercia également le ciel que son amie Charlotte soit quelque part sur une plage tropicale ; cela lui faisait moins d'appels à se préoccuper, même si elle recevait des dizaines de textos de sa part pour avoir des nouvelles de la situation.

Une fois sa conversation terminée, la jeune femme supplia le policier de l'emmener avec lui pour la journée.

— Il n'en est pas question.

— C'est le fantasme de David ! Je te donne l'occasion d'utiliser la chamane en moi à ta guise pour ton enquête !

— Et quoi encore ! Tu vas entrer avec ton tambour dans nos bureaux ? Ce n'est pas toi qui avais une peur bleue de l'image que tu projetterais en te dévoilant ?

— Je peux faire des transes discrètement. J'ai appris.

Richard la regarda d'un œil sceptique. Elle avait peut-être été utile jusqu'à présent, mais il n'avait pas besoin d'un chien de poche pour la journée. D'autant plus que, s'il avait besoin d'elle, il n'avait qu'à lui téléphoner.

— Non, je suis désolé. Tu restes ici, lui dit-il. En plus, je dois rencontrer mon patron aujourd'hui ; il ne faudrait pas que tu sois dans les parages.

À 9 h 25, il était plus que temps pour Richard de quitter sa demeure. Une fois son manteau enfilé, son téléphone émit une chanson pop. Il dévisagea son appareil quelques secondes avant de répondre, éberlué.

— Brunet.

— Tu aimes ? Allez, tout le monde aime Katy Perry ! dit avec enthousiasme la sergente-détective Ladouceur.

— Je ne la connais pas. Mais quand modifies-tu les paramètres de mon iPhone?

— Ah ha! Je ne dévoilerai pas mes secrets!

— Bon, tu m'appelles pourquoi? Du nouveau?

— Oui. Rob n'est pas Bastille: celui-ci est vraiment prof de physique, je l'ai rencontré avant le début de ses cours, il y a quelques minutes. J'ai aussi consulté quelques-uns de ses collègues et ils m'ont confirmé qu'il n'a pas pris de vacances dernièrement. Donc, pas de croisière de plongée sous-marine avec nos amoureux. Et toi, qu'as-tu de neuf sur le suicidaire?

— Rien pour le moment, je ne suis pas encore au bureau.

— Eh bien, j'ai fouillé un peu sur lui hier soir.

— Tu as travaillé tard, on dirait!

— Bah, tu sais, moi, personne ne m'attend à la maison...

— Tu as trouvé quelque chose d'intéressant sur lui?

Tout en discutant, Richard sortit de chez lui et oublia son invitée, qui essayait de saisir le sens de sa discussion. Le plus discrètement possible, Elena chaussa ses bottes, mit son manteau et suivit le policier.

— Henri Levasseur a fait son service militaire en 1977, c'est tout ce que j'ai trouvé. Je n'ai pas encore retracé ses parents, précisa sa coéquipière.

— OK, je vais m'en occuper, répondit-il, en observant la jeune femme à la chevelure brune et au regard déterminé s'asseoir à ses côtés dans sa voiture.

Tout en fixant Elena, il termina sa conversation téléphonique. Puis il démarra sa Malibu et se mit en route.

— Tu es vraiment tenace, toi ! dit-il enfin, une fois en chemin.

* * *

Le plan était simple. Richard devait entrer et se diriger directement dans le bureau du lieutenant Dallaire, tandis qu'Elena devait se rendre dans la salle où ils s'étaient installés la veille. Il était même possible que l'agent Ladouceur y soit déjà.

Ils s'exécutèrent aisément et le policier entra sans cogner dans le lieu de travail reclus de son vieil ami.

— Bonjour Claude, dit-il, en le surprenant debout, regardant la fine neige tomber sur Montréal.

— Tiens, tiens, te voilà ! Comment vas-tu ? l'accueillit son patron, tout en retournant s'installer à son poste de travail.

— Ça va, je te remercie, dit-il en s'assoyant face à l'imposant meuble de bois massif que le lieutenant avait fait installer dès sa première année de nomination.

— Alors...

Les deux collègues se regardèrent un moment, sans dire un mot, sans faire un seul geste. Autant pouvaient-ils être proches l'un de l'autre et s'offrir quelques sorties bien arrosées certains soirs de week-end, autant ils pouvaient devenir de vrais rivaux lors de certaines enquêtes plus corsées.

Finalement, l'agent Brunet prit la parole le premier, désirant terminer cet entretien au plus vite. Ainsi, en pesant chacun de ses mots, il entreprit de faire un compte rendu de son enquête à son supérieur.

— Nous concentrons nos efforts sur le message de David. Nous nous sommes rendus au collège Saint-Francis-de-la-Croix pour tenter de déterminer pourquoi il a inscrit l'année 1970 sur la carte de visite. Avec la collaboration d'anciens élèves, nous avons conclu qu'un événement particulier a eu lieu cette année-là. Certains se souviennent d'une tentative de suicide d'un jeune du nom d'Henri Levasseur, qui était l'un des élèves d'Auguste Larochelle. En résumé, Claude, nous croyons que Rob Lussier a fréquenté ce collège, qu'il a eu le détenu de Bordeaux comme prof, et qu'il est cet élève aux idées suicidaires.

— Vous croyez...

— Absolument. Et je ne t'apprends rien en te disant que si nous retrouvons le Phantom, nous retrouverons David. C'est notre interprétation de son message, conclut Richard, en omettant de mentionner que lui et Kim collaboraient avec la conjointe chamane d'Allard, qu'ils avaient la certitude que le tueur avait bel et bien fréquenté cette école, qu'ils étaient certains qu'il avait été agressé par le pédophile et que, parmi les garçons qui avaient eu ce professeur cette année-là, se trouvait, sans l'ombre d'un doute, le jeune Lussier.

— Richard, tu es un policier d'expérience. Des « nous croyons », ça ne me convainc pas. Pas du tout même, et tu le sais très bien. À la suite de la parution de l'avis de recherche, nous avons reçu des dizaines d'informations qui doivent être validées. Ça, c'est du concret.

— Ladouceur a fait le tri hier soir. Il n'y a rien de substantiel. Rob Lussier est en cavale depuis des lunes, c'est un fantôme dans notre société. Tu crois vraiment qu'il sera facile de le retracer en placardant des photos de David à tous les coins de la province ? Jonathan s'occupe de vérifier les informations et Kim l'a bien *briefé* dimanche soir. Si quelque chose de pertinent sort de cet exercice, il nous avertira. Nous devons considérer le message de notre collègue ; il l'a écrit de façon hâtive et nerveusement. C'est notre devoir de le faire.

— Alors, tu es en train de me dire qu'en quelques jours, tu seras en mesure de trouver la véritable identité du mythique Rob « Phantom » Lussier ? Es-tu au courant qu'il est traqué depuis des décennies aux États-Unis et au Canada ? Qu'une équipe du FBI a été créée spécialement pour le coincer et qu'elle a même envoyé dans les aéroports un logiciel de reconnaissance faciale pour le dépister ?

— Eh bien, ça ne doit pas fonctionner à merveille, car il continue à voyager !

— Et comment sais-tu ça ?

— Elena Perrot, la conjointe de David, dit qu'il était à bord de leur bateau de croisière aux Maldives. Tu te souviens ? Je t'en ai parlé lorsque je t'ai demandé l'autorisation de faire acheminer une équipe technique pour analyser le bureau de David.

— Mouais…

— Bref, nous ne possédons pas beaucoup d'images nettes du fugitif. Selon moi, il réussit à suffisamment modifier la morphologie de son visage pour duper tous les logiciels de ce monde.

— Donc, toi, Richard Brunet, tu seras le grand héros de toute cette saga ?

Le policier fulminait à entendre son supérieur parler de la sorte. Il essaya de rester calme, mais ses paroles furent tout de même assez directes, voire rudes.

— Écoute-moi bien, Claude Dallaire. Je vais parler pour que tu me comprennes bien. Je m'en câlisse de trouver l'identité de Lussier. Tu comprends ? Ce que je veux, c'est retrouver David. *That's it !* Nous avons de nouvelles pistes intéressantes. Et, oui, peut-être qu'après trente ans de fuite, ce salopard va être démasqué. Et tout ça, grâce au message d'Allard.

Le lieutenant regarda son vieil ami dans les yeux et ne pouvait que saluer intérieurement sa ténacité et sa détermination. Richard avait refusé de quitter le travail de terrain avec raison : il avait la piqûre de son métier.

Devant cette force de caractère et, surtout, la logique des choses, Dallaire ne put qu'abdiquer. Car lui-même ne cessait de le répéter : toutes les avenues devaient être analysées.

— Bon ! Nous n'avons rien à perdre, de toute façon. Ne t'éparpille pas et je veux un autre rapport de tes recherches demain matin. Si je vois que tu tournes en rond, je te fais abandonner cette piste. Car tu ne m'as persuadé de rien.

— T'inquiète, je suis sur la bonne voie.

Lorsque Richard ouvrit la porte, il tourna légèrement la tête pour jeter un dernier coup d'œil à son supérieur. Le lieutenant Dallaire le regardait, tout en lui souriant.

* * *

Richard rejoignit ses complices avec trois cafés bien corsés et s'installa dans leur salle de travail.

— Alors, ça s'est bien passé ? demanda Elena, curieuse.

— Je lui ai tout dit... tout en ne lui disant rien! Mais il faudra continuer à avancer aujourd'hui, il veut un rapport quotidien.

Les policiers entamèrent donc les démarches pour retracer le jeune suicidaire. Elena leur prêta main-forte en réalisant quelques appels téléphoniques.

Vers midi, la chamane prit une pause et vérifia que tout se passait rondement au poste de transbordement. Elle décida de ne pas retourner les appels de sa mère, n'ayant pas le cœur à la discussion.

Lorsqu'elle revint dans leur salle de travail, elle prit la photographie du groupe 450, sur laquelle figurait Henri Levasseur, souriant devant l'objectif de la caméra. Kim avait quitté les bureaux du SPVM pour vérifier certaines informations au collège. Elena était donc seule à nouveau avec l'agent Brunet.

Derrière ses lunettes démodées, l'adolescent montrait un regard vif et enjoué. Se pouvait-il vraiment que ce gamin de quatorze ans se soit transformé en monstre sanguinaire, en tueur sans pitié? La jeune femme en doutait.

— À quoi penses-tu? lui demanda Richard, la voyant songeuse.

— Crois-tu vraiment que ce maudit professeur ait carrément détruit ce garçon, à un point tel qu'il soit devenu le tueur que l'on connaît?

— Je ne suis pas psychologue, ma chère. Mais je sais que certains événements, lors de moments décisifs de la vie, peuvent casser l'âme de certaines personnes. Pour toujours. Mais chaque individu réagit différemment, selon son bagage d'expérience, son vécu, sa force intérieure, son héritage génétique...

— Pauvre garçon... Je le plains. Et je le déteste pour ce qu'il est peut-être devenu.

Richard regarda Elena et décida de lui poser une question qui lui titillait les lèvres depuis un bon moment déjà.

— Dis-moi, tu as fait une transe sur David dernièrement ?

— Hier soir...

— Donc, il est vivant... dit-il avec soulagement, sachant bien que si elle l'avait vu mort, elle l'aurait averti sur-le-champ.

— Oui, répondit-elle dans un soupir, il regardait mon chat mort sur la table devant lui.

— Encore dans cette maison ?

— Oui...

Richard se retourna vers elle et lui demanda, tout en lui prenant la main droite :

— L'animal était devant lui ?

— David était assis et regardait mon chat, sans rien dire. Jeffrey était mort, je ne l'entendais plus gémir, dit Elena, sentant les larmes lui monter aux yeux.

— Était-il seul ?

— Je ne sais pas.

— Je sais que c'est bien pénible pour toi, mais j'aimerais que tu refasses une transe sur David. Pas la même, une nouvelle. Tu peux le faire ?

En guise de réponse, et puisqu'elle avait laissé son tambour dans la voiture, elle sortit machinalement son téléphone intelligent et ses écouteurs, et s'assit à l'indienne sur le plancher.

— Tu veux que je sorte ? lui demanda le policier.

Elle lui fit signe que non. La chamane ne voulait pas rester seule pour réaliser la tâche difficile qui l'attendait. Déjà, une larme coulait sur sa joue. Le policier vint prendre place à ses côtés, par terre.

— Je suis avec toi, Elena.

Après avoir pris une profonde respiration, la jeune femme mit en marche son enregistrement et fit le vide dans son esprit.

Tremblante, Elena se leva d'un bond et regarda Richard d'un air paniqué.

— Oh non! Quelque chose ne va pas! Non, ce n'est pas possible, dit-elle, ne tenant plus en place, totalement hystérique.

— Quoi? Que se passe-t-il?

— Je ne voyais pas comme d'habitude! Ce n'était pas clair... Non! cria-t-elle, à nouveau.

— Calme-toi! Tu dois te ressaisir, Elena, et me parler. Comment, moins clair?

— Ça ne m'est jamais arrivé auparavant... Je voyais flou, comme si je n'arrivais pas à faire la mise au point. Richard, je ne veux pas qu'il soit mort! dit-elle, complètement affolée.

— Respire par le nez et regarde-moi dans les yeux. Maintenant, tu vas répondre à mes questions, calmement. Nous allons retrouver David, mais tu dois m'aider.

Elena hochait frénétiquement la tête, essayant de se calmer, de retrouver ses esprits. Elle ne voulait que crier et fuir vers son amoureux pour le prendre dans ses bras. Là, maintenant. Mais Richard, qui la tenait par les épaules, s'acharnait sur elle.

— Décris-moi ta transe, ce que tu as vu. Arrivais-tu à distinguer des formes ?

— Oui… Je crois que c'était mon chat. Du blanc et du rouge, devant moi.

— Comment ça ? Tu as fait la même transe ?

— Non, l'éclairage était différent. Et…

Elena prit une pause, réfléchissant.

— Il y avait cette odeur immonde, ainsi que des mouches… Oui, j'entendais des mouches et je les sentais sur mon visage. Je ne pouvais pas bouger. Tout était embrouillé…

— David était toujours assis, à regarder ton chat mort ?

— Je crois… que… je vais vomir !

Elle se précipita hors de la pièce et courut jusqu'aux toilettes, sous le regard intrigué du lieutenant Dallaire, qu'elle croisa en chemin.

Mais le froncement de sourcils de son supérieur ne fut pas l'inquiétude immédiate du sergent-détective. Il prit son portable et appela Kim.

— Ladouceur, entendit-il.

— Dis-moi que tu as quelque chose sur Henri Levasseur. Il y a urgence.

* * *

Les trois collaborateurs décidèrent de se rencontrer dans une rôtisserie à 12 h 30 afin de faire le point.

Sans appétit, Elena se contenta d'un verre d'eau et d'une salade verte. Elle avait le regard vide et tremblait encore. Non pas des suites de sa transe, mais de la peur omniprésente qui l'assaillait.

Les recherches entreprises avec Richard au cours de l'avant-midi n'avaient pas été très fructueuses. Dans les registres publics québécois, rien n'avait été informatisé avant 1985 et aucune trace de permis de conduire valide, ou de cartes de crédit actives, n'avait été répertoriée au nom d'Henri Levasseur.

— Un autre fantôme… philosopha le policier.

— En fait, non! s'écria Kim qui venait d'arriver. Quoi, vous avez déjà commandé? constata-t-elle.

— J'avais faim, lui répondit son collègue, tout en croquant dans une frite trempée de sauce, le regard sérieux.

— Pour faire changement! rétorqua sa partenaire en désignant son lunch d'un geste de la tête. Bon, mes recherches ont pris plus de temps que prévu. En tout cas, laissez-moi vous dire que j'étais très heureuse que la direction du collège ait gardé leurs vieux registres.

— Viens-en aux faits! s'exclama Richard, impatient d'en connaître plus.

Il dut cependant attendre quelques instants supplémentaires, afin que l'agent Ladouceur puisse commander son repas et terminer de se moucher, pour la troisième fois en quelques minutes.

— Désolée! Il y avait tellement de poussière dans cette partie du sous-sol de l'école! dit-elle en rangeant son mouchoir souillé dans sa poche. Alors, le nom de la mère de Levasseur est Blanche Ducharme, et son père s'appelle André Levasseur. Et vous savez quoi? Ils étaient divorcés. C'était peu fréquent à l'époque, non?

— Pas mal, oui, aquiesça l'homme la bouche pleine.

— Et j'ai une vieille adresse aussi. Mais je doute qu'elle soit encore valide.

— On verra, dit-il en faisant signe à la serveuse de lui apporter l'addition.

— Mais je n'ai même pas reçu mes fajitas ! Richard, ne me dis pas que tu ne prendras pas de dessert ?

— Kim, il y a du nouveau. Nous sommes en état d'alerte maximal.

— Alors pourquoi sommes-nous au resto, pour l'amour de Dieu ?

— Un, parce qu'il fallait manger. Deux, parce que nous n'étions pas plus avancés il y a deux minutes. Maintenant, je vais centrer mes efforts sur les noms que tu viens de nous fournir et il faudra faire vite. Car nous devons trouver David d'ici la fin de la journée.

— Que se passe-t-il ? demanda Kim, remarquant pour la première fois l'état léthargique d'Elena.

— Les trois dernières transes qu'elle a faites sont identiques, mais à des moments différents. C'est exact ?

— Oui, comme si David était… pétrifié, répondit la chamane.

— Mais la dernière fut différente, car sa vision était troublée. Ce n'est pas bon signe, n'est-ce pas Elena ?

— Je ne sais pas exactement ce que ça veut dire. Je me suis toujours dit que si David était mort… tout serait noir, ajouta-t-elle péniblement. Mais… en fait, je ne sais pas ! s'écria-t-elle, sentant la panique l'envahir à nouveau. Je n'ai jamais fait de transe au sujet d'un mort !

— Calme-toi, je suis certain que David est toujours vivant, lui dit Richard tout en jetant un regard empreint d'inquiétude à la policière.

— J'ai ressenti des sensations, une odeur, l'immo-bilité de ses membres… J'étais en lui, mon esprit était…

— Dans son corps ? compléta-t-il.

— D'habitude, c'est ça… dit-elle en sentant ses yeux se remplir de larmes.

— La question qu'il faut se poser, c'est pourquoi était-il encore une fois dans la même position, devant la table ? ajouta le policier en réglant l'addition à la ser-veuse. Il doit être attaché ou immobilisé d'une certaine façon, conclut-il. Sinon, pourquoi rester devant une telle scène de carnage ?

— Quoi ? demanda Kim, tout en prenant une bouchée de sa salade de chou crémeuse.

— Son chat, tu te souviens ? lui rappela le policier.

— Oh… Donc, David est passé de complice à meurtrier, et maintenant à prisonnier, c'est ça ? ajouta-t-elle, la bouche pleine.

— Je ne sais pas trop, mais nous savons qu'il est dans cette position depuis un certain temps. Nous avons vu l'agonie de l'animal, sa mort, et mainte-nant, sa putréfaction. Car il y avait l'odeur et les mouches…

— Combien de temps une personne peut-elle sur-vivre sans manger ? demanda Elena, pétrifiée par la réponse à venir.

— Très longtemps. Mais sans eau, c'est très variable. De quelques heures à quelques jours, ça dépend des personnes.

— Attendez, s'exclama la jeune policière, vous êtes en train de dire que David est probablement gardé captif quelque part par ce Rob Lussier ? N'ont-ils pas fait équipe auparavant ? Ils sont complices d'un meurtre ! Elena les a vus ensemble à maintes reprises dans ses visions !

— Je ne sais pas quoi te répondre, Kim. Mais si l'on se fie aux dernières transes d'Elena, ça regarde mal. Auguste Larochelle a reçu la visite de David vendredi. C'est la dernière preuve tangible que nous avons qu'il était bien vivant.

— Merde ! Ça fait trois jours, constata l'agent Ladouceur, ayant cessé de manger son repas.

— Mais il peut être privé d'eau depuis sa disparition, mercredi soir, précisa Richard à voix basse, espérant que ce ne soit pas le cas.

La chamane avait les deux mains devant son visage, complètement anéantie à la perspective de perdre son amoureux. Elle ne savait pas quoi faire ni quoi penser. Elle n'avait de la force que pour pleurer.

— Viens, allons au bureau, lui dit doucement Richard, tout en lui posant une main sur son épaule.

Elena se leva péniblement, et le suivit sans dire un mot.

— Je vous rejoins dans quelques minutes, leur annonça l'enquêteuse qui se demandait si elle devait terminer son repas ou non.

* * *

Elena était assise seule dans la salle de travail, telle une petite fille en pénitence. Elle voyait s'affairer Richard par les grandes vitres qui séparaient la pièce de l'aire ouverte regroupant tous les bureaux à cloisons. Le policier, respecté de tous, donnait des indications à deux jeunes collègues. L'un d'eux, qu'elle reconnut, portait le nom de Jonathan, et le second, un blanc-bec blond, semblait n'être âgé que d'une quinzaine d'années avec sa mine enfantine. Lorsqu'il se leva, elle constata qu'il devait mesurer près de deux mètres, ce qui la surprit.

Finalement, Richard vint la rejoindre, plus motivé que jamais.

— J'ai ajouté deux autres personnes à notre équipe. On se retrouve dans une demi-heure pour partager nos résultats de recherche et faire un remue-méninges.

— Trente minutes? Mais c'est une éternité! Il faut bouger maintenant!

— Allons Elena, nous faisons notre possible. À cinq têtes, nous serons plus productifs, tu verras, dit-il, tandis que Kim arrivait.

— Toi et moi, Kim, on s'occupe de la mère. Jonathan et Mathis sont responsables des recherches sur le père et l'adresse domiciliaire indiquée au dossier du collège, expliqua Richard.

À 13 h 30 précises, toute l'équipe était réunie dans la salle qui semblait subitement bien petite. Les policiers sortirent une carte de la ville, des feuilles de notes et plusieurs pages imprimées à la suite de leurs démarches.

— Mathis, vas-y.

— C'est qui, elle? demanda-t-il, en regardant d'un drôle d'air Elena, qui avait les yeux rougis et enflés.

— Ma nouvelle stagiaire, mentit aussitôt Richard. Je t'écoute.

— Bon, le père de Levasseur est mort à l'âge de soixante ans. Crise cardiaque. Il vivait avec sa nouvelle épouse, Angéline Paré, à Laval. Elle aussi est décédée, d'un cancer du poumon, il y a deux ans. Selon les registres, Levasseur a été marié à la mère d'Henri pendant dix ans, avant de divorcer. Il n'a pas eu d'autre enfant.

— Bien. Jonathan, à ton tour.

— Le duplex familial, dans le quartier Saint-Michel, a été démoli au début des années 1970. Les locataires ont été expropriés je ne sais où. Je n'ai pas réussi à les retracer. Donc, si je me fie à ce que l'on sait maintenant, Henri vivait seul avec sa mère à ce moment-là.

— D'accord. Mais nous restons toujours dans le passé, constata Richard. Moi, j'ai une bonne nouvelle : Blanche Ducharme, la mère de notre jeune homme, est toujours vivante. Elle est âgée de soixante-dix-neuf ans et vit dans une résidence pour personnes âgées en perte d'autonomie. Et pas n'importe laquelle ! L'une des plus belles à Montréal : le centre Les Deux Rives, rue Notre-Dame Est. Pas trop loin d'ici, en fait. J'ai appelé et on m'a dit qu'elle était une charmante personne, très têtue et fière. Elle reçoit très rarement de visite ; une cousine, un ami, un neveu, c'est variable. Aucun signe de fiston depuis des années.

— Pour ma part, ajouta Kim, j'ai trouvé la trace d'un oncle. Le frère de Blanche, Théodore Ducharme. Il vivait à Saint-Urbain-Premier, en Montérégie. Selon les registres du centre où vit sa sœur, il lui aurait rendu visite il y a deux mois environ.

— Donc, reprit Richard, nous nous concentrerons sur les personnes en vie, qu'en dites-vous?

Tout le monde souriait, sauf Elena. Les choses ne se déroulaient pas assez rapidement à son goût, quoique l'enthousiasme des quatre agents du SPVM fût fort encourageant. Mais l'éventualité qu'ils ne soient pas sur la bonne piste la tracassait. Et celle de la mort de David la paralysait.

— Puisque c'est juste à côté, je vais aller rencontrer Mme Ducharme en premier, avec Kim. Vous, les gars, essayez de joindre l'oncle. Il a peut-être une idée d'où se cache son neveu.

— Il vit peut-être aux États-Unis, ajouta Jonathan.

— Oui, c'est possible. S'il a déménagé, les registres québécois ne servent à rien.

— C'est donc peut-être pour cette raison qu'on ne le retrouve pas, ajouta le grand blond.

— Effectivement, dit tout bas Richard, en espérant que ce ne soit pas le cas. Mais allons jusqu'au bout de cette piste et nous en aurons le cœur net, ajouta-t-il pour motiver ses troupes.

Alors que tout le monde se levait, la belle Perrot prit la parole.

— Où se trouve Saint-Urbain en Montérégie?

— Dans l'ouest, je crois, précisa Mathis.

Richard se pencha sur la carte posée sur la table et pointa du doigt l'emplacement.

— Ici, près de Saint-Isidore et de Sainte-Martine.

— Ce n'est pas bien loin de Montréal, remarqua Elena.

— Non, ma belle-famille vient de ce coin-là, les informa Jonathan. C'est assez facile de s'y rendre en moins de trente-cinq minutes environ, par le pont Mercier.

— C'est la seule façon de s'y rendre? demanda-t-elle.

— Depuis l'ouverture du nouveau tronçon de l'autoroute 30, il est possible de faire le grand tour plus rapidement pour aller rejoindre le pont Champlain. Mais c'est quand même tout un détour, personne ne fait ça!

Richard n'avait pas repris la parole et examinait toujours la carte dépliée devant lui. Il leva les yeux vers Elena et comprit qu'ils avaient fait la même constatation.

— Je veux qu'on appelle la Sûreté du Québec pour avoir deux voitures qui nous attendent là-bas. On part sur-le-champ! s'écria-t-il en mettant son manteau.

— Pour aller voir la mémé? Ce n'est pas trop excessif? demanda le mince garçon aux cheveux blonds.

— Changement de programme: nous partons tous voir son oncle, précisa Richard.

Kim se pencha vers la carte pour mieux comprendre la situation et releva aussitôt la tête.

— Oh merde, c'est vrai! Le pont Mercier nous mène directement à la réserve de Kahnawake!

— Et ça fait quoi? demandèrent unanimement les deux recrues.

— David est passé par là il n'y a pas longtemps, leur répondit la policière, en franchissant le cadre de la porte.

— Ah oui? Comment vous savez ça? demanda Mathis, d'un air perplexe.

— Ne pose pas de question et grouille-toi! lui lança Richard, qui sortit en trombe de la pièce, suivi de près par Elena.

* * *

Les deux voitures banalisées traversèrent la ville afin de rejoindre l'autoroute 20 en direction ouest, pour finalement atteindre le pont Mercier, dans l'arrondissement LaSalle.

À la sortie du pont, les automobilistes pouvaient prendre à gauche, pour se rendre vers Saint-Constant par la route 132, ou à droite, pour se diriger vers la ville de Châteauguay. Peu importe l'option choisie, ces chemins traversaient la réserve amérindienne. Richard garda donc la droite, et une fois sur le territoire mohawk, il prit la première sortie pour le traverser afin d'atteindre, quelques kilomètres plus loin, la municipalité de Saint-Isidore.

Les passagers étaient bien silencieux dans l'habitacle de la Chevrolet Malibu. Des marais, des terrains vagues, des petites maisons, des commerces moribonds de vente de cigarettes ainsi que deux imposants terrains de golf déserts composaient le paysage sous leurs yeux.

Après avoir parcouru quelques kilomètres sur cette route cahoteuse, ils aperçurent le fameux losange jaune indiquant la présence possible de tortues, l'été venu. Kim se tourna alors vers Elena, s'avouant, une fois de plus, convaincue du talent de la jeune chamane.

Lorsque les voitures banalisées arrivèrent au croisement des routes 221 et 207, les deux voitures de la police provinciale les attendaient, comme prévu. Même s'il s'agissait d'une enquête du SPVM, la municipalité de Saint-Urbain-Premier était sous la juridiction de la Sûreté du Québec.

Richard alla rejoindre les policiers de la SQ et, ensemble, ils déterminèrent la procédure à suivre. Il rappela aux agents qu'il ne s'agissait que d'une visite de routine, mais qu'il était possible que les choses se corsent, d'où la nécessité de leur présence.

Une fois les consignes comprises par tous, les quatre véhicules tournèrent sur la route 207 pour se rendre directement chez l'oncle d'Henri Levasseur, à environ quinze kilomètres de leur position, au 1125, rang Double.

Richard arriva le premier devant une maison entourée d'arbres et de champs agricoles. Le voisin le plus près se trouvait à plus de cinq cents mètres.

Aucune voiture n'était présente dans l'allée fraîchement enneigée, et aucune trace d'un passage récent n'était apparente.

— Personne n'est venu ici depuis ce matin, c'est certain, constata le policier, alors qu'il s'engageait dans l'étroit chemin menant à la maison beige.

De construction modeste, la demeure avait un style très campagnard, plutôt typique des années 1950.

Elena ne pouvait cacher sa nervosité et elle ne tenait pas en place sur la banquette arrière de la Chevrolet.

Lorsque Richard ouvrit la portière, elle voulut faire de même, mais celle-ci était verrouillée.

— Tu restes dans la voiture, d'accord ? lui dit Kim, tandis qu'elle sortait avec son partenaire.

— Quoi ? cria-t-elle en vain.

Les policiers étaient déjà sortis, laissant seule Elena dans cet endroit inconnu. Le chef d'équipe se retourna vers elle et il lui fit signe de garder le silence.

Jonathan et Mathis rejoignirent Kim et Richard, mais ils restèrent en retrait, en bas des marches du portique, tel que convenu. Les deux voitures de la Sûreté du Québec se stationnèrent dans l'allée et les agents attendirent le signal pour sortir de leurs voitures de police.

Arrivé devant la porte, le quinquagénaire regarda sa partenaire et se décida à cogner après quelques secondes d'hésitation. « Après tout, n'allons-nous pas tout simplement rencontrer le vieil oncle d'un homme jadis dépressif ? » s'encouragea-t-il.

Après un troisième essai, et constatant qu'il n'y avait aucune réponse, Kim soupira bruyamment.

— Merde ! Tout ce chemin pour rien, dit-elle tout haut, sachant qu'ils devaient demander un mandat avant de s'introduire dans la propriété.

— Non, on entre. Je crois que David est en danger de mort, ici, dans cette maison. Il s'agit donc d'une exception au règlement.

— Tu as raison, ça fonctionne pour moi aussi, répondit sa partenaire, appuyant son raisonnement.

Richard se tourna vers les autres policiers et leur fit signe qu'ils devaient entrer dans le cottage silencieux.

Les agents de la Sûreté du Québec s'approchèrent et les policiers mirent en place leur stratégie à voix basse.

— Jonathan, prend deux agents avec toi et passe par-derrière. Kim, Mathis et moi, nous passerons par l'avant. Je veux quelqu'un en poste ici, pour maintenir la garde. On entre à 14 h 35, top chrono. Synchronisons-nous.

Le petit groupe s'éparpilla ensuite, selon ces consignes.

Arme au poing, Kim s'appuya sur le cadrage de la porte, en fixant son partenaire. Elle vit une goutte de sueur perler sur sa tempe, alors qu'il guettait les aiguilles de sa montre. Avait-il peur de trouver Rob Lussier ? Si c'était le cas, leur supériorité numérique n'était probablement pas suffisante. Était-il inquiet de trouver son collègue mort ? L'agent Ladouceur ne pouvait le dire. Elle se contenta de se concentrer sur sa respiration, afin de gérer sa propre tension artérielle, qui ne cessait de grimper à mesure que le temps filait.

— Maintenant ! lança Richard, qui poussa contre la porte verrouillée de toutes ses forces.

Après quelques vains coups d'épaule, il prit son arme et tira. Le loquet céda enfin.

Dès ses premiers pas, une odeur pestilentielle prit la jeune policière à la gorge. Elle se figea net et porta sa main non occupée à sa bouche et à son nez. Elle vit Richard grimacer, mais sans plus. Il poursuivit son chemin, prudemment, l'arme en joue.

— Ici ! cria Jonathan, d'une voix paniquée.

Toujours concentré, le policier se dirigea vers son collègue, tout en restant attentif au moindre mouvement.

L'entrée donnait sur un escalier en bois, qui menait au deuxième étage. À gauche de celui-ci se trouvait la salle à manger, garnie d'une immense table en bois massif trop grande pour la pièce. Le salon était situé à droite.

En suivant les indications du jeune agent, Richard traversa la modeste salle familiale, où les murs étaient recouverts de planches de bois vieillies, tandis que les meubles étaient antiques et poussiéreux. Au bout de cette pièce, une cuisine éclairée était aménagée. L'entrée arrière utilisée par ses collègues s'y trouvait.

D'un pas assuré, mais tout en vérifiant chaque angle et recoin de la demeure, Richard pénétra finalement dans la cuisine. C'est alors qu'il aperçut l'extrémité de la table de bois craquelée, telle que décrite par Elena. Il se figea devant l'horrible spectacle sous ses yeux. Il prit son courage à deux mains et ordonna aux policiers de fouiller de fond en comble la maison et de sécuriser le périmètre.

Lorsque Kim apparut à ses côtés et vit la scène morbide, elle opta pour sortir dehors rapidement par la porte la plus proche avant de vomir sur le sol. Quant à Mathis, il écouta son partenaire sans broncher et alla fouiller le sous-sol avec un autre agent. Jonathan s'occupait déjà de l'étage du dessus.

Jugeant le danger écarté, Richard rangea son arme et se dirigea vers son ami.

— David, m'entends-tu ? David ! lui dit-il doucement, d'une voix tremblante.

Mais aucune réponse ni même un gémissement ne vint à ses oreilles. L'homme inanimé était pâle et inerte. Il était immobilisé aux chevilles, aux poignets et au torse sur une chaise métallique à l'aide de ruban adhésif gris, qui le maintenait fermement assis. Il n'avait aucune possibilité de mouvement, d'autant plus que la chaise elle-même était fixée au plancher à l'aide d'écrous.

Un long morceau de ruban était collé sur sa bouche, et rejoignait les barreaux de métal du dossier sur lequel il était appuyé. Il ne pouvait même pas bouger le cou. Le pire, c'étaient les morceaux retenant ses paupières, l'obligeant à regarder droit devant lui, sur la table, le chat mort de sa copine. Ses yeux étaient creux et vides de toute réaction.

— Oh non, David! s'écria soudainement Richard.

D'un geste rapide et précis, le policier palpa son cou, à la recherche d'un signe de vie. Après quelques secondes, il recula, tétanisé de n'en avoir trouvé aucun.

Lorsqu'il parvint à couper le ruban sur sa bouche et à le retirer doucement, il découvrit des lèvres gercées et craquelées. Malgré les fissures apparentes, aucune goutte de sang ne perlait à leur surface. Son torse était nu, et sa peau pendait légèrement, comme si elle avait perdu toute élasticité. Le policier ne pouvait concevoir que cet homme, qui semblait aminci, puisse être son imposant collègue musclé.

— J'ai appelé une ambulance, lui lança Kim, toujours à l'extérieur, sur le patio enneigé à l'arrière de la maison.

Jonathan vint rejoindre Richard, lui indiquant que personne ne se trouvait à l'étage. Il cessa rapidement de parler lorsqu'il vit son collègue pleurer en essayant de libérer le corps de l'agent Allard.

Mathis arriva ensuite, à bout de souffle.

— Il y a un autre corps dans le sous-sol, dans un congélateur. Je crois que c'est l'oncle de Levasseur.

Mais l'agent Brunet ne l'écoutait pas, pas plus que son jeune collègue à ses côtés. Tous deux s'affairaient sur le corps sans vie de David, toujours immobilisé.

À l'aide de couteaux de cuisine, ils travaillèrent d'arrache-pied afin de libérer les paupières et la nuque de l'homme inerte, malgré leurs mains tremblantes. Du sang séché se trouvait sur le plancher, des mouches leur tournoyaient constamment près du visage, l'odeur leur donnait un haut-le-cœur permanent, mais ils continuèrent. Ils réussirent, après de longues minutes d'acharnement, à couper toutes ces épaisseurs de ruban adhésif et à détacher les membres du grand policier.

* * *

Elena ne tenait plus en place. Elle ne comprenait pas pourquoi personne ne ressortait de la maison. Assise seule à l'arrière du véhicule, elle regardait son téléphone de façon compulsive, avec l'impression que Richard et sa troupe étaient partis depuis des heures.

Au bout de quinze minutes, elle vit un agent de la Sûreté du Québec ressortir à la hâte vers sa voiture, pour ensuite revenir avec un rouleau de ruban jaune, qu'elle reconnut immédiatement. Lorsqu'il commença à établir le périmètre de sécurité autour de la propriété, la jeune femme eut l'impression que l'air ambiant venait de se volatiliser.

— Non! cria-t-elle, anéantie à l'idée d'avoir perdu celui qu'elle aimait.

Elle se mit alors à hurler de façon incontrôlée, toujours prisonnière de la voiture de Richard. Elle frappa de ses poings le siège devant elle, les fenêtres de la portière, et tout ce qui traversait son regard en furie. Elle voulait sortir de la voiture, maintenant. Elle s'arrêta subitement lorsqu'elle vit Kim arriver par la cour arrière de la maison maudite.

La policière était en larmes et semblait complètement déconfite. Dès qu'elle eut un contact visuel avec la chamane, elle se mit à courir vers elle, désirant à tout prix la prendre dans ses bras.

TROISIÈME PARTIE

Chapitre 11
Le tout-puissant

Mardi 20 décembre 2011

Bien éveillé malgré l'heure matinale, Henri se leva et alla prendre une douche rapide. À sa sortie de la salle de bains, la jeune escorte qui l'avait accompagné au cours de cette nuit torride dormait encore. Elle avait pris presque toute la place dans le grand lit et s'était enveloppée dans les draps couleur charbon.

Il ramassa, en faisant le plus de vacarme possible, les vêtements ultra-sexy de la belle blonde, qui traînaient de façon éparse sur le plancher de sa chambre, et les lança sur le lit. Ils atterrirent à quelques centimètres du visage de la femme. Lorsqu'elle ouvrit les yeux, interloquée par ce réveil brutal, elle vit son client debout à l'embrasure de la porte, qui la regardait.

— Tu as deux minutes pour foutre le camp.

Après s'être habillée à la hâte, sans dire un mot, l'escorte prit les quelques billets de cent dollars que Lussier avait laissés à son intention sur la petite table, près de l'entrée, puis partit rapidement. Lorsque la porte se referma enfin, l'homme au torse nu but une longue gorgée de café et alla s'installer devant la gigantesque fenêtre de son imposant salon. Il aimait bien la vue que lui offrait Montréal au lever du jour. Ayant l'habitude de changer de tanière à un rythme régulier, il était bien déçu de devoir quitter cet endroit qu'il avait adopté. Mais le temps était venu de partir à nouveau, après un séjour au Québec de près de huit mois.

Il avait déjà loué une jolie maison dans l'État de New York et comptait s'y rendre dès le lendemain, après avoir effacé les traces des corps de ses récentes victimes. Il avait prévu retourner chez son oncle le soir même, et ainsi enterrer les deux morts dans un champ qu'il avait repéré. Le sol n'était pas encore gelé, le moment était idéal.

Après quatre jours sans eau ni nourriture, David Allard ne pouvait qu'être mort. Henri l'avait d'ailleurs bien attaché à la vieille chaise métallique le vendredi précédent, à leur retour du centre de détention de Bordeaux. Il avait également ajusté, à la hausse, le thermostat de la vieille maison, afin d'accélérer sa déshydratation.

Il prit une dernière gorgée de café et déposa sa tasse dans l'évier de la cuisine épurée et moderne. Il retourna rapidement vers l'immense fenêtre, dont il ne pouvait se lasser. En paix avec lui-même, il passa en revue le déroulement hors du commun des derniers jours.

C'était la première fois qu'Henri travaillait avec un complice, et il s'était surpris à apprécier l'expérience. Bien que le policier n'eût pas eu le choix de participer à son stratagème pour tuer le vieux professeur, son plan s'était parfaitement bien déroulé.

Le dimanche matin, lorsque le Phantom avait entendu parler, aux bulletins de nouvelles du 98,5 FM, de l'avis de recherche pour retrouver David, il était resté surpris. Il n'avait pas compris comment les agents du SPVM avaient déjà fait le lien entre la mort d'Auguste Larochelle et leur passage à Bordeaux. Il avait été également déçu d'apprendre que le vieillard n'avait pas souffert aussi longtemps qu'il l'avait espéré. Le poison avait agi sur le corps âgé et faible du pédophile beaucoup plus rapidement qu'il ne l'avait prévu.

Il se souvint que David avait été excellent dans la manipulation du poison. Son associé du moment avait agi rapidement et leur stratagème s'était déroulé comme prévu. Il se félicitait de l'avoir si bien entraîné, dans ce vieil entrepôt qu'il avait déniché dans un coin reclus de Montréal-Nord. Le policier avait suivi ses instructions à la lettre, il ne pouvait donc faire autrement que de réussir sa mission.

Cet Allard avait été d'une aide appréciable, car il n'était pas facile de pénétrer dans un centre pénitentiaire sans se faire fouiller ni passer au détecteur de métal, à moins d'être un policier en règle.

L'occasion s'était donc présentée sur un plateau d'argent lorsque Henri avait réfléchi à une façon de se venger de cet imprudent enquêteur, qui avait osé s'infiltrer dans ses plans sur l'*Ocean Cruiser*. Sous les traits de Bertrand, le tueur avait bien senti sa surveillance audacieuse, ainsi que celle de sa copine. Il n'était pas dupe. Comment ces écervelés avaient-ils eu vent de sa présence sur ce bateau et quel culot avaient-ils eu de croire, ne serait-ce qu'un seul instant, qu'ils pourraient contrer ses projets ? Il avait posé la question à David, ce fameux premier soir de leurs retrouvailles, dans son appartement.

* * *

Mercredi 14 décembre 2011

Après avoir fait le tour du condo avec le policier, pour s'assurer qu'ils étaient bien seuls, Henri retourna vers la cuisine, l'arme toujours en joue.

— David, comment as-tu su pour la croisière ?

— Je t'ai croisé lorsque tu sortais de l'agence de voyages, sur l'avenue du Parc.

— Eh bien, je te lève mon chapeau de m'avoir reconnu !

Le tueur avait découvert une pièce dans l'appartement de David remplie d'articles et de photos à son sujet. Les conjectures du policier sur son identité, son cheminement et son implication dans certains meurtres ou disparitions, étaient minutieusement notées et placardées partout sur les murs. Henri dut admettre que l'agent du SPVM visait souvent juste dans ses hypothèses. Du moins, celles qu'il avait eu le temps de voir. Ainsi, son prisonnier semblait plutôt bien le connaître.

— Wow, j'ai un fan ! s'était exclamé Henri, en apercevant le bureau sens dessus dessous pour la première fois.

Ils s'étaient ensuite assis au salon, sans parler. Une fois bien calé dans un fauteuil en cuir, l'homme armé avait touché sa lèvre inférieure de sa main gauche.

340

— Merde, elle est fendue ! avait-il dit en faisant référence à l'accueil brutal que David lui avait réservé lorsqu'il l'avait reconnu dans l'embrasure de la porte.

Après quelques secondes, le sergent-détective avait rompu le silence.

— Tu es venu me tuer ?

— Oui, mais pas tout de suite. Tu vas d'abord venir avec moi.

— Ce serait bien la première fois que tu te contenterais de kidnapper quelqu'un ! constata le policier sans montrer de signe particulier de nervosité.

— Ah oui ? Peut-être. Je crois que tu me connais mieux que moi !

— Et c'est la commande de qui ? avait voulu savoir David.

— La mienne. Nous avons une commande, tous les deux. En fait, savais-tu que nous avons un point en commun, toi et moi ? Outre que nous soyons d'excellents tireurs, je veux dire ?

— J'en doute.

— Auguste Larochelle, ça te dit quelque chose ? J'ai fait des petites recherches sur ton cas. Alors, je suis au courant pour ton histoire. Mais je suis certain que tu ignorais cette partie de la mienne.

Avant de répondre, David avait fixé Henri, comme s'il réalisait ce qu'il venait de lui annoncer.

— Il n'a pas réussi à me toucher, ce salopard.

— Vraiment ?

Le policier ne répondit pas. Il semblait perdu dans ses pensées, peut-être à essayer de contrôler de vieux sentiments qu'il avait réussi à refouler depuis l'adolescence.

— Nous allons, toi et moi, nous en débarrasser, avait ajouté Henri.

— À quoi bon ? Il est en détention et condamné pour encore longtemps. Il est même en attente d'un autre procès…

— Je vais te dire pourquoi : parce qu'il ne mérite pas de prendre, ne serait-ce qu'une seule fois, un autre souffle. Je veux sa mort depuis toujours, et l'occasion se présente enfin.

— Que t'a-t-il fait ?

Pendant une fraction de seconde, le quinquagénaire avait de nouveau quatorze ans. Une émotion enfouie dans le plus profond de son âme avait refait surface. Et les paroles se forgèrent par elles-mêmes dans sa bouche :

— En 1970, il m'a tué. Il doit donc mourir à son tour. Et je veux qu'il souffre.

Le policier devina à ce moment-là qu'Henri avait subi des sévices bien pires que les siens. La raison pour laquelle ce vieux pédophile était encore en vie reposait uniquement sur le manque de courage d'Henri à lui faire face. Longtemps il avait voulu en finir avec cette histoire et liquider son pervers de professeur, mais il n'en avait pas eu la force.

— Tu aurais pu le faire tuer par quelqu'un autre, avait remarqué David.

— Non, je veux le revoir et savoir sa mort prochaine lente et douloureuse. Je suis rendu là.

— Tu comptes faire quoi ?

— L'empoisonner à la ricine. Il mourra ainsi dans les jours suivant notre passage en prison. Les symptômes sont ceux d'une gastro, mais qui semble ne jamais se terminer, jusqu'à ce que le cœur claque. Étant donné les antécédents médicaux de Larochelle et les symptômes traditionnels de la maladie, ils ne feront pas d'autopsie. J'en suis persuadé.

— Et je suppose que tu as besoin d'un policier pour entrer plus facilement au centre de détention ?

— Tu as tout compris.

— Pourquoi je ferais ça, si tu as l'intention de me tuer après ?

— Tu vas le faire pour elle, répondit-il, en montrant le visage d'Elena sur une photo que l'enquêteur avait encadrée.

David se leva d'un bond, les poings fermés et le regard menaçant.

— Non ! Ce n'est pas vrai, espèce de salaud ! Je te défends de la toucher. Tu la laisses à l'écart de ça !

— Elle n'était pas si à l'écart sur ce bateau de croisière, ai-je tort ?

— C'était mon idée. Mon initiative. Je lui ai menti et j'ai tout foutu en l'air. Ne la mêle pas à ça ! lui ordonna le policier, tout en avançant vers son bourreau, prêt à lui sauter au cou.

— Calme-toi, voyons. Si tu t'approches davantage, je te tue tout de suite, et je vais ensuite rejoindre ta petite copine. Très mignonne, d'ailleurs.

Henri espérait faire suffisamment peur à David pour qu'il accepte ses conditions. Car il était vrai qu'il avait l'intention de s'offrir bien des plaisirs avec la belle Perrot.

— Si j'embarque dans ton jeu, si je fais exactement ce que tu me demandes, elle sera hors de danger ?

— Ce sera notre marché.

La bombe humaine que le meurtrier avait devant lui semblait se désamorcer peu à peu. Il s'assit à nouveau.

— Je ne te fais pas confiance, Lussier.

En entendant ce nom, Henri se mit à rire.

— Viens, allons d'abord faire un peu de ménage dans ton bureau, ajouta-t-il.

* * *

La collaboration de David Allard fut exemplaire, et le policier lui fit même apprécier le travail d'équipe. En plus, il était d'agréable compagnie, et ce, même s'il avait toujours une mine sérieuse.

Pourtant, Henri dut prouver à son éphémère complice que ses paroles n'étaient pas vaines. Il s'assurait d'être, en tout temps, pris très au sérieux. Lorsque David tenta de s'enfuir, le vendredi après-midi, après avoir vu Henri tuer de sang-froid son oncle, le tueur décida de lui transmettre un message très clair. Après que son prisonnier eut passé quarante-huit heures attaché à la chaise de la cuisine, il alla chercher le stupide chat de sa petite amie.

David réagit fortement aux souffrances de l'animal, qui se vidait de son sang devant lui. Le policier, qui se savait condamné, commença à réprimander Henri sur son manque de morale et d'éthique. Le tueur détesta entendre l'agent le sermonner à propos du meurtre de son oncle. D'ailleurs, il s'en voulait de l'avoir tué devant lui. N'étant plus capable de supporter les propos de

David, il colla un ruban adhésif sur sa bouche, l'empê-
chant ainsi d'émettre le moindre son. Il en profita pour
fixer également sa nuque et ses paupières, afin qu'il
observe constamment l'agonie du félin sur la table.

Ce fut le dernier moment qu'il passa dans cette
maison.

Lorsque Henri sortit sur le perron, il jeta un regard
plein de souvenirs vers cette petite demeure beige, où il
avait passé de bons moments avec sa mère et son oncle
alors qu'il était petit garçon. Il se rappelait que ce vieux
Théo aimait les cornichons sucrés, fumer sa cigarette, et
tout particulièrement boire de nombreuses bières blondes,
idéalement avant midi. Malgré les beaux souvenirs, souvent drôles, qu'il avait de lui, il n'avait eu aucun problème
à mettre un terme à sa vie en lui tirant une balle dans la
tête, puis au cœur. Sa mort avait été immédiate.

Ce meurtre faisait, certes, partie de son plan, mais
il n'appréciait pas devoir tuer des membres de sa famille.
Il le faisait seulement lorsque cela était nécessaire. Et
cette fois-ci, il avait prévu emprunter la maison de son
oncle quelques jours. Le propriétaire était censé partir
chez un ami à Québec pour quelque temps, mais il avait
payé de sa vie ses changements de programme de dernière minute.

* * *

Mardi 20 décembre 2011

Le soleil brillait désormais dans un ciel bleu sans nuages.
« Certainement une journée froide », devina Henri. Pour

le reste du mardi, il avait prévu préparer ses maigres bagages en prévision de son départ imminent.

Au cours des deux dernières années, il avait vécu un temps à Chicago et un autre en Outaouais. Il était resté également quelques mois bien occupés dans l'Ouest canadien. Il n'avait aucune attache et avait carrément l'impression de renouveler son existence à chaque départ qu'il s'offrait.

Le seul accessoire qui le suivait partout, c'était sa vieille Pagette. Il avait adopté cet outil de travail depuis des décennies. Ce petit appareil, beaucoup plus discret qu'un téléphone mobile, émettait un signal sonore chaque fois qu'un nouveau client se manifestait. Très peu de personnes savaient comment le joindre, mais il n'avait jamais manqué de travail au fil des ans. Lorsqu'un de ses clients était intéressé par ses services, il lui téléphonait. Henri recevait alors un signal ainsi que le numéro à rappeler. Les fréquences utilisées par cette vieille technologie étaient difficilement interceptées. La radiomessagerie s'avéra donc être l'allié silencieux du tueur expérimenté.

Dans son petit sac de cuir, Henri entassa quelques sous-vêtements, son nécessaire de toilette et quelques accessoires de maquillage fort pratiques. En ce mardi matin, il ne portait plus sa fausse barbe, si inconfortable, et arborait une coupe de cheveux très courte.

En se regardant dans le miroir de la salle de bains, il se revoyait à l'armée, dans sa vingtaine, la chevelure en brosse, comme aujourd'hui. Cette période sombre de sa vie l'avait profondément transformé en lui inculquant une discipline d'acier, qu'il avait pu conserver toute sa vie. C'est également à ce moment-là qu'il avait découvert son talent hors du commun pour le tir et était devenu rapidement un tireur d'élite dans son escouade.

À son retour de l'armée, en 1982, il était retourné voir sa mère, qui avait eu de la difficulté à le reconnaître. Peu de temps après, il était allé s'installer à New York, rejoindre un vieil oncle établi là-bas. C'est à cette époque qu'il avait commencé à obtenir des contrats. Le premier lui avait été fourni presque par accident, mais cela avait suffi pour que le jeune Levasseur se rende compte du potentiel d'affaires dans ce champ d'expertise. Dès lors, le métier de tueur à gages était devenu le sien. En aucun cas, il ne s'était lié à l'un ou l'autre des groupes criminels qui l'embauchaient. Il était et resterait un fantôme, une apparition qui faisait son devoir avant de disparaître à nouveau.

Durant la majeure partie de son existence, Henri n'avait pas eu de fiancée ni même d'ami. Ces quelques jours passés avec David Allard lui manquaient, étrangement. Son sac de cuir était maintenant bien rempli, mais il restait là, à fixer la glace devant lui. Il aimait sa vie, son pouvoir, sa supériorité infaillible qui l'accompagnait partout où il passait. Mais, pour la première fois, il se rendait compte qu'il aurait peut-être apprécié un compagnon, un partenaire, de la trempe et du calibre de ce policier qu'il avait laissé mourir sur cette chaise.

Après avoir vu le bureau de son prisonnier, tapissé d'articles à son sujet, il savait bien que ce sergent-détective têtu du SPVM ne lâcherait pas prise de sitôt. Comme lui, il était un fonceur, un guerrier, un perfectionniste. Il devait lui faire payer l'affront de l'avoir suivi aux Maldives.

Sinon, tôt ou tard, Henri était convaincu que leurs chemins se seraient croisés de nouveau.

— Et c'est bien dommage, mon cher David, dit-il à haute voix, avant de sortir de la petite pièce épurée.

Puisqu'il avait encore quelques kilos à perdre, à la suite de sa transformation en Bertrand-le-plongeur, il décida de consacrer une partie de sa journée à s'entraîner. De toute façon, il avait bien du temps devant lui, car il n'avait l'intention de se rendre à Saint-Urbain-Premier que vers 20 h, le soir même.

Lorsqu'il prit ses clés et son manteau, il entendit un petit bip sonore, qui le fit sourire. «Un autre contrat à venir, pour une prochaine rentrée d'argent», s'était-il plu à penser.

Il lut ce qui était écrit sur son téléavertisseur et reconnut le numéro de téléphone. Il retrouva immédiatement son air sérieux.

* * *

Il avait été convenu qu'en cas d'extrême urgence, ce numéro pouvait être utilisé pour le joindre. Inquiet, il sécurisa sa ligne téléphonique et composa le numéro.

— Bonjour monsieur Montgrain, je suis Hélène Grant, infirmière en chef au centre où réside votre tante. Je suis navrée de vous annoncer que Blanche a contracté une pneumonie, il y a de cela quelques jours, et, malheureusement, son état s'est rapidement dégradé. Il était écrit à son dossier de communiquer avec vous uniquement en cas d'extrême nécessité. Son état est très grave, nous ne croyons pas qu'elle s'en remettra.

— ...

— Monsieur Montgrain?

— Oui, je vous écoute. Combien de temps lui donnez-vous?

— Quelques heures tout au plus.

— Est-elle consciente?

— C'est la raison de mon appel. Elle est encore éveillée et elle connaît des périodes de lucidité.

— Je vais y être dans trente minutes.

Lorsque Henri raccrocha, il s'assit quelques minutes sur le canapé, fixant le téléphone qu'il avait encore dans les mains. Cela faisait des mois qu'il n'était pas allé voir sa mère, et il n'avait pas prévu lui rendre visite avant Noël. Il prit la boîte de carton qu'il avait déposée sur la table du salon et l'ouvrit délicatement. Il lui avait acheté une chemise de nuit en soie, ainsi qu'une montre Rolex, sertie de deux diamants.

Si ses visites étaient peu fréquentes, il tentait par tous les moyens de lui offrir une belle vie, digne des grandes dames de ce monde. Il aimait bien la gâter, même s'il devait emprunter de faux noms pour entrer à la résidence, ou même l'identité de certaines connaissances de sa mère. Il lui envoyait souvent des fleurs, de bons romans et quelques billets de spectacle. Son nom ne figurait jamais nulle part, mais il était persuadé que sa mère en connaissait la provenance.

Blanche devait savoir que son fils veillait sur elle, peu importe où il se trouvait, espérait-il. C'était une femme forte, brillante et fière. Sa perte d'autonomie affectait grandement son orgueil et son amour-propre, mais elle préférait cela à la maladie d'Alzheimer.

Henri se leva et décida d'apporter le cadeau avec lui, même s'il n'était pas encore enveloppé. Il mit des lunettes, enfila rapidement une tuque, et quitta son appartement.

Il avait loué une berline bien ordinaire, sous un faux nom, et partit en trombe vers le centre Les Deux Rives. Il ne pleurait jamais. Il se faufila tout de même dans la ville le cœur gros en pensant à la femme extraordinaire qui allait bientôt rendre l'âme. Elle avait eu la force de quitter son mari violent, de recommencer sa vie avec panache, d'élever son garçon seule, et ce, malgré les nombreuses tempêtes qu'il avait causées dans sa vie.

Blanche n'avait jamais compris pourquoi son fils, rayonnant et fougueux, avait voulu se suicider. Mais l'amour et la compassion dont elle avait fait preuve avaient grandement aidé le jeune garçon à retrouver, à nouveau, un sens à sa vie.

Certes, le professeur pédophile l'avait laissé tranquille après sa tentative de pendaison, mais Henri avait tout de même demandé à sa mère de changer d'école, ce qu'elle avait fait au début de l'année 1971. Malgré tout, quelque chose en lui s'était brisé, que même l'amour de Blanche n'avait pu réparer. Sa mère ne lui avait jamais posé de questions, ni sur son travail, ni sur ses projets d'avenir. Son sixième sens lui avait dicté de laisser son fils vivre avec ses choix, même s'il partait fréquemment aux quatre coins de l'Amérique.

Tout en conduisant, il se surprit à constater que la personne qui le connaissait le plus n'était pas sa propre mère, mais nul autre que ce David Allard.

En stationnant sa voiture, Henri prit une profonde respiration et resta sur place quelques minutes avant d'éteindre le moteur de la Nissan.

Qu'allait-il bien dire à cette femme qu'il aimait tant ? À celle qui le respectait tel qu'il était ? Qui acceptait qu'il se fasse passer pour son neveu, Arnaud Montgrain, lorsqu'il lui rendait visite ? Qui devinait presque tout de lui, même en ne sachant rien ?

Le cadeau de sa mère sous le bras, il entra dans le centre d'hébergement, le visage triste. Il reconnut la préposée à l'accueil, qui lui offrit son habituel sourire et son mot de bienvenue. Il continua tout droit, sans même lui répondre. Il avait longuement cherché le meilleur centre pour prendre soin de sa mère. Celui-ci répondait vraiment à toutes ses attentes. En plus des chambres et des petits lofts spacieux à la disposition des résidents, un service médical complet était offert sur place.

Henri se dirigea directement vers le petit appartement de sa mère, où il trouva l'infirmière.

— Bonjour, monsieur Montgrain.

— Bonjour, Hélène. Où se trouve-t-elle ?

La femme au regard compatissant ne dit rien. Elle le regarda droit dans les yeux.

— Je suis désolée.

C'est alors qu'une voix masculine s'éleva derrière lui.

— Bien le bonjour, Henri.

Son regard triste disparut aussitôt et se métamorphosa en surprise. Lorsqu'il se retourna, un homme légèrement bedonnant se trouvait face à lui. Il le reconnut aussitôt.

— Le partenaire d'Allard !

— Richard Brunet, à votre service.

— …

— D'abord, sachez que votre très charmante maman se porte à merveille. Elle est en train de se faire coiffer par Gisèle.

— Comment m'avez-vous retracé ?

— Eh bien, pour la première fois, je crois que vous n'avez pas fait un sans-faute, Levasseur ! Vous avez fait une petite bourde… voulez-vous savoir laquelle ?

Henri regardait le policier calmement, amusé par le ton qu'il employait, mais surtout curieux d'entendre ce qu'il allait lui dévoiler. Il l'invita à poursuivre.

— Vous avez sous-estimé un petit élément : David Allard.

— …

— Pour votre information, il nous a laissé un message, vendredi, à Bordeaux. Et laissez-moi vous dire qu'il avait inscrit exactement ce qu'il fallait pour que nous découvrions votre véritable identité.

C'est alors que Kim, ainsi qu'au moins huit agents en uniforme, entrèrent dans la pièce.

— Henri Levasseur, vous êtes en état d'arrestation pour de multiples infractions criminelles contre le sergent-détective David Allard et M. Théodore Ducharme. Vous avez le droit de garder le silence. Si vous ne voulez pas exercer ce droit, tout ce que vous direz pourra être utilisé contre vous…

Le meurtrier démasqué ne prononça pas un traître mot et n'émit aucun son. Il tendit les bras devant lui, pour qu'on lui passe les menottes aux poignets. Alors qu'il entendait la jeune policière lui dire ses droits, Henri fixait du regard le partenaire de son prisonnier, rempli d'une rage qu'il s'efforçait de dissimuler. Toutefois, sa frustration ne reposait pas sur les manigances que David avait pu faire à son insu. Elle était plutôt causée par cette première erreur qu'il avait commise : celle d'avoir cru un seul instant qu'Allard pouvait être son complice.

* * *

Plus tard ce jour-là, en ce mardi de décembre, Richard alla retrouver Elena à l'hôpital, au chevet de David. Elle n'avait pas quitté son homme d'une semelle depuis la veille. Quand elle vit entrer Brunet dans la chambre, elle se leva pour se réconforter dans ses bras.

— Et puis ? Vous avez réussi ?

— Oui, c'est fait ! Nous l'avons enfin arrêté !

— Ah, c'est parfait ! dit-elle en appuyant sa tête contre le torse de Richard.

— Excuse-moi de t'avoir laissée seule depuis hier.

— Mais voyons, je comprends. Vous avez finalement découvert la véritable identité de ce malade... C'était une chance en or pour enfin l'épingler.

— Ouais... Pour la première fois, nous avions l'avantage sur lui. Je dois t'avouer que cela a été l'un des moments les plus marquants et jouissifs de ma carrière !

La jeune femme retourna s'asseoir aux côtés de son amoureux, toujours inconscient. Il avait les yeux fermés et bandés. Souffrant d'une déshydratation critique, ses chances de survie étaient presque nulles

lorsqu'il avait été pris en charge par le service de trau-
matologie de l'hôpital Anna-Laberge, à Châteauguay.

— Qu'ont dit les médecins aujourd'hui ?

— Eh bien, ils vont le garder dans un coma artifi-
ciel encore une journée ou deux. Peut-être davantage. Ils
sont vraiment étonnés qu'il soit encore en vie. Son excellente forme physique l'a probablement sauvé d'une mort
certaine.

— Je croyais vraiment qu'il était décédé sur cette
chaise, dit Richard avec émotion.

— Il l'était... Les médecins disent qu'il est certainement parti, pour un court laps de temps. Il a vraiment
une chance inouïe d'être encore parmi nous... La réhy-
dratation doit se faire de façon progressive. Le corps
médical n'ose pas se prononcer, mais j'ai pu comprendre
que les pronostics sont favorables. Puisqu'il a survécu
aux dernières heures, il devrait être hors de danger.

— Dieu soit loué, soupira le quinquagénaire.

— Mais... Il est possible qu'il ne retrouve pas la
vue.

— Quoi ? s'exclama le policier, pas certain d'avoir
bien compris.

— On ne sait pas combien de temps il est demeuré
les paupières ouvertes, sans hydratation, ni protection...
J'ai même entendu les médecins dire que des mouches
auraient pu pondre des œufs dans ses globes oculaires !
raconta Elena, les larmes aux yeux.

— Oh non... David, dit Richard en prenant la
main de son partenaire.

Tout en lui serrant les doigts, il constata une tache
sur l'un de ses ongles.

— Mais, c'est quoi ça ?

Elena et Richard se penchèrent vers David et examinèrent sa main. Une ligne nette grise, presque noire, était visible sous l'ongle de son index.

— C'est une mine de crayon, constata Richard.

— Il n'avait pas cela auparavant, j'en suis certaine.

— Je crois comprendre... Il a probablement trouvé cette mine par hasard et il l'a plantée dans son doigt pour pouvoir nous écrire son message...

— Oh, tu crois que c'est comme ça qu'il s'y est pris ? dit la jeune femme en se tournant vers son conjoint. Il a tant souffert, le pauvre, ajouta-t-elle en lui caressant la joue, espérant qu'il sente la chaleur de sa main sur son visage.

Plus tard ce jour-là, les parents de David ainsi que ceux d'Elena vinrent rendre visite au couple. Même le lieutenant Dallaire prit la peine de se déplacer pour le voir. Debout aux côtés de Richard, installé au bout du lit, Claude ne resta pas silencieux très longtemps.

— Il va s'en sortir, n'est-ce pas ?

— Probablement. Seul le temps va nous le dire.

— J'ai hâte d'écouter son témoignage.

Après une pause, il poursuivit :

— Beau boulot, Brunet.

— C'est grâce à lui, tu le sais.

— Mais bon sang, arrête d'être si humble ! avait-il répondu, découragé.

* * *

355

Dimanche 25 décembre 2011

Qu'il s'agisse ou non de la journée de Noël, rarement Henri avait été aussi bouillant de rage et de colère au cours de sa vie. Étendu sur sa couchette inconfortable, il passait cette journée festive en captivité dans une cage, et ce, pour la première fois de son existence.

Depuis son arrestation, il ne faisait que pester contre ce policier Allard et sa copine : tout était de leur faute. Il n'en était tout simplement pas encore revenu du retournement de situation qui avait eu lieu quelques jours plus tôt. Jamais il ne s'était senti aussi humilié de sa vie, outre la période sombre de son adolescence sous l'emprise du professeur Larochelle.

Le meurtrier pensa à sa mère, qui allait mourir loin de lui. Il eut également une pensée pour toute sa fortune, qu'il ne pourrait jamais dépenser à sa guise. Il se savait condamné d'avance, peu importe le pays où il serait poursuivi en premier. Ses jours se termineraient assurément en prison ou peut-être même dans le corridor de la mort, quelque part aux États-Unis, d'ici une quinzaine d'années. Et ce, même s'il retenait les services du meilleur des avocats.

En fixant le plafond mal éclairé de sa cellule, il décida alors de s'offrir le plus beau des cadeaux de Noël : la patience.

Le sourire aux lèvres, il prit l'initiative de se donner tout le temps nécessaire afin de planifier sa revanche. Il ne savait pas quand ni comment il allait procéder, mais il se réjouissait déjà du plan judicieux qu'il avait l'intention de concocter pour détruire la vie de ceux qui avaient gâché la sienne.

Chapitre 12
Le ressac

Cinq mois plus tard

David déambulait sur la plage et profitait du vent chaud qui soufflait sur son visage. La mère d'Elena, Béatrice, avait décidé d'emmener ses deux filles en vacances, en Floride. Du coup, le policier se trouvait entouré de femmes, mais il ne s'en plaignait pas. De toute façon, il pouvait toujours compter sur le petit Marcus, qui était devenu rapidement le mâle dominant dans cette escapade en sol américain.

Tout en marchant à l'écart des autres, il regardait Béatrice et Amélia se prélasser sur leurs chaises longues, plongées dans leurs lectures respectives. Quant à sa bien-aimée, elle avait dans ses bras son jeune neveu, âgé d'à peine deux mois, qu'elle ne pouvait cesser de dorloter.

En ce chaud mardi de mai, le ciel floridien était nuageux et gris, mais cela ne l'importunait guère. Il était si heureux de pouvoir simplement contempler l'horizon. Après sa séquestration, il avait dû subir deux chirurgies oculaires afin de sauver sa cornée. Son hospitalisation avait été longue et pénible, mais, après deux mois de convalescence, il avait pu reprendre le travail.

Jamais il ne parviendrait à transmettre la gratitude infinie qu'il avait envers son partenaire et ami. Il lui devait la vie, rien de moins. Elena lui avait raconté à quel point Richard avait été bienveillant et attentionné envers elle. Et il avait découvert une alliée insoupçonnée en Kim, qu'il avait toujours trouvée trop coincée.

Le fait qu'il avait participé indirectement à la découverte de la véritable identité de Rob Lussier le remplissait de fierté. Mais, contrairement à ce que les autres pouvaient croire, il n'était pas déçu de ne pas être celui à qui revenait le mérite de son arrestation. Il devait admettre que la personne qu'il était, lorsqu'il avait acheté cette croisière en septembre, l'aurait certainement été, mais pas le David d'aujourd'hui. Il était donc très heureux que les honneurs reviennent à son ami.

Avec Henri Levasseur derrière les barreaux, toutes les preuves étaient enfin consolidées pour l'incriminer de plusieurs meurtres commis au Québec depuis trente ans. Grâce à son ADN et à ses empreintes digitales, de vieilles enquêtes furent enfin résolues ou étaient en voie de l'être. Il allait terminer ses jours en prison, c'était inévitable.

« Le pire, se dit David, ce ne sont pas les procédures judiciaires québécoises ou canadiennes, mais plutôt celles qui démarreront bientôt aux États-Unis. » Le tueur à gages avait commis bon nombre de crimes dans différents États américains, dont plusieurs appliquaient encore la peine de mort. L'avenir du criminel était donc loin d'être tendre, au grand soulagement du policier.

Alors qu'il était certain de mourir sur cette chaise métallique, la majorité de ses pensées avaient été dédiées à Elena. Dès le premier jour de sa captivité, ce fameux mercredi soir de décembre, il l'avait gardée dans son cœur, espérant avoir ainsi la force de survivre à cette épreuve. Et cela avait fonctionné, par miracle.

David regarda Elena bercer le petit Marcus dans ses bras, habillée d'un magnifique bikini ligné bleu et blanc. Il n'y avait aucun doute que cette femme resplendissante avait joué un rôle déterminant dans sa survie. En la voyant rire, il ne put que confirmer l'amour incommensurable qu'il avait pour elle.

Lorsqu'il était dans le coma, il avait quelques fois entendu sa jolie voix ou celles de ses parents. Mais il ne se souvenait plus, avec exactitude, de leurs propos. Par contre, il avait encore en tête la première phrase qu'il avait dite à son réveil à Elena, malgré les bandages qui l'empêchaient d'ouvrir les yeux.

— Je m'excuse pour ton chat...

Il n'avait rien trouvé d'autre à dire. Que des excuses. Car, depuis le début, tout était de sa faute, et il le savait. Il lui avait menti, et leur avait menti, à tous, pensait-il en regardant sa nouvelle famille.

Plusieurs changements avaient eu lieu dans leur vie depuis sa guérison. D'abord, Amélia avait accouché de son fils, puis, peu de temps après, Elena avait démissionné de son poste de directrice au transbo. Des employés lui avaient organisé une petite fête. Marcel, ce grand Sénégalais qu'elle appréciait, avait pleuré en apprenant le départ de sa patronne. Mais elle leur avait fait un cadeau en or en leur annonçant que ce serait Patrick le nouveau directeur.

David était vraiment fier d'elle et aimait retrouver cette fougue qui l'avait tant charmé lors de leur première rencontre. Elle avait même réussi à convaincre son père de créer un poste sur mesure pour elle, au siège social du Groupe Perrot, afin de permettre à l'entreprise de rester compétitive dans un marché qui devenait de plus en plus féroce.

David avait été très heureux d'apprendre que Nicolas, son beau-père, avait accepté. Par conséquent, Elena avait un horaire plus régulier et conventionnel, ce qui correspondait davantage à leur projet de fonder une famille. Mais sa conjointe ne désirait pas s'y consacrer tout de suite, car la gestion de l'empire familial battait de l'aile et elle s'inquiétait pour son père. Elle voulait donc se consacrer à sa carrière encore un an ou deux. David n'était pas d'accord et espérait que l'arrivée de Marcus lui ferait changer d'idée.

Debout face à l'océan, le policier laissa le vent caresser son visage. Il ferma les yeux un instant, puis les rouvrit, toujours si ébahi de voir de façon nette à nouveau.

Après quelques heures sans pouvoir fermer les yeux, immobilisé sur cette chaise, sa vue était devenue floue et il avait pensé devenir fou. Cela avait été, incontestablement, le pire moment de son existence.

Mais les malheurs semblaient derrière lui, désormais. D'autant plus que les Perrot lui avaient rapidement pardonné ses mensonges et son comportement égoïste, à la surprise d'Elena. Ils l'avaient accueilli, à nouveau, les bras grands ouverts. L'amour qu'il recevait de sa belle-famille le laissait sans mot, pansant toutes les blessures qu'il gardait encore.

Une roche frappa son pied, ce qui lui arracha une grimace. Il pencha la tête, mais ne la vit plus. La mer l'avait déjà engloutie. Il enfonça ensuite ses orteils dans le sable chaud, et observa ses empreintes. La trace de son pied avait laissé un profond sillage, tellement il avait pesé avec force. Puis vint le ressac, qui effaça tout, d'un seul coup, et sans effort.

Il leva la tête vers la femme qu'il aimait. Il l'avait blessée et entraînée dans cette histoire qui avait mis sa vie en grand danger. Le policier avait fait du mensonge son allié, pour son propre bénéfice. Et il en avait chèrement payé le prix.

Mais aujourd'hui, telle une plage vierge après le passage des vagues, une nouvelle vie s'offrait à lui, pleine de promesses.

Du moins, c'est ce qu'il croyait…

Remerciements

D'abord, un merci tout particulier à mes nombreux lecteurs et connaissances, qui m'ont tant encouragée et soutenue dans ma démarche. Votre appui et vos bons commentaires m'ont extrêmement motivée. Ici, je pense, entre autres, à mes collègues de chez Chamard, aux gens de mon patelin et aux passionnés croisés dans un salon du livre.

Je tiens également à remercier le sergent-détective Jean-Philippe Labbé et l'agent correctionnel Alexandre Saint-Denis, pour leur soutien technique sur des sujets qui ne m'étaient aucunement familiers. Merci de m'avoir fait cadeau de votre temps si précieux.

Je ne peux passer sous silence l'équipe des Éditions Recto-Verso, qui continue de m'appuyer et de croire en moi. Vous êtes une grande famille dont je suis si fière de faire partie! Je pense à Sylvie-Catherine de Vailly, à Pascale Morin, à Jacinthe Lemay, à Judith Landry, à Pierre Bourdon, et à tous ceux et celles qui ont participé de près ou de loin à la réalisation de ce roman. Un merci tout particulier à ma directrice littéraire, Nathalie Ferraris, avec qui ce fut un immense plaisir de travailler. Ta vision aguerrie n'a pu que bonifier cette histoire!

Encore une fois, mon entourage immédiat a joué un grand rôle dans l'aboutissement de ce projet. Outre les encouragements de ma famille et de mes proches, je tiens tout particulièrement à remercier ma grande amie Lucie, qui a commenté, chapitre par chapitre, le déroulement de l'intrigue. Je voudrais également remercier ma chère maman, Jeannine, de m'avoir si généreusement aidée à peaufiner certains passages. Merci donc à vous deux, car, grâce à vous, mon roman n'est que meilleur.

Il est impossible d'ignorer la contribution incommensurable de mon conjoint, Jean-Luc. Il a commenté, construit, révisé, soutenu toutes les étapes de la réalisation de ce tome. Tes précieux souvenirs de nos croisières de plongée sous-marine ont été une véritable source d'inspiration! Ta mémoire phénoménale m'a permis de me retrouver, le temps de quelques pages, sur ce yacht aux Maldives. Un salut tout spécial à ta patience et à ton indulgence, car l'écriture de ce récit ne fut pas de tout repos. Merci de continuer de croire en moi et de m'inspirer mes belles intrigues. Je t'adore!

Finalement, je voudrais remercier mes deux trésors, Rose et Philippe, que j'ai tant eu l'impression de délaisser, prisonnière de mon écran d'ordinateur. Vos constants mots d'encouragement débordaient de fierté et m'ont remplie d'une force inestimable. Je ne vous remercierai jamais assez de m'avoir laissée un nombre incalculable de soirs et de week-ends à moi-même. Ce livre, je vous le dédie. Il est pour vous, il est le fruit de vos sacrifices, occasionnés par une maman toujours trop occupée. Je vous aime, mes amours.

Pour discuter avec
l'auteure, rendez-vous sur sa
page facebook ou au

sandramessih.com.